حقوق الزوجة فى الإسلام

بسم الله الرحمن الرحيم

الإهداء

- إلى أمى الحبيبة غفر الله تعالى لها وأجزل عطاءها !

- إلى إيمان الأخت، حفظها الله تعالى !

- إلى كل امرأة حصان رزان لم تتهم بريبة !

- إلى كل أرملة وهبت عمرها لأولادها، وأقامت لله تعالى بيتا مسلما صالحا !

- إلى كل زوجة صالحة جمعتها المودة والرحمة بزوجها !

د. محمود عكاشة

حقوق الزوجة في الإسلام

الدكتور محمود عكاشة

الطبعة الأولى
٢٠٠٦م

رقم الإيداع : ٢٠٠٥/١٤٦٦٢

الترقيم الدولى : 6 - 14 - 6149 - 977

الناشر

الأكاديمية الحديثة للكتاب الجامعى

٨٢ شارع وادى النيل ، المهندسين ، القاهرة ، مصر

تلفاكس: ٥٦١ ٣٠٣٤ (٠٠٢٠٢) E-mail: J_hindi@hotmail.com

المقدمة

الحمد لله الذى خلق الناس من نفس واحدة، وخلق منها زوجها، وبث منهما رجالا كثيرا ونساء، وجعل بينهما مودة ورحمة، وأصلى وأسلم على سيدنا محمد صلى الله عليه رحمة للعالمين وخاتم المرسلين، وقدوة المهتدين، وإماما فى الإصلاح وإنصاف المظلومين، وبه اقتدينا واهتدينا إلى ما يصلح العالمين بما هو حق مبين، ثم أما بعد:

فقد عزمت عزما أكيدا - مستعينا بالله تعالى - أن أتناول موضوعات حقوق المرأة فى إصدارات متتابعة إن شاء الله تعالى ، وذلك للحاجة إليها فى عصرنا الذى طرحت فيه قضايا المرأة طرحا جديدا يحتاج توضيحا وتصحيحا ، فقد أثارتنى معالجات قضايا المرأة المعاصرة بما يراه المتحدثون من آراء شخصية متأثرة بأفكار ومذاهب لا تمثل نسقا بشريا عاما يحفظ مصالح المرأة ويعالج قضاياها المعاصرة معالجة صحيحة تحقق سعادتها وتحفظ حقوقها وترفع منزلتها وتحترم آدميتها، ويعرضون آراءهم فى زخرف القول، وفى باطنها فساد عظيم واحتقار للمرأة وإهدار لكرامتها وعفافها وما اختصها الله تعالى به مما ليس فى الرجل وما لا يقدر عليه سواها، فيزورون لها القول، ملحوحين بحريتها، وهم فى حقيقة الأمر يعرضون بها ، ويخدعونها عن نفسها، ويجندون لذلك نساء موتورات بسوء أو دنس، أو نساء عجزن عن أن يكن زوجات صالحات، أو نساء مضللات بأفكار هدامة، أو نساء حسناوات من منبت سوء يدعون بدعوى الجاهلية البدائية وتغرين النساء بالإباحية، ويحسدن نساء عفيفات مؤمنات عابدات أقمن لأنفسهن بيوتا صالحة مستقرة، فأبين عليهن نعمة العفة والولد والزوج والقرار.

وقد روعنى ما ينسبه الناس عن جهل إلى الإسلام من سلوكيات مذمومة وأفعال متعسفة وأقوال مشينة فى حق المرأة، وليست إلا تقاليد اجتماعية موضوعة أو رواسب بدائية موروثة أو خرافات المتخرصين والمشعوذين.

وقد تواريت خجلا مما يتأوله بعض المتعالين فى الإسلام على وجه يسىء إلى الإسلام بما ليس فيه، ويقولون هو من عند الله وما هو من عند الله بل مما هم عليه من تقاليد متأثرة بظروف البيئة وأسقطوا ذلك على فهم النصوص فتأولوها على ما هم عليه من معتقد، وبعضهم ينقل عن مصادر غير محققة الرواية وليست إلا موضوعات أو إسرائيليات أو آراء ليست من الدين، وهم يحسبونها لقدمها حجة فيحدثون بما فيها، وآراء

الناس ليست حجة على الدين بل حجة على أصحابها.

وبعض المسلمين يرتعون فيما رتع فيه أعداء الإسلام، فنسبوا إلى الإسلام ونبى الإسلام منكرا من القول وزورا، وهؤلاء يتحدثون عن جهل بالإسلام أو عن بغض له، فيضلون الناس بقولهم الكذب ولا يعلمون عن إسلامهم شيئا، وبعض المسلمين والمسلمات تتنازعهم التيارات المعاصرة التى ترفع شعار الحرية معرضين عن الدين زاعمين أن الدين يقيد الحرية ويستعبد المرأة ويجعلها أسيرة الرجل، والدين لم يستعبدها بل استعبدها رجال على غير دين، وسلمت مقادها لهم ورضيت أن تكون محظية لهم دون وجه شرعى أو حق لها عليهم، وقد فضحتكم وحشيتهم مع النساء في الحروب التي يتبرءون فيها من الأخلاق والحقوق، ولم يستبح جند الإسلام أعراض النساء والأطفال أو قتلهما!

وقد أعز الله تعالى النساء فخلقهن على ما خلق عليه الرجال وخصهن بالذكر وجعل لهن حقا على الرجال، وعرفت المرأة حقوقها أول مرة فى التاريخ فى الإسلام، وشرع الله تعالى استئذانهن فى الزواج وأبطل تعصب العرب للأولاد ورغب فى البنات وعظم أجر تربيتهن، وجعل لهن ذمة مالية، وجعل لهن ما للرجال من حقوق في الميراث، وحقوق في الحياة.

والنبى صلى الله عليه وسلم مثل رائع وقدوة فى الحياة الزوجية ومعاشرة النساء وتربية البنات، فقد أصلح ما أفسده الناس وقوم ما أعوج من سلوكهم وأرشدهم إلى الحق وفضائل الأعمال، فلم يكن النبى صلى الله عليه وسلم زوجا لزوج واحدة بل زوجات، وكان مثالا لا يبارى فى العدل بينهن وحسن عشرتهن، وامتد حسن خلقه إلى حسن معاملة أبناء زوجاته وبناتهن من غيره، فقد احتضنهم وأحسن إليهم إحسان الأب الصالح المحب لأولاده، ولم يفرق بينهم وبين معاملة بناته، وقد تعلموا من خلقه الكثير وحدثوا بحسن معاملته لهم وتأديبه وكرمه عليهم، وكانوا رواة لحديثه، ولم يصرفه عن زوجاته كثرة أعباء الدعوة وجهاد الأعداء، وأداء مصالح الناس، ولم يقصر فى نفقة ولم يبخل عليهن على ما كان يتحمله من نفقات فقراء المسلمين وضيافة ضيفه.

وقد اجتهدت - ولم آل جهدا - فى أن أميط اللثام عن بعض ما تفضل به الإسلام على المرأة وبعض ما متعها به من حقوق لم تعط لها من قبله، ولم تستوفها التشريعات الدنيوية الحديثة، وليس لها نظير فيما وضعه البشر من قوانين لم تكتمل فيها وجوه العدل ولم

تحقق بها سعادة المرأة، ولو كان فى غير أحكام السماء عدل لما اختل ميزان العدل بين البشر فى الأرض، ولو كان نموذج المرأة الغربية مثالا صالحا، لما كانت هنالك نساء تغتصب أو دواعر (أو فتيات ليل) أو شواذ أو أطفال شوارع أو أبناء زنا أو ملاجئ بها أطفال تعادل أطفال المدارس، ولو كانوا على عدل لما اغتصبوا الأطفال وتاجروا فيهم، ويزعمون أنهم صناع الحرية والحياة وأنهم القدوة لنا، وهم فى حاجة إلى من يعلمهم أن يكونوا بشرا صالحين لهم زوجات وذرية تربى فى أكنافهم، وأوربا المتحضرة استعمرت العالم، وقتلت الشيوخ والأطفال واغتصبت النساء، وأكثر ضحايا جيوشها نساء مغتصبات، ولم يفعل ذلك جند الإسلام طوال التاريخ.

والمجتمع المسلم على ما به من فقر وفساد سياسى وضعف اقتصادى أكثر أمنا وأحفظ لدينه وعرضه وماله ونفسه منهم، وليس به ظاهرة الشواذ أو الاغتصاب أو تجارة الأطفال.

ولكن الغرب يأبى علينا أن نكون صالحين، ويتصدق علينا برذائله، ولو كان محبا لنا لأهدى لنا علمه ومدنيته وحضارته وتقنياته فلسنا فى حاجة إلى أخلاق الغرب وسلوكه وممارسته، وليست المرأة المسلمة فى حاجة إلى خلق المرأة الغربية ففى دينها غناء لها، بل نحن فى حاجة إلى علوم الغرب وتقنياته التى تجعلنا فى ركب الحضارة وهو ما يأباه أعداؤنا، فنحن على إرث عظيم من الدين والفكر الذى نشأ فى أحضان الثقافة الإسلامية والتى تحتاج إحياء وتجديدا وبعثا، وقد أسهم فى هذه الحضارة كل من يعيش على أرض الإسلام مسلمون وغير مسلمين ورجال ونساء دون اعتبار جنس أو لون.

ولا نستطيع أن نتجاهل عقم التفكير العربى المعاصر والعقم السياسى والركود الاقتصادى وضعف الوعى الاجتماعي، فهذا كله سبب مباشر فى تردى أوضاع المرأة المسلمة وسبب من أسباب غموض مفهوم الإسلام عند الغرب وصورته المشوهة من قبل وضع المسلمين فى العالم المعاصر، وليست المرأة وحدها تئن مما وقع ويقع عليها من ظلم، بل الإسلام نفسه يشتكى المسلمين الذين يمثلون الإسلام أمام غير المسلمين، فكانوا وما زالوا شر سفير لدينه على مستوى السياسة، ولا يعلم غير المسلمين عن الإسلام كثيرا غير ما يسمعه ويراه عن السياسيين المسلمين الذين أساءوا لشعوبهم. والأمل يشرق مع زوال الفجر ويتجدد مع ميلاد طفل يحمل اللواء ويصلح ما أفسده الآخرون. وهنالك دعاة

ومصلحون مخلصون لدينهم ووطنهم يجاهدون لإصلاح المسلمين وأوضاعهم، ويصححون المفاهيم ويعلمون الناس على بصيرة وعلم وفهم، وهنالك مؤمنات صالحات يجاهدن إلى جوار الرجال لإصلاح ما فسد.

وقد كتبت هذا الكتاب وفاء لنموذج المرأة العظيم الذى ملأ عيني وأثلج صدرى وشرحه، وسرى حبه فى جسدى فاستشرى فيه، إنها المرأة التى كانت لى وعاء وكنفا وما زالت، وقد تطفلت عليها، فوهبت لى حياتها وما زالت، فاستغنيت عنها وأنا كبير بيد أنها ترانى طفلها الوحيد غير الرشيد، فتحنو على وأنا جافيها، وترفق بي وأنا فظ غليظ، وتصلنى وتبرنى، وقد تحولت عنها إلي أخرى، ليس لها من الفضل والبر ما لها، فكنت القاطع وهى الواصلة، وكنت بعيدا، وكانت قريبة، وكنت ناسيا وكانت ذاكرة، وكنت مبتلى وكانت داعية، وكنت معدما وكانت مغنية وكاسية، إنها أمى معلمتى الأولى الحكيمة الفاضلة الحاجة ﴿عزيزة عبد الرازق أبو زيد﴾ التى تبصرت على يديها الطاهرتين طريقى واهتديت بخلقها وفعلها ونصحها إلى طريق العلم الذى كانت منهله الأول ومصدره الذى وصلته بعلم العلماء.

كانت من القراء وما زالت، وما زال رنين صوتها الجميل وإيقاعه الهادئ الحزين - وهى تقرأ القرآن الكريم - يقع صداه فى أذنى فيسرى أثره فى أوصالى ويغبطنى بفيض لأجد له مثيلا فى كلام الناس وأنا أسمع الآيات، وهى تجودها وتحسنها أداء، وتتغنى بالقرآن عن غيره، فجعلته غناء عن الغناء وعن الغيبة والبهتة وسوء القول.

إنها المرأة التى نهرتنى ورأيت غضبها عندما رأتنى شغوفا بالغناء مثل أترابي، وأنا صغير ألهو وأعبث، فدفعت إلى بمصاحفها التى استغنيت بها عن الغناء وعبث الأطفال فى سن مبكرة (العاشرة)، فالتزمت مصاحفها وجلست إلى الشيخ أحفظ على يديه وأتعلم منه العلم وأتبعه إلى المساجد، وأحفظ خطبه على المنابر، وأدونها عنه، فكانت مصدر المعرفة الأول، واستعنت بشيخ آخر، أحفظ على يديه القرآن، وجالست العلماء، ولكن المعلم الذى طالت صحبتى له هى أمى العظيمة؛ لأنها كانت أحفظ وأوعى وأوفى وأرفق بي من البشر جميعا، وقد جعلت القرآن الكريم مقدما على غيره، وقد اقتديت بها فى ذلك، فكان الصوت الذى يعلو فى بيتنا الوارف صوت إذاعة القرآن الكريم المصرية بما تزخر به من قراء مجيدين، فهى من طيبات هذا البلد الطيب، وما زالت هذه الإذاعة بمن فيها مقربة إلى

قلبى لفضلها العظيم على، فكان أترابي يستعينون بالأغاني، وهم يحصلون العلم، وكنت أستعين بكتاب الله تعالى في قضاء حوائجي، وهو يتلى منها، وأقول لعل الله تعالى ينفعنى بما أسمعه ويبارك لى فيما أتعلمه، فجعلهما الله تعالى بفضله لي.

فنفعنى بالقرآن الكريم، فقد علوت به وبارك لى فيما تعلمته فنما وازدهر وجنيت كثيرا من ثمره وأكلت به وأطعمت غيري، ونفعت به أصدقائى وتلامذتى وجلاسي، وهذا من فضل الله تعالى على وعلى الناس ثم من فضل أمى التى وجهتنى إلى الخير وأسلمتنى إلى أهل الأمانة والعلم.

وقد كتبت هذه الشهادة شكرا لوالدتى خاصة، وقد أوجب الله تعالى شكر الوالدين : ﴿ووصينا الإنسان بوالديه حملته أمه وهنا على وهن وفصاله في عامين أن اشكر لي ولوالديك إلي المصير﴾[لقمان:١٤] فالحمد لله تعالى أن وهبنى والدين صالحين بارين بى يحفظان حقه ويعملان بأمره، فأحسنا إلى، وأدعو بدعاء سليمان عليه السلام، فى قوله تعالى: ﴿فتبسم ضاحكا من قولها وقال رب أوزعني أن أشكر نعمتك التي أنعمت علي وعلى والدي وأن أعمل صالحا ترضاه وأدخلني برحمتك في عبادك الصالحين﴾ [النمل: ١٩] وقوله تعالى: ﴿ووصينا الإنسان بوالديه إحسانا حملته أمه كرها ووضعته كرها وحمله وفصاله ثلاثون شهرا حتى إذا بلغ أشده وبلغ أربعين سنة قال رب أوزعني أن أشكر نعمتك التي أنعمت علي وعلى والدي وأن أعمل صالحا ترضاه وأصلح لي في ذريتي إني تبت إليك وإني من المسلمين﴾[الأحقاف: ١٥] والحمد لله رب العالمين.

الدكتور محمود أبو المعاطي عكاشة

الجمعة ٢٢ صفر ١٤٢٦هـ / ١ إبريل ٢٠٠٥م

القاهرة - لاظوغلى

المرأة في المجتمعات غير المسلمة

كانت المرأة في المجتمعات غير المؤمنة قبل الإسلام لا تعد شيئا، ولا يرى المجتمع لها رأيا أو حقا، فكانت المرأة في بعض المجتمعات تعد من ممتلكات الرجل الخاصة مثل الجواري أو الإماء، فهي قبل الزواج ملك لأبيها، ولأخيها من بعده، ثم تنتقل ملكيتها إلى زوجها، فتتسمى باسمه وتنسب إليه، وما زال لهذا النسب الدعى رواسب في أعراف الغرب الذي يظنه بعض الناس من المدنية الحديثة، فينسبون الزوجات لأزواجهم زورا، وليس هذا إلا من رواسب الجاهلية والبدائية التي كان الناس عليها، وهم على غير دين قبل المسيحية والإسلام، ولم يك للمرأة ميراث، وإن اكتسبت مالا، فليس لها حرية التصرف فيه، وإن ترك لها أبوها مالا انتزعه رجال أسرتها منها، وكان الرجل يزوج ابنته ممن يشاء دون مشورتها.

وقد وقع في بعض العقائد أخطاء فادحة في حق المرأة، فهي في بعض الديانات رمز المعصية ومصدرها وسبب فيها، وهي سبب شقاء البشر في الأرض ومرتع الرذيلة والخيانة، وليست إلا حية تغدر، وتلذاذا ينجس.

وهي التي أخرجت آدم من الجنة وأوعزت إلى قابيل بقتل أخيه هابيل فوقع أول قتل في الأرض بوحي منها، وهي التي أججت نار الحروب في الأرض، وبعثت فيها الصراع والفتن، قال آدم عليه السلام المرأة التى جعلتها معى أعطتنى من الشجر فأكلت وقد عاقبها الله تعالى فجعلها خادمة لزوجها ذليلة مقهورة لا عقل لا ورأي، تلد وتتعذب، وجعل الله تعالى زوجها سيدها يقهرها ويذلها... قال للمرأة: تكثيرا أكثر أتعاب حبلك، بالوجع تلدين أولادا، وإلى رجلك يكون اشتياقك، وهو يسود عليك، وقال لآدم: لأنك سمعت لقول امرأتك، وأكلت من الشجرة التي أوصيتك قائلا: لا تأكل منها. ملعونة الأرض بسببك..[1] فالمرأة سبب خروج آدم من الجنة، وسبب الخطيئة ومصدر الشر، وأصل الخيانة.

وتعد المرأة نجسة إن ولدت، وينسبون ذلك لله تعالى: «وكلم الرب موسى قائلا: كلم بنى إسرائيل قائلا: إذا حبلت امرأة ذكرا تكون نجسة سبعة أيام ... وإن ولدت أنثى تكون نجسة أسبوعين في طمثها[2]»«وكل من مسها يكون نجسا إلى المساء،وكل ما تضطجع عليه في طمثها يكون نجسا وكل ما تجلس عليه يكون نجسا، وكل من مس فراشها يغسل ثيابه ويستحم بماء ويكون نجسا إلى المساء، وإن كان على الفراش أو على المتاع الذي هي

---

(1) سفر التكوين، الإصحاح الثالث.

(2) سفر اللاويين الإصحاح الثاني عشر. الآيات: ١:٥.

جالسة عليه عندما يمسه يكون نجسا إلى المساء، وإن اضطجع معها رجل، فكان طمثها عليه يكون نجسا سبعة أيام، وكل فراش يضطجع عليه يكون نجسا...[٣]» ونجاسة المرأة هنا لا تتعلق بموضع نزول الدم والموضع الذي يصيبه بل المرأة كلها نجسة، وكل شيء تلمسه أو يتصل بها يصير نجسا، وتتضاعف نجاستها إن ولدت أنثى، لأن المولودة ذات رحم نجس يزيد نجاسة الأم، ويجب على المحيطين أن يبتعدوا عنها ويتواصلون معها بلا مساس، ونجاسة المرأة نجاسة أبدية في هذا المعتقد، ولا تبرأ منها بطهارة، لأنها نجاسة تصاحب الأنثى، وقد أبطل الإسلام ذلك، ولم يصف المرأة أبدا بأنها نجس، وهي مسلمة، ولا يراد بنجاسة المشركين نجاسة البدن الخلو من النجاسة بل المراد فساد اعتقادهم، وعدم تنزههم عن النجاسات وعدم تطهرهم منها.

وتلاحق النجاسة المرأة في كل ما تفعله، في ملة اليهود - فالمرأة التي تطلب الطلاق نجسة، وإن وقع عليها ضرر، والمطلقة نجسة والرجل الذي يتزوجها ملعون وتصيبه نجاستها.

وبعض القوانين ترى أن الزوجة تكون لأولاده الذكور من بعده، إن لم تك أما لهم، وتجيز بعض الأعراف أن يتزوج الرجل زوجة أبيه من بعده، وأبطل الإسلام ذلك: **﴿ولا تنكحوا ما نكح آباؤكم من النساء إلا ما قد سلف إنه كان فاحشة ومقتا وساء سبيلا﴾ [النساء:٢٢]**

وأرملة الزوج تصير زوجة لشقيقه من بعده إن لم يك له ولد، وأوجبت بعض الملل على المرأة أن تتزوج شقيق الزوج بعد موته أخيه، لتقيم بيتا لشعب الله المختار، ولشقيق الزوج أن يرفضها إن شاء، ولا تحل لغيره إلا بعد أن يتبرأ منها ويرفض زواجها[٤].

والأوربيون أبناء الحضارة الإغريقية واليونانية التي جردت النساء من حقوقهن وجعلتهن بمنزلة العبيد، فهن آخر طبقات المجتمع، وكلأ مباح على الشيوع بين طبقة الحكام والفرسان، والمرأة كأنما خرجت من خنزير، أو من ثعلبة ماكرة، وهي مثل الكلبة تتفحص كل شيء وتتطلع إليه وتبحث لها عن ضالة في كل مكان، فإن لم تجد شيئا أطلقت لسانها بالسوء، فهي عاهرة، ماجنة، خبيثة.

وليس لها حق فيما تنازلت عنه منهم لزوجها ولا نفقة لما معها من الأولاد، ويجب عليها أن تعول من اختارته منهم، ولا يعتد بالمهر قبل الزواج، وبعض المجتمعات تنفر من

---

(٣) ارجع إلى سفر اللاويين، الإصحاح الخامس عشر، الآيات: ١٩:٣١.

(٤) ارجع إلى سفر روث، الإصحاح الأول.

عقود الزواج وتقيم عقدا مدنيا يتفق فيه الرجل والمرأة على طبيعة العلاقة بينهما وما يتبعها من نفقة ومسكن وما يترتب عليه من أولاد، وقد تكون العلاقة بين الطرفين غير زوجية، ويتخلى الآباء عن مسئوليتهم نحو أبنائهم بعد سن السادسة عشرة أو يزيد عليها قليلا بنين وبنات، ويصبح الأولاد والبنات مسئولين عن أنفسهم دون الأبوين.

وليس للبنات حق الإعالة على الأخ أو العم أو الخال، فإن مات الأب والأم عاشت البنت بلا ولي يقوم عليها ويرعى شأنها، ومسواها الأخير الملجأ أو الأحداث أو الشوارع المظلمة والخلفية مع فتيات الليل والشطار والمتطرفين!

وكان للزوج حتى عهد قريب حق قانوني في بيع زوجته وتأجيرها بغاء للرجال، ويسمح له القانون بذلك مع بناته، وسمح بعض رجال الدين الغربيين بذلك، وسمح بذلك القضاء، ولم يكن للمرأة حق الحضور إلى القضاء أو حق الشهادة وإبرام العقود وحق البيع والشراع إلا بموافقة الزوج على أن تتصرف في ملكيتها الخاصة، والزوج هو المتصرف في أموالها أمام القانون.

وكانت المرأة وما زالت بلا حقوق زوجية في بعض المجتمعات، وعملت بذلك بعض الملل، فليس لها الحق في الانفصال أو طلب الطلاق أو أن تختلع نفسها من زوجها الذي يؤذيها، وكرهته لسوء خلقه وعجزه عن الوفاء بمطالبها. وليس لها الحق في اختيار الزوج، ولا أن تشترط عليه شيئا، ولا أن تتفهم طبيعة فكره وشخصه وتلزم بالرضا به وقبول ما هو عليه. وكانت المرأة أهون على الرجل من أن يعتد بشيء تريده أو يرى لها رأيا أو يحس لها شعورا، فيكثر من الزوجات دون ضابط أو حق لواحدة منهن أو نفقة أو إعداد مسكن، فكان الرجال يكثرون منهن ليعملن له في ماله وخدمته دون أجر أو عائد خير لهن.

وكانت المرأة العربية في الجاهلية أحسن حالا من غيرها في المجتمعات غير العربية فيما يتعلق بالأعراض والأنساب والمنزلة بيد أن بعض العرب في الجاهلية كانوا لا يعدون النساء شيئا وكان هذا في بوادي العرب بين الأعراب، وفي بعض الحضر.

قال عمر رضي الله عنه: كنا في الجاهلية لا نعد النساء شيئا، فلما جاء الإسلام، وذكرهن – رأينا لهن بذلك علينا حقا[٥]، وروى: «و الله إن كنا في الجاهلية ما نعد للنساء أمرا حتى أنزل الله فيهن ما أنزل، وقسم لهن ما قسم[٦]»، وقد قال ذلك عمر رضي الله عنه

(٥) صحيح البخاري، كتاب اللباس.

(٦) صحيح البخاري، كتاب التفسير، ومسلم، كتاب الطلاق.

في الحادثة التي جرت بين النبي صلى اللـه عليه وسلم وبين زوجاته رضوان اللـه عليهن وخيرهن بينه وبين الطلاق فاخترنه رضوان اللـه عليهن.

وقد رويت لنا أخبار عن سوء معاملة الأنثى واحتقار شأنها أحيانا، بيد أن العرب جميعهم لم يكونوا على ذلك، فحكماء العرب كانوا يرون في الإناث الحب والإلف والإيناس وقد عبر لشاعر العربي عن ذلك بقوله:

لولا بنيات كزغب القطا ∴ رددن من بعض إلى بعض

لكان لي مضطرب واسع ∴ في الأرض ذات الطول والعرض

وإنما أولادنا بيننا ∴ أكبادنا تمشى على الأرض

وقد وجد العربي في بناته أملا جديدا يرغبه في الحياة، فالمرأة تمثل للرجل الحنان والدفء، وهو من دونها يجزع من الحياة ويستنكف من البقاء فيها، وفي هذا يقول الشاعر في ابنته أميمة خاشيا عليها من ذل الفقر واليتم:

لولا أميمة لم أجزع من العدم ∴ ولم أقاس الدجى في حندس الظلم

وزادني رغبة في العيش معرفتي ∴ ذل اليتيمة يجفوها ذوو الرحم

أحاذر الفقر يوما أن يلم بها ∴ فيهتك الستر عن لحم على وضم

لقد خشى عليها من ذل الفقر، وجفوة أقاربه عليها بعد موته، فسعى جاهدا ليوفر لها ما تحتاجه لئلا تذوق مرارة الفقر.

ولم تك كل النساء العربيات مضيعات، فقد كانت المرأة في الحواضر تحظى بنفوذ بين الرجال، وكانت تتدخل في سياسة القبيلة أحيانا، وكانت أحيانا توقد نار الحرب بين القبائل، وقد تسببت في انهيار أحلاف سياسية، فهذه ليلة بنت المهلل أم عمرو بن كلثوم شاعر قبيلة تغلب وزعيمها، تترفع على أم الملك عمرو بن هند (عمر بن النعمان بن المنذر) ملك العراق، وقد اجتمعت وفود قبيلتي تغلب (برئاسة عمرو بن كلثوم) وقبيلة بكر (برئاسة النعمان بن هرم)، وكان بينهما نزاع، فجمعهما عمرو بن كلثوم ليصلح بينهما، وناصر عمرو بن هند قبيلة تغلب، وطرد النعمان بعد أن احتد النقاش بينهما، وأوعز بعض الوشاة إلى الملك أن عمرا يترفع عليه تكبرا، وعلى إثر هذا حاولت هند أم الملك أن تستخدم ليلى

بنت المهلل في إعداد مائدة الطعام، فثارت ليلى، واستغاثت بولدها، وأخبرته بما نالها من ذل، فقتل عمرو بن كلثوم الملك، وقال عمر مفتخرا بذلك[٧].

بأي مشيئة عمرو بن هند ∴ نكون لقيلكم فيها قطينا

بأي مشيئة عمرو بن هند ∴ تطيع بنا لوشاة وتزدرينا

تهددنا وأوعدنا رويدا ∴ متى كنا لأمك مقتوينا

لقد استنكف عمرو بن هند أن يكون خدما لمن ولاه أمرهم، وليس قومه بضعاف، فيطمع في إذلالهم عمرو بن هند، وليس من العقل أن تطيع الوشاة، فترغب في إذلالنا، واحتقارنا، ولن يؤذينا تهديدك ووعيدك، فلسنا خدما لأحد، ولسنا في مهنة أمك، فنخدمها.

وقد تكرر هذا في كثير من أيام العرب فتثور المرأة لأذى لحق بها أو عار عيرت به، فينهض الرجال لنجدنها والثأر لكرامتها وتسعى الفتنة بين القبائل، فتجمع كل قبيلة أحلافها، وتدور رحا الحرب سنين.

وكانت بعض بنات الأشراف والسادة تتمتعن بشخصية أبية بارزة في الحياة العامة وتتمتع برجاحة عقل، ومن هؤلاء حرقة بنت النعمان بن المنذر ملك العراق ومن به من قبائل العرب، وقد نهكت دولته وضعفت لكثرة صراعها مع دولة الغساسنة بالشام والقبائل الثائرة عليها، وقضى- جيش الفتح الإسلامي على آخر ما بقى من ملكها، وأتت حرقة بنت النعمان في عدد من جواريها إلي قائد جيش المسلمين سعد بن أبي وقاص رضي اللـه عنه تطلب منه العون وأن يحسن وفادتها ومنزلتها في الناس، فسأل سعد: أيتكن حرقة؟ قلن هذه وأشرن إليها!! قال: أنت حرقة؟ قالت: نعم، فما تكرارك الاستفهام؟! ثم قالت: إن الدنيا دار زوال، وإنها لا تدوم على حال، إنا كنا ملوك هذا المصر من قبلك، يجئ إلينا خراجه، ويطيعنا أهله زمان دولتنا. فلما أدبر الأمر وانقضى صاح بنا صائح الدهر، فصدع عصانا وشتت شملنا، وكذلك الدهر يا سعد! إنه ليس من قوم بسرور وجدة إلا والدهر معقبهم حسرة، ثم قالت:

فبينا نسوس الناس والأمر أمرنا ∴ إذا نحن فيهم سوقة ليس نعرف!

---

(٧) معلقة عمرو بن كلثوم، وهي طويلة. قيل: ما دون الملك مثل الأمير، وقطين: خدم، تزدرى: تحتقر، مقتوى: خدم.

فأف لدنيا لا يدوم نعيمها ∴ تقلب تارات بنا وتصرف!

فأكرم سعد رضي الـلـه عنه وفادتها وأحسن إليها وأعطاها ما احتاجت إليه، فلما أرادت الانصراف قالت: لا أنصرف عنك حتى أحييك بتحية ملوكنا: لا جعل الـلـه لك إلى لئيم حاجة، ولا زال لكريم عند حاجة! ولا نزع من عبد صالح نعمة إلا جعلك سببا لردها عليه! فلما عادت إلى منزلها، سألها النساء: ما صنع بك الأمير؟ قالت: حاط لي ذمتي، وأكرم وجهي! إنما يكرم الكريم الكريم[٨]. ولا يخفي عليك يا أختاه ما يفعله غير المسلمين بنساء المنهزمين! والمرأة العربية تتمتع بشخصية أبية عزيزة صامدة فليست بخوارة واهية بل صابرة مجالدة تقدم أولادها للموت وهي راضية وتفخر بأنها أم الشجعان وأخت الأبطال قالت أم الصريح الكندية في رجال من قومها ثبتوا لأعدائهم حتى الموت ولم يفروا:

أبو أن يفروا والقنا في نحورهم ∴ وأن يرتقوا من خشية الموت سلما

ولو أنهم فروا لكانوا أعزة ∴ ولكن رأوا صبرا على الموت أكرما

فالفرار كان لا يرضى النساء، وكانت تأبى أن تبكى قتيلا دون الثأر له، والمرأة العربية نفسها التي قدمت أولادها شهداء في الإسلام وما زالت المرأة العربية صامدة، وتبذل عطاء رحمها للوطن والدين.

ولم تك المرأة الجاهلية متحررة ترتع في الإباحية بل كانت أبية محتشمة تحفظ وقارها وحياءها، فقد أنكرت هند بنت عتبة رضي الـلـه، وهي تبايع النبي صلى الـلـه عليه وسلم أن تزني الحرة، فقال صلى الـلـه عليه وسلم :«ولايزنين» ، فقالت مستنكرة: «أو تزني الحرة يا رسول الـلـه!» وقد بايعته وهي منتقبة لا يعرفها، فعرفها من حديثها عمن قتلهم من أقاربها يوم بدر[٩].

ولم يك العرب يرخصون في أعراضهم خلافا لغيرهم من الأمم ، فقد كانوا - وهم

---

(٨) مروج الذهب للمسعودي ط١٩٩٤ جـ٢/ ١٠٣ وفي رواية: إذا نحن فيهم سوقة نتنصف.

(٩)أخرج سعيد بن منصور وابن سعد عن الشعبى مرسلا: أن النبى صلى الـلـه عليه وسلم لما قال: [ممتحنا النساء ومبايعا]: «على ألا يشركن بالله شيئا» قالت هند بنت عتبة، وهى منتقبة خوفا من النبى صلى الـلـه عليه وسلم أن يعرفها.. فقال: النبى صلى الـلـه عليه وسلم :«ولا يسرقن» فقالت هند: إن أبا سفيان رجل شحيح وإنى أصيب من ماله قوتنا، فقال: أبو سفيان هو لك حلال، «فضحك النبى صلى الـلـه عليه وسلم وعرفها». وروى البخارى مثله فى كتاب النكاح فى جواز أكل المرأة من مال زوجها بالمعروف.

على جاهليتهم - أشد غيرة على نسائهم وأكثر الأمم حرصا على حفظ أنسابهم، وبلغ تعسفهم في هذا قتل البنات خشية ما يصيب أعراضهم وخلط أنسابهم، ووضعوا قوانين صارمة تتعلق بالنساء، فيخلعون من يشبب بالنساء في شعره أو يذكرهن في سياق حديثه عن حبه وولهه بواحدة منهن، وقد يندفعون غيرة فيقتلون من ذكر نساءهم، وكان الرجل منهم يقاتل عن حريمه لا يألو جهدا في ذلك، ويرى من بعدهن الموت خيرا له، قال عمرو بن كلثوم، وهو من أكثر العرب تعاليا وشعورا بنفسه[١٠]:

على آثارنا بيض حسان ∴ نحاذر أن تقسم أو تهونا

إذا لم نحمهن فلا بقينا ∴ لشيء بعدهن ولا حيينا

ولم يك هذا موقف الرجال وحدهم بل كان موقف النساء أيضا، فكانت المرأة تدفع الرجل ليقاتل عنها، ويحميها أو يستخلصها من الأعداء، وكانت هند بنت عتبة تحث المشركين يوم أحد وتخوفهم العار الذي سيلحق بهم إن هزموا ولم يثأروا لقتلاهم يوم بدر، وأنهن سيكن غنيمة للمسلمين وسيعيرون بهن طوال الدهر، وكانت هند تغرى المشركين بالحرب والثأر، وكانت تؤججها كلما أطفأها عقلاء قريش حتى خرجوا، وهي من ورائهم في نسوة معها موتورات يوم أحد فى ذويهم، قالت هند ومعها النسوة وأخذن الدفوف يضربن بها خلف الرجال ويحرضنهم عندما التقى الفريقان:

ويها بنى عبد الدار ويها حماة الأدبار ضربا بكل بتار

وقالت أيضا:

إن تقبلوا نعانق ∴ ونفرش النمارق

أو تدبروا نفارق ∴ فراق غير وامق

لقد حرضت عشيرتها بنى عبد الدار الذي يحمون أعقاب الناس، ويضربون ضربا يبيد عدوهم، وحذرتهم من الهزيمة، فإن انتصروا أقبلن عليهم ورحبن بهم وعانقن أزواجهن وفرشن الوسائد واحتفلن مع أزواجهن بالنصر، وإن هزموا فارقن أزواجهن، فراق غير المحب.

---

(١٠) معلقة عمرو بن كلثوم.

وبلغت عداوتها شأوا عظيما لم يبلغه رجل من المشركين، ونكلت بحمزة رضي اللـه عنه الذي قتل أحبتها يوم بدر، وقيل لاكت كبده بأسنانها ثم لفظته مما ملأ جوفها من غيظ وحقد ، فقد قتل ابنها حنظلة يوم بدر وأباها وأخاها ، وكان معه على رضي اللـه عنه ؛ وهي المرأة التي جاءت تبايع بعد الفتح وناقشت الرسول صلى اللـه عليه وسلم في أمر البيعة، فعرفها صلى اللـه عليه وسلم .

وقد ساق مالك بن عوف مع جنود هوازن يوم حنين حريمهم وأطفالهم وأموالهم ليقاتلوا عنهم، فلما سأله دريد بن الصمة عن ذلك قال: أردت أن أجعل خلف كل رجل منهم أهله وماله ليقاتل عنهم، فأنكر عليه ذلك. وقال: إنها إن كانت لك لم ينفعك إلا رجل بسيفه ورمحه، وإن كانت عليك فضحت في أهلك ومالك![11]. فغلبهم المسلمون وسبوا النساء وأسروا أولادهم، وهرب الجنود منهزمين، ونهى الرسول صلى اللـه عليه وسلم عن قتل النساء، فمر يومئذ بامرأة، وقد قتلها خالد بن الوليد عندما همت بقتله، والناس مجتمعون عليها، فقال: «ما هذا؟ قالوا امرأة قتلها خالد بن الوليد، فقال صلى اللـه عليه وسلم لواحد من أصحابه: أدرك خالدا فقل له: إن رسول اللـه صلى اللـه عليه وسلم ينهاك أن تقتل وليدا أو امرأة أو عسيفا»[12].

وأتى وفد هوازن يعتذر إلى النبي صلى اللـه عليه وسلم ويطلب منه أن يفك أسر النساء والأطفال، ويتركون له الأموال، فقال زهير السعدي:«يا رسول اللـه، إنما في الحظائر عماتك وخالاتك وحواضنك اللاتي كن يكفلنك، ولو ملحنا (أرضعنا) للحارث بن أبي شمر (الغساني) أو للنعمان بن المنذر (ملك العراق)، ثم نزل منا بمثل الذي نزلت به رجونا عطفه وعائدته (فضله) علينا، فأنت خير المكفولين[13]». فأعطاهم النبي صلى اللـه عليه وسلم ما في يده من النساء والأطفال، فلما رأى المسلمون ذلك من رسول اللـه صلى اللـه عليه وسلم ، جعلوا ما في أيديهم من النساء والأطفال للنبي صلى اللـه عليه وسلم ، فرد النبي صلى اللـه عليه وسلم نساءهم وأطفالهم[14].

لقد عرفت المرأة حقها أول مرة في ظل الإسلام الذي حفظ كرامتها ووقرها وصانها عن الفواحش وأظلها بحياة زوجية تأمن في كنفها وعدلها.

وجاء الإسلام فأقر أعراف الجاهلية الحسنة وزادها فضلا وقوة وتمكينا، وأبطل ما دون ذلك من مساوئ الجاهلية كأكل مال اليتيمة، وغصب مال الزوجة وحقها في المهر

([11]) السيرة جـ١٦/٤.

([12]) السيرة جـ٩١/٤ والعسيف الغلام الأجير الذي يعمل في خدمة سيده ولا يقاتل، فإن قاتل معه جاز قتله. وقد قتل خالد رضي اللـه عنه المرأة عندما همت بالغدر به.

([13]) السيرة ١٣٥/٤.

([14]) قيل خير النبي صلى اللـه عليه وسلم بين النساء والأطفال وبين أموالهم، فاختاروا نساءهم وأطفالهم.

وحريتها في ذمتها المالية وحقها في الميراث وحقها في النفقة والمتعة في الطلاق وحق الحضانة، وحدد عدد الزوجات، ونهى عن قتل البنات أحياء خشية العار والفقر، ورغب في البنات والإحسان إليهن، وشرع أحكاما تخص النساء، وتبطل أعراف الجاهلية الظالمة، وتحفظ حقوق المرأة في الحياة، ويسوي بين المرأة والرجل في العمل والجزاء وأحكام الشرع فيما يشتركان فيه.

وحرر الإسلام المرأة من براثن ظلم الجاهلية ومعتقداتها الفاسدة وأخرجها من ظلمات الجهل إلى نور الإيمان.

وحرر الإسلام المرأة من مظالم الجاهلية وأعرافها الفاسدة التي حرمت ما أحل الله وأحلت ما حرم الله، وزادت في الدين ما ليس منه، وأبطل الإسلام ما زعمه الكتابيون في المرأة من نجاسة وما نسب إليه من خطيئة أدم، وحررها الإسلام من الرق والعبودية الزوجية، وشرع حقوقها في الميراث والزواج والمعاملات وغير ذلك.

لقد استعبد رجال علي غير دين المرأة، فلم يروا حقا لها، ولم يعتدوا بها في شيء، فأنزلوها منازل العبيد والخدم والإماء، وعدوها وسيلة ترفيه ومتعة يروح بها الرجال عن أنفسهم ويتلذذون بها. فقد تاجر بعض سفهاء العرب بعرضها، فأكرهوها علي البغضاء ليجلبوا بها الأموال ويحققون بها مصالحهم، وقد كان بعض أهل الجاهلية يشتري الفتيات اللاتى وقعن في الأسر، فيقودهن إلي بيوت الرجال، ومجالسهم أو يعد لهن بيتا يجتمع الرجال عليهن فيه، فيغنين ويطربن الرجال السكر، وبعضهن تكره علي ذلك، فأنزل الله تعالي فيهن: **﴿ ولا تكرهوا فتياتكم على البغاء إن أردن تحصنا ......﴾[النور:٣٣]** وقد قال العلماء في سبب نزولها إن جازية لعبد الله بن أبي يقال لها مسيكة وأخري يقال لها أميمة يكرهما علي الزنى، فشكتا ذلك إلي النبى، صلى الله عليه وسلم فأنزل الله تعالي: **﴿ولا تكرهوا فتياتكم على البغاء - إلي قوله تعالي - غفور رحيم﴾**[١٥].

ولم تكن لهما رغبة في البغاء، بل كان يكرهما سيدهما علي ذلك، وكانت لهما رغبة في العفاف، وما زالوا يجندونها في الرذيلة، ويخدعونها عن نفسها بشعارات حرية المرأة وحقوقها والمساواة، وهم لا يحتكمون في ذلك إلي دين أو فضيلة أخلاقية، وليس لديهم نسق شرعي عام يسوي بين جميع البشر في الحقوق، وليست لديهم معايير عامة للحرية والمساواة يتفق عليها البشر.

---

(١٥) رواه مسلم في كتاب التفسير، ٣٠،٢٩.

ومن أغرب ما يطعن به الإسلام أنه قيد حرية المرأة، والطاعنات هن النساء اللاتي حررهن الإسلام من ظلم ليسوا علي دين ومن يرتعون في ظلمات الجاهلية، هؤلاء الدهريون الذين يرفعون شعارات تحرير المرأة اليوم هم أنفسهم أحفاد الوثنيين والملحدين الذين جعلوا المرأة ميراثا وجعلوها في منزلة العبيد، أين كانوا عندما كان الجاهليون يقتلون بناتهم خشية العار والفقر قبل أن يبطل الإسلام ذلك قبل هجرة، والمسلمين قلة يتخطفهم أمثال هؤلاء من أنصار الجاهلية؟!

لقد أنكر الله تعالي عليهم ذلك في بيان توبيخي بمكة قال تعالي: ﴿**وإذا الموؤودة سئلت(٨)بأي ذنب قتلت بأي ذنب قتلت(٩)**﴾[**التكوير**] إن الذين قتلوا البنات في هذا العصر- أسلاف هؤلاء من الملحدين والوثنيين، فنسبوا تحرير المرأة لأنفسهم، ولم يحرروها من براثن الجهل بل يريدون تحريرا خلقيا وجسديا، فتصبح بلا حرمة!

إن المجتمع العربي قبل الإسلام مجتمع ذكوري يرفع الرجل الفارس المقاتل الشجاع ويحط من صغار السن وضعيفات النساء، وقد فرضت طبيعة الحياة العربية علي أهلها ظروفا قاسية أشعلت الصراعات، وأراقت الدماء، وكانت الطبيعة مجدبة فتنافسوا علي أسباب الحياة، ووقعت الغارات ونهبت الأموال وأسرت النساء، فنفر العرب من كل ما يسبب لهم عبئا في الصراع، وكانت النساء الثغر الضعيف الذي تغتال منه القبيلة، وكان العرب غيورين علي أنسابهم وعلي أعراضهم، ولم تبلغ أمة ما بلغ العرب في حفظ الأعراض، وطهارة الأنساب، وقد أسرف بعض العرب في الغيرة علي النساء فقاموا عن جهل بوأدهن صغارا، لأنهن يمثلن نقطة ضعف في القبيلة، واعتقدوا عن باطل أن المرأة ليس لها أهمية في الحياة فلا تحارب، ولا تغير، بل قد تكون عارا، والرجل منهم يغذيها ويسمنها ليأخذ رجل أخر، لتكون واحدة من جريمة يتلذذ بها، وغير ذلك من إرهاصات الجاهلين في المرأة، وما زالت هنالك بقية في عصرنا من الجهال وبعض المنحرفين والملحدين ومن علي هواهم من المفسدين الذين لا يرون للمرأة وجها في الحياة غير التلذاذ والترفيه عن الرجال، وقد أطاعتهم بعض القسوة فرتعن فيما خاض فيه هؤلاء من الباطل.

وكانت هنالك علاقات في الجاهلية بين الرجال والنساء أحدثها بعضهم متأثرين بالأمم الأخرى وبعض الملل، وقد أبطلها الإسلام.

العلاقات المحرمة بين الرجل والمرأة

ابتدع الناس قبل الإسلام علاقات في النكاح ليست إلا زنى، فلا تقوم علي شرع سماوي، ولم تكن هذه العلاقات بين الرجال والنساء فاشية في العرب، فقد كانوا يحرصون علي نقاء أنسابهم ويحفظون أعراضهم، وأسرفوا في خشيتهم علي العرض، فقتلوا البنات؛ لأن الطعن في العرض، يكون من قبلهن.

ومن هذه الأنواع من العلاقات المحرمة في الجاهلية:

ـ المخادنة :

وهي اتخاذ المرأة رجلا صديقا لها أو رفيقا عن غير عقد زواج. وقد نهي الله تعالي عن ذلك: **﴿وآتوهن أجورهن بالمعروف محصنات غير مسافحات ولا متخذات أخدان .....﴾** [النساء: ٢٥] والمرأة المحصنة هي التي عفت فرجها عن الفجور، قال تعالي: **﴿ومريم ابنت عمران التي أحصنت فرجها... ﴾[التحريم: ١٢]**[١٦].

ويراد بها أيضا المرأة التي عفت بالزواج دون الزنى، والإحصان شرط في زواج المرأة، وإن كانت كتابية قال تعالي: **(والمحصنات من الذين أوتوا الكتاب من قبلكم)** فيمتنع زواج الكتابية التي اتخذت أخدانا أو أصدقاء؛ لأنها غير عفيفة، قال تعالي: **(ولا متخذان أخدان)** وقد حرم الله تعالي المخادنه أو الصداقة بين الرجل والمرأة فى السر دون عقد، وجعل الزواج بديلا لها. وقد أمر الله تعالي أن تنكح المرأة بإذن أهلها وأن تؤتي أجرها (مهرها) قال تعالي: **﴿فانكحوهن بإذن أهلهن وآتوهن أجورهن بالمعروف...﴾ [النساء:٢٥].**

فأوجب أن تكون العلاقة بينهما زواجا بعقد بينه وبين أهلها، فلا يخفي علاقته بها ولا تكون إلا بعقد زواج معلن أمام الناس، والإعلان فيه شرط أساس، وليس الورقة المكتوبة التي تكتب في العلاقات السرية التي تكون سفاحا وليست بزواج معلن، ولا يذكرون الزواج فيها إلا عند التقاضي أو الحمل أو الوقوع في أيدي رجال الشرطة، وينكر أحدهما الآخر فيما دون ذلك، وهذه العلاقة محرمة؛ لأنها تعد مخادنة (صداقة سرية وعلاقة غير شرعية)، وقد عرف هذا النوع غير الشرعي في الجاهلية، ودليل ذلك النهي في القرآن الكريم: **(ولا متخذات أخدان)**.

---

(١٦) المحصنة: العفيفة التي حفظت نفسها عن الزنى، والمرأة المتزوجة التي عفت نفسها بالزواج أيضا. والخدن: الصديق، والصديق فى السر (للذكر والأنثى).

وعلاقة الصداقة بين الرجل والمرأة لم تكن عرفا متبعا في الجاهلية، فلم تحدث إلا في نساء البغاء من السواقط (البغايا) اللائى لا أنساب ولا أحساب لهن، أما الحرائر فلا.

وتعد علاقة الصداقة ظاهرة في المجتمعات غير الإسلامية، وهي ظاهرة في الدول العلمانية والدهرية الملحدة التي لا تقيم للدين وزنا، ولا تري تقنين علاقات الرجال بالنساء في نسق ديني أو قانوني، وتعد ذلك حرية شخصية، ولهذه الإباحيات تبعات خطيرة عليهم وآثار مدمرة وانهيار اجتماعى.

تبادل الزوجات:

وعرف في الجاهلية بنكاح البدل (الجنس البدلي)، وقد كان بعض رجال الجاهلية من الوثنين يقول أحدهما للآخر: أنزل لي عن امرأتك وأنزل لك عن امرأتي.

وجاء هذا النوع من العلاقات السفاحية في حديث عائشة رضي الله عنها:«كان النكاح في الجاهلية علي أربعة أنحاء : كان الرجل يقول لامرأته إذا طهرت من طمثها: أرسلي إلي فلان فاستبضعي منه، ويعتزلها زوجها حتى يتبين حملها، فإذا تبين، أصابها إذا أحب، وإنما يفعل ذلك نجابة الولد[١٧]» ويسمي هذا النوع من السفاح«نكاح الاستبضاع»: أي تطلب المرأة من صديق زوجها أو من يرسلها إليه أن تستبضعه أو تطلب منه أن يعاشرها طلبا للولد النجيب، وهو اعتقاد فاسد في فئة قليلة، فالعرب كانوا يترفعون عن ذلك في جاهليتهم، وقد فعله بعض سفائهم والشواذ، فالمجتمع لا يصفوا من الشوائب الشاذة التي تفسد عليه بعض جماله،ويذهب هذا جفاء،وما ينفع الناس يبقيه الله تعالي فيهم.

وهذا النوع من السفاح يوجد في بعض شواذ عصرنا من الشباب السفهاء وبعض رجال الأعمال الذين لا يتورعون عن أن يبتزوا أموال الآخرين بأعراضهم، فيقدمون أزواجهم وبناتهم وأخواتهم للآخرين لعقد شركة بينهم أو طلبا للمنفعة، وقد يفعل السفهاء ذلك في المجاملات الاجتماعية ورغبة في ممارسة طقوس شاذة، وهذا كله تهتك خلقي وفساد عقدي.

وهذا الذي يرضي بالفاحشة في أهله« ديوث » [١٨] ، وقد حرم الله تعالي عليه الجنة جاء في الحديث: «لايدخل الجنة ديوث». ونحمد الله تعالي علي هداه وأن عصمنا بما عصم به عباده الصالحين.

---

(١٧) صحيح البخاري، كتاب النكاح، باب من قال (لا نكاح إلا بولي).

(١٨) من يرضي بالفاحشة في أهله يعرف بالديوث.

السفاح الجماعي:

نوع من السفاح يجتمع فيه رجال يمارسون الرذيلة مع امرأة أو نساء شركة. قد وجد في الجاهلية، جاء في حديث عائشة رضي الله عنها: « ونكاح آخر: يجتمع الرهط (مادون العشرة) علي المرأة فيدخلون كلهم يصيبها، فإذا حملت ووضعت، ومر عليها ليال، أرسلت إليهم، فلم يستطع رجل منهم أن يمتنع حتي يجتمعوا عندها، فتقول لهم قد عرفتم ما كان من أمركم، وقد ولدت، فهو ابنك، تسمي من أحبت باسمه، فيلحق به ولدها، لا يستطيع أن يمتنع منع الرجل» (١٩).

وهذا السفاح لم يكن شائعا أيضا بل كان في فئة وقد ترفع عنه الأشراف والحرائر.

سفاح الدعار والدواعر:

وهم الذين يحترفون الدعارة من الرجال والنساء، وتعد سلوكا ومهنة فيهم وفيهن، وهذا اللون كان في الجاهلية ضيقا فلم يكن فاشيا، فالدعارة كانت في الأراذل والسفهاء ويترفع عنها الأشراف، وبعض العرب كانوا يذهبون إلي بيوتات الدواعر سرا ويجلسون عندهن للمتعة والشراب والطرب، وكان ذلك في مواضع نائية غير معلنة في أحياء مجهولة، وكانت مكة أبعد عن وقوع ذلك بها، بل كان في أحياء بعض العرب المغمورين.

جاء في حديث عائشة: « ونكاح رابع يجتمع ناس كثير، فيدخلون علي المرأة لا تمتنع ممن جاءها- وهن البغايا- ينصبن علي أبوابهن رايات تكون علما، فمن أرادهن دخل عليهن، فإذا حملت إحداهن، جمعوا لها، ودعوا لهم القافة [جمع قائف، وهو من يعرف الولد بأبيه من الشبه فيلحقه به]، ثم ألحقوا ولدها بالذي يرون، فالتلط به [التصق به وثبت النسب بينهما] ودعي ابنه لا يمتنع من ذلك».

وبعض المنحرفين يقتري البغايا للدعارة ويجلبهن من الخارج ويأكل من دعارتهن فلادين له ولا خلاق، وكذلك من يجلب الدواعر للمحافل جلبا للوافدين وترويحا عنهم، تحت مسميات السياحة والحفلات وغير ذلك من الملاهي الإباحية، والرزق لا يطلب بالحرام! وهذا من أخلاق أهل الجاهلية كانوا يشترون الإماء للدعارة والترفيه وللمجالس، ويستكرهون العفيفات منهن علي معاشرة الرجال والأصدقاء.

وقد نهي الله تعالي من أسلم منهم عن ذلك؛ لئلا يفعله أحد دخل في الإسلام ،قال

---

(١٩) صحيح البخارى، كتاب النكاح، باب من قال لا نكاح إلا بولى.

تعالى:﴿ولا تكرهوا فتياتكم على البغاء إن أردن تحصنا لتبتغوا عرض الحياة الدنيا ومن يكرههن فإن الله من بعد إكراههن غفور رحيم﴾[النور:٣٣].

ومهر البغي أو الأمة: الأجر الذي يأخذه صاحبها من سفاحها، وقد أطلق علي ما تأخذه الزانية مهرا مجازا، لأنها قد أخذته مقابل الفعل بها أو البغاء، وأصل البغاء الطلب، والبغي التي تحترف الزنى وتأكل به. وقد كان بعض الجاهلين يستخدمون الإماء، لأماكن الفاحشة ويكرهون علي الزنى جلبا للمال وترفيها عن النزلاء. وقد نهي الله تعالي عن ذلك (**ولا تكرهوا فتياتكم على البغاء**)، وقيل إنها نزلت في عبد الله بن أبي بن سلول، كان يكره جاريتين له علي البغاء بأجر.

وقد نهي النبي صلى الله عليه وسلم أن يأكل من المال التي أتت به أمته إلا ما عملت يديها أو جاءت به من عمل مشروع، فإن كان من عمل فرجها حرم علي المسلم ذلك، جاء في الحديث عن أبي مسعود رضي الله عنه (عقبة بن عمرو) قال: « نهي النبي صلى الله عليه وسلم عن ثمن الكلب ومهر البغى البغض وحلوان الكاهن[٢٠]» وفي رواية: «نهي عن ثمن الدم، وثمن الكلب،وكسب الأمة» ، وذهب بعضهم إلي ترك المال الذي جاءت به مطلقا؛ لأنها لا تؤمن علي مصدره أو الوسيلة التي جلبته بها لاحتمال الشبهة فيه.

السفاح النوعي أو المثلى (سفاح الشواذ) [٢١]:

وهو الذي يقع بين نوع واحد، فيكتفى الذكور بالذكور ويعرف بعمل قوم لوط، وتكتفى النساء بالنساء ويسمى السحاق، وهذا النوع من السفاح الشذوذي، وقع في الأمم القديمة، وأشهر من وقع فيهم في التاريخ قوم لوط عليه السلام، وقد جاء ذكرهم في القرآن الكريم والعهد القديم، قال تعالى: **﴿ أتأتون الذكران من العالمين ﴾**[الشعراء: ١٦٥].

---

(٢٠) صحيح البخاري، كتاب الطب، باب الكهانة. ونهى العلماء عن ثمن الكلاب واختلفوا في كلب الصيد، وقد ضعف العلماء حديث ابن ماجة عن جابر قال: « نهي رسول الله صلى الله عليه وسلم عن ثمن الكلب إلا كلب صيد»، وأجازوا أن يستخدم خارج البيت للحراسة والصيد دون المتاجرة فيه بثمن.

(٢١) أطلق بعض العلماء قديما وحديثا اسم اللواط على الجنس بين الذكور، وأرى أن فيه تعريضا بنبى الله لوط عليه السلام الذى نهاهم عن هذه الفاحشة، ويجب أن ننزه اسمه عن مثل هذه المعانى المحظورة فنسميه الشذوذ النوعى أو المثلى أو فعل قوم لوط، ولا نقول اللواط أو اللوطية أو نصف شاذا فنقول لوطى. نريد بذلك الشذوذ الجنسى بين الرجال. ويسمى فى النساء السحاق والمرأة السحاقية: الشاذة مع نوعها.

وهم أول من فعل هذه الفاحشة، قال تعالى: **﴿ولوطا إذ قال لقومه أتأتون الفاحشة ما سبقكم بها من أحد من العالمين﴾** [الأعراف: ٨٠]. وكانوا يجاهرون بها:
﴿ولوطا إذ قال لقومه أتأتون الفاحشة وأنتم تبصرون﴾[النمل:٥٤].

وقد نهاهم عنها ودعاهم إلى الزواج من الإناث، إن كانوا يبغون العفاف، ولكنهم أعربوا عن رغبتهم الشاذة في ضيفه (وهم الملائكة). قال تعالى: **﴿ولقد راودوه عن ضيفه فطمسنا أعينهم فذوقوا عذابي ونذر﴾** [القمر: ٣٧] و**﴿...فاتقوا الله ولا تخزون في ضيفي أليس منكم رجل رشيد﴾**[هود: ٧٨] **﴿وقال يا قوم هؤلاء بناتي هن أطهر لكم ...﴾** [هود: ٧٨]و**﴿ قال هؤلاء بناتي إن كنتم فاعلين﴾** **[الحجر: ٧١]**.

لقد أغراهم بالزواج من بناته (وقيل من النساء)، فعرضهن عليهم، لكنهم أعلنوا عن رغبتهم في الفجور بضيوفه، ويوجد هذا النوع من السفاح الشذوذي في العصر الحديث، وأجازت بعض الدول الغربية التي ترفع لواء الحرية هذه العلاقة الشاذة بين أفراد النوع الذكرى أو النوع الأنثوي، وسمحت لهم بعقد مدني يشبه عقد الزواج، وهذا النوع من العقود تقرره المؤسسات المدنية، ولم تعترف به الكنيسة أو المعبد اليهودي لخروجه عن الدين، وهذا النوع من العقود المدنية فاسد إسلاميا، ولا يتحدث به رجل مسلم أو امرأة مسلمة، وندعو الله تعالى أن يحفظنا وألا يخرج رجل يدعى الإسلام أو امرأة فيدعو إلى ذلك في المسلمين أو أن يسلط أعداء الإسلام أحدا يدعو إلى ذلك تعمية وتضليلا وتسفيها وحسدا، أو أن تتورط السلطة في ذلك لتشغل الناس عن الفساد السياسي.

وهذه الفاحشة سقط فيها بعض الشواذ من الشباب في بلاد الإسلام ممن يسرفون فى الفساد ويبحثون عن الإثارة وفعل الغرائب والبدع والتقاليع، ويلهثون وراء تقاليد الغرب ورذائله، فيتبعون قدمه قدما بقدم.

وقد جاء تحريم ممارسة الرذيلة بين الرجال قرآنا وسنة، فقد حرمها الله تعالى على الأمم السابقة، وقد جاء النهي عنها في حديث القرآن الكريم عن قوم لوط، وهم أول من فعل هذه الفاحشة، فما سبقهم بها أحد من العالمين؛ لأنها تخرج عن المألوف الطبيعي الذي خلق الله تعالى البشر عليه، فقد جعل الذكر يميل نحو الأنثى والأنثى نحو الذكر وجعل لكليهما رغبة في الآخر ليقترن بها ويسكن إليها، وقد خرج الشواذ من الرجال والنساء عن هذا القصد. وحرم ذلك على أمة محمد قال تعالى: **﴿نسآؤكم حرث لكم فأتوا حرثكم أنى شئتم...﴾** **[البقرة: ٢٢٣]** أي زوجاتكم حلال لكم فأتوهن من موضع الولد دون

الدبر، وهو الفرج[٢٢]، واستدل العلماء بهذه الآية في تحريم إتيان المرأة في غير الموضع الذي تلد منه (الفرج)، وأجمعوا على تحريم مواقعة المرأة في دبرها (صمام الاست)، وقد فسر الصحابة الآية السابقة: أن للرجل أن يجامع زوجته مقبلة ومدبرة في الفرج، وصح هذا عن النبي صلى الله عليه وسلم [٢٣]، والشاهد من هذا أن الإسلام حرم على الرجل أن يأتي زوجته التي أحلها له في دبرها، فالتحريم أشد في إتيان الرجال، ونظيره حرام في الجنس بين النساء. عن جابر بن عبد الله رضي الله عنهما، قال رسول الله صلى الله عليه وسلم :«إن أخوف ما أخاف على أمتي عمل قوم لوط»[٢٤].

وقد ورد في الحديث قتل من فعل عمل قوم لوط، روى عن النبي صلى الله عليه وسلم :«من وجد تموه يعمل عمل قوم لوط فاقتلوه الفاعل والمفعول به» وفي رواية « أحصنا أو لم يحصنا». وروى عن ابن عباس رضي الله عنه في البكر الذي يفعل عمل قوم لوط قال: « يرجم وقد حرق أبو بكر الصديق رضي الله عنه رجلا يسمى الفجاءة حين عمل عمل قوم لوط»[٢٥]؛ وقد تابع في ذلك رأي على رضي الله عنه، عندما أرسل خالد بن الوليد يسأل أبا بكر رضي الله عنه: « إن هذا الذنب لم تعص به أمه من الأمم إلا أمة واحدة صنع الله بها ما علمتم، أرى أن يحرقه بالنار، فأحرقه، ثم أحرقهم عبد الله بن الزبير في خلافته، ثم أحرقهم هشام بن الوليد بن عبد الملك، وأحرقهم خالد القسري بالعراق»[٢٦].

وروى أن عبد الله بن الزبير رجم أربعة منهم، فلم ينكر عليه ابن عباس وابن عمر رضي الله عنهم عليه ذلك، وإلى هذا ذهب الشافعي، وقال مالك: «يرجم أحصن أو لم يحصن، ويرجم المفعول به إن كان محتلما»[٢٧].

وقد يفعل الشذوذ بالبهيمة أو بحيوان، وهم سواء في التحريم، والجزاء، وروى عن ابن عباس رضى الله عنهما قال: قال رسول الله صلى الله عليه وسلم :«من وقع على بهيمة فاقتلوه واقتلوا

([٢٢]) الدبر والاست وفتحة الشرج يراد بهم فتحة البراز الخلفية من الرجل والمرأة وقال ابن عباس في "حرث": يعني الفرج.

([٢٣]) ارجع إلى القرطبي ٨٢،٨١/٢. ودليل ذلك قوله تعالى (فإذا تطهرن فأتوهن من حيث أمركم الله) [البقرة: ٢٢٢] وهو الفرج موضع الحيض.

([٢٤]) رواه الترمذي في كتاب الحدود، باب ما جاء في حد اللوطي: ١٤٥٧، وابن ماجة في كتاب الحدود، باب من عمل عمل قوم لوط: ٢٥٦٣، وحسنه الألباني في صحيح سنن ابن ماجة:٢٠٧٧.

([٢٥]) صحيح رواه أبو داود، وابن ماجة والترمذي والنسائي والدار قطنى.

([٢٦]) القرطبي ١٩٩/٧.

([٢٧]) القرطبي ١٩٨/٧، ١٩٨.

البهيمة معه . فقال الراوي لابن عباس: ما شأن البهيمة؟ قال: ما أراه قال ذلك، إلا أن كره أن يؤكل لحمها، وقد عمل بها ذلك العمل»[٢٨]. وقيل يقام عليه حد الزاني ، وقيل يجلد مائة أحصن أو لم يحصن ، وقيل يعزر بالضرب دون الحد[٢٩]. و الله أعلم. ولم تشع هذه العلاقات في العرب، فقد ترفع عنها أشراف العرب وكرائمهم.

وكان عامة العرب على بصيرة من الفطرة الصالحة، فكانت فيهم بقية من دين إبراهيم عليه السلام، فأقاموا بيوتهم على وجه مشروع من العلاقة بين الرجل والمرأة، فكان الرجل يخطب المرأة من رجال قومها ويسوق إليها بعض ما يملك هدية لها ولقومها، ويصدقها بالمال ويحضر هذا العقد أشراف قومه وقومها، وكان هذا الشكل الذي حدثتنا به السيرة عن زواج النبي صلى الله عليه وسلم من السيدة خديجة رضي الله عنها قبل الإسلام.

******

---

(٢٨) رواه أبو داود في كتاب الحدود، باب: ثمن أتى بهيمة: ٤٤٦٤، والترمذي في كتاب الحدود، باب ما جاء فيمن يقع على البهيمة: ١٤٥، وابن ماجة في كتاب الحدود، باب: من أتى ذات كرم ومن أتى بهيمة ٢٥٦٤، والإمام أحمد في مسنده ٢٦٩١١، وصححه الألباني في صحيح سنن أبي داود.

(٢٩) ارجع إلى القرطبي جـ١٩٩/٧. جاء في سفر اللاويين، الإصحاح الثامن عشر: على لسان موسى عليه السلام من الكلام الذى تلقاه بجبل سيناء: «ولا تضاجع ذكرا مضاجعة إمرأة، إنه رجز، ولا تجعل مع بهيمة مضجعك، فتتنجس بها، ولا تقف إمرأة أمام بهيمة لنزائها، إنه فاحشة» [٣٣،٣٢].

النكاح الفاسد

توجد أنكحة فاسدة لا تستوفي شروط الزواج الشرعي الصحيح، أو سقط فيها شرط من شروط الزواج أو ظهر ما يبطلها، وهي :

النكاح السري[٣٠]:

وهو ما يسمى خطأ «**الزواج العرفي**» بين غير الراشدين وغير القادرين على أعباء الزواج وبين راغبي المتعة، ويراد به العلاقة الجنسية السرية بين رجل وامرأة كبيرين أو صغيرين اتفقا على اللقاء سرا رغبة في المتعة، وكتبا بينهما اتفاقا على أنهما متزوجان سرا، وأشهدا على ذلك شاهدي زور شهدا على باطل وينكران الشهادة على الزواج عند طلب الشهادة منهما، وقد يكتبون ورقة أو عقدا، ولا يعلم بهذا الاتفاق إلا الشاهدان، وقد لا يصلحان للشهادة أو لا تقبل شهادتهما، فالشاهد يجب أن يكون عدلا صالحا ويؤتمن في الشهادة، والصالحون لا يشهدون على باطل سرا.

وهذا النوع من النكاح فاسد، وإن كان في ظاهره يشبه الزواج غير أنه في باطنه سفاح، لأن نية المتعاقدين في الزواج غير صادقة، فليس من وراء هذا الاتفاق إلا المتعة المحرمة، ولا تتحقق به مقاصد الشريعة من الزواج، ولا يبتغي منه إقامة بيت إسلامي وإنجاب ذرية صالحة، ولم تتوفر فيه شروط الزواج كاملة، ومنها أن يكون المتعاقدان أهلا للزواج يعرفان مضمونه وتبعاته وواجباته، وأن يعقد الاتفاق الزوجي مع ولي المرأة من أهلها، فإن لم يك لها قرابة يزوجها من له الولاية المدنية كشيخ المسجد أو رئيس الحي أو شيخ القرية أو من له الأمر في المكان الذي تسكن فيه، وأن يدفع لها مهر يقدر باستطاعة الزوج ترضى به، وأن يعلن الزواج، والغاية من الإعلان حفظ العرض من الطعن وحفظ الحقوق الزوجية، فالناس كلهم شهود، وليس للصحيفة التي ينكرها أحد الطرفين عند التقاضي قيمة في الزواج إلا عند الاعتراف بها من الناحية المدنية.

لقد أصبح النكاح السري ستارا يستر ما وراءه من السفاح، ويسمونه زواجا عرفيا وليس عرفا مستحسنا اتفق عليه الناس وأعلنوه وعملوا به بل ينكرونه، وليس بزواج،

---

(٣٠) سميته نكاحا، لأنه ليس بزواج يستوفى الشروط الشرعية، وسميته سريا؛ لأنه ليس معلنا فى الناس، فبطل من هذا الوجه، وليس بعرف بين الناس تستحسنه العقول وتقبله النفوس، فقول الناس الزواج العرفى غير صحيح، لأن الزواج العرفى هو الزواج الشرعى المعلن الذى تعارف عليه الناس، والعقد الموثق، والذى يتضمن شروط صحة الزواج، ولا يعد شرطا فيه.

وليس هنالك ما يبرر وجوده بين رجل وامرأة لا يمنعهما مانع إرهابي عن إعلانه كسلطان جائر أو مبتدع سافك للدماء ينكر الزواج أو غير ذلك، ووجه البطلان فيه عدم علم صاحب الولاية على المرأة به، وهو الأب ومن في منزلته كالأخ والعم والخال، وعدم الإعلان وسوء النية والمقصد، والإسرار به والاستخفاف بحقوق المرأة ومهرها وحقها في النفقة والمسكن وغير ذلك، وعدم علم الصبية بمفهوم الزواج وتبعاته.

وهذا النوع من النكاح السري لا يعلن إلا عند الإمساك بالطرفين في مكان مشبوه، فيلجئان إليه، فيزعمان أنهما متزوجان سرا هروبا من العقاب القانوني، وبيوت الدعارة تتخذه ستارا لتمارس فيها الرذيلة علنا، وذلك بكتابة ورقة بين الزانيين ليدفعان عنهما رجال الشرطة، وبعض محترفات الفن تدعى أنها متزوجة من رجل الأعمال أو غيره سرا عندما يفضح أمرها، فتقول أنها تزوجت عرفا، وليس لديها مبرر شرعي لإسرار الزواج ولا يوجد ما تخشاه من الإعلان، ولها من النفوذ والحرية والهيمنة ما يجعلها تفعل ما تريد!

وهذا النكاح الفاسد سفاح وليس بزواج، وليس في الإسلام نوعان من الزواج (عرفي وغير عرفي أو رسمي) فالزواج يقوم على أسس شرعية لا مدنية وإن قبل مدنيا في التقاضي حلا للتخاصم وإنهاء هذه العلاقات فشرط صحة الزواج تشبه شروط صحة الوضوء والصلاة والصوم، وغير ذلك من العبادات والأحكام التي تقوم أسس شرعية فرضها الله تعالى ولا اعتبار لصحتها بما يزيده الناس فيها إلا فيما فيه حفظ الشريعة ومصالح الناس، (من ذلك كتابة عقد زواج مدني موثق مكتوب يحفظ حقوق الزوجين والأولاد في مؤسسات الدولة وخارج الدولة)، وهذا العقد المدنى يقوم على أسس الزواج الشرعية. وقد اتفق الناس على ذلك ورأوا أنه يقيم أمر الزواج ويدعمه ويقويه ويزيده تأكيدا، ويعد من الأعراف الحسنة التي تحفظ مصالح الزواج، ويعد هذا العقد المدني جزءا من إتمام صحة الزواج، ولكنه لا يقدم على الشروط الشرعية.

ودليل قبوله شرطا معاصرا يلي الشروط الشرعية أنه يعد شهادة معلنة وموثقة وأقوى من شهادة الشهود، فقد يموت أحدهما أو ينكر الشهادة، وهذا العقد شهادة من الدولة على الزواج، وهي شهادة لا ينكر وجودها، فشهادة الشاهدين على الزواج حد أدنى في الشهادة والأصل شهادة الناس جميعا (الإعلان)، والعقد الموثق يعد شهادة عظمى ودائمة على هذا الزواج، وتبقى لحفظ الأنساب والمواريث، وأصبح للعقد المدني أهمية عظمى في الزواج؛ لأن بعض ضعاف النفوس لا يرقبون في الزواج عهدا ولا ذمة، وينكرون الزواج وحقوق الزوجة، فصار العقد وثيقة رسمية تلزمهم الوفاء بعقد الزواج وأداء حقوق الزوجة، وهؤلاء الذين لا يوثقون الزواج تضيع حقوقهم، وقد ينكر الزواج والأولاد، ومن ثم اقتضت المصالح الزوجية توثيق الزواج مدنيا، وهذا التوثيق يحقق أهداف الشروط

الشرعية، ومنها حفظ حقوق الزوجين والأولاد، وحفظ الحقوق المدنية والدولية، ويتضمن في شروطه شروط الشرع دون إخلال بها[٣١]، وقد أجمع المسلمون على الأخذ به في الزواج، لأنه يحقق الشروط الشرعية وأهدافها ويقوي شروط العقد ويحفظها، والورقة المكتوبة فى النكاح السرى ليست بشئ فى الشرع أو فى التقاضى، وليست بشرط شرعى، ولا تتضمن شروط صحة الزواج.

نكاح المتعة:

معناه أن يتزوج الرجل المرأة مدة يتفق معها عليها، بأجر ويفارقها بعدها. وهو نكاح محدود بزمن وليس المراد منه داوم العشرة والقرار بل يحدد العقد مدة الزواج، ويوفي الرجل لها بما اتفق معها عليه من الأجل والأجر مقابل المتعة.

وهو في اصطلاح العلماء سنة وشيعة: عقد يضرب له أجل أو مدة مقابل مال أو عطية ويفترقا بعد انتهائها.

وقد صحت أحاديث في ترخيص زواج المتعة في الحرب والغياب عن الوطن فى زمن الهجرة الأول، ثم نهي النبي صلى الله عليه وسلم عن زواج المتعة وحرمه، وقد ثبت الترخيص فيه وصح أيضا النهي عنه، وأجمع علماء السنة علي تحريمه بثبوت النهي عنه عن رسول الله صلى الله عليه وسلم بالنهي[٣٢].

روي البخاري عن عبد الله بن مسعود رضي الله عنه: «كنا نغزو مع رسول الله صلى الله عليه وسلم وليس لنا شئ، فقلنا ألا نستخصى؟ فناهانا عن ذلك ثم رخص لنا أن ننكح المرأة بالثوب، ثم قرأ علينا: **﴿يا أيها الذين آمنوا لا تحرموا طيبات ما أحل الله لكم ولا تعتدوا إن الله لا يحب المعتدين﴾**»[**المائدة: ٨٧**]. وكانت الإباحة فى زمن فيه فقر ومجاعة ولم ينتشر الإسلام ولم يتيسر لهم الزواج.

ويستفاد من الحديث أنهم شكو غلبة الشهوة عليهم فاستأذنوه في الاختصاء، وهو إزالة ما في الأنثيين، فنهاهم نهي تحريم، لأن فيه قطع النسل وتعذيب للنفس وإفضاء إلي الهلاك وإفقاد لمعني الرجولية وتغير خلق الله وكفر النعمة وتشبه بالنساء واختيار النقص

---

(٣١) وثيقة الزواج يذكر فيها اسم الزوجين وولي المرأة، والشاهدان، والمهر المسمى بين ولي المرأة والزوج علنا أو سرا بينهما، وتاريخ العقد، وزادت فيه صور الزوجين، وبصمة الزوجين مع التوقيع.

(٣٢) رواه البخاري في كتاب النكاح، باب ما يكره من التبتل والخصاء (فتح ٩/ ٢٠).

علي الكمال، ويستفاد منه تحريم تحويل الرجل إلي أنثي جراحة عن غير علة تتعلق بالنوع، فإن من ظن به الرجولة أنثي وقرر المختصون ذلك، وأزالوا منه ما يتعلق بالرجولة ليكون أنثي خالصا، جاز ذلك لمن اكتملت فيه معالم الأنوثة من المخنثين، ويحرم ذلك لمن كان رجلا خالصا وليست فيه الأعضاء الأنثوية. وقد رخص النبي صلي الله صلى الله عليه وسلم لهم زواج المتعة في بدء الأمر أثناء الغزو، وهو المراد «بأن تنكح المرأة بالثوب» أي إلي أجل في نكاح المتعة، ثم نزلت الأية تنسخ هذا الحكم لما في الزواج الذي فيه المودة والسكن من حفظ مصالح الدين والعباد، ولئلا يترك المسلمون الاسقرار وبناء مسكن الزوجية والإنجاب والسعي علي الأسرة ويقدمون عليها المتعة التي لا أعباء فيها، ولكنها لا تفضي- إلي تحقيق مصالح الدين والدنيا، وفى الترخيص فيه والنهى عنه اختبار للنفوس، ليعلم من يتبع الرسول ممن ينقلب على وجهه ويعلم به المؤمن من المنافق.

وقد ورد نسخ العمل بنكاح المتعة في القرآن الكريم في قوله تعالي: ﴿**والذين هم لفروجهم حافظون (٥) إلا على أزواجهم أو ما ملكت أيمانهم فإنهم غير ملومين (٦) فمن ابتغى وراء ذلك فأولئك هم العادون (٧)**﴾[المؤمنون] و﴿**والذين هم لفروجهم حافظون (٢٩) إلا على أزواجهم أو ما ملكت أيمانهم فإنهم غير ملومين (٣٠) فمن ابتغى وراء ذلك فأولئك هم العادون (٣١)**﴾ [المعارج].

ذهب المفسرون إلي أن هذه الآيات حددت الزواج الشرعي بأحد نوعين:

أولهما: زواج الرجل من المرأة الحرة بعقد شرعي يستوفي شروطه.

وثانيهما: اتخاذ ملك اليمين سرية، فالرجل ينكح السراري (الإماء) ممن في ملكه خالصات له لا يشركه أحد فيهن.

والمتعة ليست بزواج شرعي، لأنها مشروطه بأجل، وليست بملك يمين، فيبقي التحريم، ودليل تحريم المتعة وأنها ليست بزواج شرعي؛ أنها تنتهي من غير طلاق ولا فرقة، ولا يترتب علي ارتفاعها نفقة ولا توارث، وكل من يبغي عقدا دون زواج شرعي أو ملك يمين عاد علي حدود الله تعالي، قال تعالي: ﴿**فمن ابتغى وراء ذلك فأولئك هم العادون**﴾ [المؤمنون: ٧].

استدل عبد الله بن عباس،وعائشة رضي الله عنهم بهذه الآيات علي تحريم زواج المتعة[٣٣].
وجاءت الأحاديث صريحة في نهي النبي صلي الله صلى الله عليه وسلم عن زواج المتعة، روي

---

(٣٣) ارجع إلي تفسير القرطبي ج٥.

البخاري عن علي رضي الله عنه: أن رسول الله صلى الله عليه وسلم «نهي عن متعة النساء يوم خيبر، وعن أكل لحوم الحمر الأنسية » [٣٤].

وروي مسلم عن الربيع بن سبرة الجهني أن أباه حدثه أنه كان مع رسول الله صلى الله عليه وسلم فقال: «يا أيها الناس إني كنت قد أذنت لكم في الاستمتاع من النساء، وإن الله قد حرم ذلك يوم القيامة ، فمن كان عنده منهن شيء فليخل سبيله ، ولا تأخذوا مما آتيتموهن شيئا»[٣٥]وفي رواية : أن رسول الله صلى الله عليه وسلم نهي عن المتعة وقال: «ألا إنها حرام من يومكم هذا إلي يوم القيامة، ومن كان أعطي شيئا فلا يأخذ»[٣٦].

وجاء في رواية أحمد عن ربيع بن سبرة عن أبيه قال: «إن رسول الله صلى الله عليه وسلم نهي عن متعة النساء يوم الفتح»[٣٧].

وروي عن محمد بن علي أنه سمع أباه علي بن أبي طالب رضي الله عنه قال لابن عباس: وبلغه أنه رخص في متعة النساء فقال له علي بن أبي طالب رضي الله عنه: «إن رسول الله صلى الله عليه وسلم قد نهي عنها يوم خيبر وعن لحوم الخمر الأهلية»[٣٨].

وهذا الحديث لا يتعارض مع الحديث السابق الذي ذكر أن النبي صلى الله عليه وسلم نهي عنها يوم فتح مكة، فقد يكون نهى عنها يوم خيبر وهو أسبق من فتح مكة ثم كرر النهي في فتح مكة تأكيدا له وكذلك يوم حنين ويوم تبوك.

وروي ابن ماجة عن ابن عمرو رضي الله عنهما قال: لما ولي عمر بن الخطاب خطب الناس، فقال: «إن الرسول صلى الله عليه وسلم أذن لنا في المتعة ثلاثا ثم حرمها، و الله لا أعلم أحدا يتمتع، وهو محصن إلا رجمته بالحجارة، إلا أن يأتي بأربعة يشهدون أن رسول الله صلى الله عليه وسلم أحلها بعد أن حرمها»[٣٩].

ولا خلاف بين الصحابة أن النبي صلى الله عليه وسلم لم يحل المتعة بعد أن حرمها يوم خيبر وكرر النهي يوم الفتح، ويوم حنين، ويوم تبوك في بعض الأحاديث .

وروي عبد الرحمن بن نعيم الأعرج قال:«جاء رجل إلي عبد الله بن عمر مسألة عن متعة النساء فغضب وقال: و الله ما كنا علي عهد رسول الله صلى الله عليه وسلم بزنائين ولا مسافحين، ثم

([٣٤]) صحيح البخاري، كتاب المغازى.
([٣٥]) صحيح مسلم، كتاب النكاح، باب نكاح المتعة.
([٣٦]) صحيح مسلم، باب نكاح المتعة.
([٣٧]) مسند الإمام أحمد ٧٥٥/٣.
([٣٨]) الموطأ للإمام مالك، باب نكاح المتعة، والمسند ١٧٠/١، وسنن النسائي، باب تحريم المتعة، واللفظ لأحمد.
([٣٩]) سنن ابن ماحة، باب النهي عن النكاح المتعة، رقم: ١٩٦٣.

قال: و الله لقد سمعت رسول الله صلى الله عليه وسلم يقول: «ليكونن قبل يوم: القيامة المسيح الدجال وثلاثون كذابا أو أكثر من ذلك»[٤٠].

وروي أبو هريرة رضي الله عنه: خرجنا مع رسول الله صلى الله عليه وسلم في غزوة تبوك فنزلنا ثنية الوداع، فرأي رسول الله صلى الله عليه وسلم مصابيح ورأي نساء تمتع منهن يبكين، فقال رسول الله صلى الله عليه وسلم : «ما هذا؟» فقيل: نساء تمتع منهن يبكين، فقال رسول الله صلى الله عليه وسلم : «حرم - أو قال: هدم المتعة النكاح والطلاق والعدة و الميراث»[٤١].

وأجمع الصحابة رضوان الله عليهم علي تحريم نكاح المتعة؛ بعد أن نهي النبيﷺ، وأنه رخص فيه في بدء الهجرة، واستدلوا علي تحريم المتعة بالقرآن الكريم والأحاديث.

عن عبد الله بن عباس رضي الله عنهما قال: «إنما كانت المتعة في أول الإسلام كان الرجل يقدم البلدة ليس له بها معرفة، فيتزوج المرأة بقدر ما يري أنه يقيم، فتحفظ له متاعه، وتصلح له شيئه حتي إذا نزلت الآية: (إلا علي أزواجهم أو ما ملكت أيمانهم)، قال ابن عباس: فكل فرج سوي هذين فهو حرام»[٤٢].

وقالت السيدة عائشة رضي الله عنها: «تحريمها [المتعة] ونسخها في القرآن الكريم، وذلك في قوله تعالي : ﴿**والذين هم لفروجهم حافظون**﴾ **[المؤمنون: ٥]**»[٤٣].

وروي عن علي بن أبي طالب رضي الله عنه أنه قال: «نسخ صوم رمضان كل صوم، ونسخت الزكاة كل صدقة، ونسخ الطلاق و العدة والميراث المتعة، ونسخت الأضحية كل ذبح»[٤٤].

وقد ادعي الناس علي بن عباس رضي الله عنهما أنه أجاز زواج المتعة أو رخص فيها، وقد روى ذلك عنه بيد أنه رجع عن هذا بعد علمه بالنهى عنه وإجماع الصحابة على النهى عنه. وقد روينا عنه فى الصحيح أنه حرم المتعة، وقد وقع أنه أجازها فى بعض المصادر وللعلماء فيها كلام، والناس تبحث عن ضعيف القول والشاذ؛ لإثارة الجدل، وإحلال الحرام.

عن سعيد بن جبير رحمة قال: قلت لابن عباس: ما تقول في متعة النساء؟ قال: قد أكثر الناس فيها حتي قال الشاعر:

---

(٤٠) مسند أبي يعلي الموصولي (المسند الصغير) جـ١١٨/٧ رقم: ٥٦٨.
(٤١) مسند أبي يعلي جـ ٩٧/٥ رقم: ٦٥٩٤.
(٤٢) رواه الترمذي، باب ما جاء في تحريم نكاح المتعة رقم: ١٥٤١.
(٤٣) تفسير القرطبي جـ٣٥/٥.
(٤٤) نفسه جـ ١٣١/٥.

قد قلت للشيخ لما طال مجلسه ∴ يا صاح هل لك في فتوي ابن عباس

هل لك في رخصة الأطراف آنسة ∴ تكون مثوي حتي رجعة الناس

قال سعيد فنهاني عنها وكرهها[٤٥]. وقد وقع مثل ذلك فى حديث العوام، والثابت أنه دخل فى إجماع الصحابة على تحريم نكاح المتعة ونهى النبىﷺعنه بعد أن رخص فيه مدة.

واتفق علماء السنة علي أن زواج المتعة كان جائزا في ابتداء الإسلام ثم نسخ، واستدلوا علي ذلك بالأحاديث الصحيحة التي جاء فيها نسخ العمل به، وقد أفادت أنه إنما رخص فيه في بدء الأمر بعد الهجرة بسبب العزبة في السفر والمرابطة في الثغور وأرض الغزو، ثم نهي النبي صلى الله عليه وسلم عنه وقد ذكرنا الأحاديث الصحيحة التي جاءت فيه.

واتفقت مذاهب أهل السنة علي إبطال العمل به بعد أن نهي النبيﷺ عنه بعد أن رخص فيه. فقد رأي الحنيقية إبطال عقد الزواج الذي ضرب له أجل أو مدة، فكل زواج عاقد الرجل فيه علي زمن محدد يتمتع بها فيه حكمه أنه باطل، ورأوا أن شرط تحديد المدة في العقد شرط باطل، ويصح العقد بعد إسقاط المدة منه[٤٦].

ورأي المالكية أن تحديد زمن العقد يبطله، وأجمعوا علي أن نكاح المتعة رخص فيه، ثم نهي عنه وأنه حرم، وأجمع السلف ومن تبعهم علي تحريمه[٤٧].

وحرم الشافعي الزواج الذي ضرب له أجل، فالزواج الذي نوي الرجل أن يمسك زوجته لأجل يفارقها بعده منهي عنه وباطل، ويري أنه إن وقع بشرط الوقت فسخ ولا ميراث بين الزوجين ليس بينهما شيء من أحكام الزواج: الطلاق، أو الظهار، أو الإيلاء، وليس للمرأة مهر إن لم يصبها (لم يطأها)، وإن كان أصابها فلها مهر مثلها لا ما سمي لها، وعليها العدة ولا نفقة لها في العدة[٤٨].

---

(٤٥) عيون الأخبار م٩٥/٤.

(٤٦) بدائع الصنائع،الكاساني جـ٢٧٢/٢، ٢٧٣ والمبسوط للسرخسي جـ١٥٣/٥.

(٤٧) نيل الأوطار من أحاديث سيد الأخيار، شرح منتقي الأخبار محمد بن علي بن محمد الشوكاني، دار الجيل بيروت ١٩٧٣م،جـ٢٧١/٦.

(٤٨) الأم، الإمام الشافعي، دار المعرفة، بيروت ط١٣٩٣/٢هـ جـ٧٩،٨٠/٥.

ورأي الإمام أحمد أن نكاح المتعة حرام، فلا يصح عنده نكاح كان له أجل معلوم(٤٩).

واختلف المعاصرون في نكاح المتعة، والاختلاف ليس في نكاح الرجل امرأة سرا ابتغاء المتعة، فهذا منهي عنه بل اختلافهم في زواج الشباب المسلم المهاجر الذي يعيش في مجتمع غير مسلم ولا يستطيع أن يصحب زوجته إلي مكان إقامته، أو أن يجد المرأة التي تصلح زوجة وفيه فيخشى علي نفسه الفتنة والمعصية في مجتمع فيه إباحية وينتشر فيه الزنى والإغراء، ولا يقوي علي مواجهة الإباحية، ويسميه الناس«زواج المسيار».

وجوز لهذا – والجواز علي استحياء ولا يؤتمن فيه - أن يرتبط الشاب بعقد مع امرأة من البلد التي يعيش فيها لمدة محدودة أو معقدة؛ وهذا الرأي لقلة وليس له ما يدعمه من الأدلة. وما عليه العلماء أنه يجب عليه أن يبحث عن زوجه من المكان الذي يعيش فيه إن لم يقدر علي الزواج من موطنه الأصلي، أو أن يصطحب زوجته معه، وزواجه من مسلمة في المهجر لم يعد محالا، فالحمد لله رب العالمين توجد في كل دول العالم جاليات مسلمة، أو مسلمون من سكان البلد الذي يعيش فيه، وعليه أن يتزوج منهن ليعفهن، ويقيم بيوتا إسلامية فى المهجر تكون حرزا للمسلمين ومددا لهم.

وإباحة الزواج من غير المسلمات فيه ضرر بشباب المسلمين وتبعات خطيرة تقع علي الدين والأولاد، فالمرأة غير المسلمة لا تلتزم في سلوكها الإجتماعي ومظهرها بالدين الإسلامي في المجتمعات الإباحية، ولا تقيم بيتا مسلما، وتفسد دين أولادها، وتنازع زوجها في دين الأولاد، وتقتسمهم معه مناصفة وتدينهم بدينها أو مذهبها، وتوجد نزاعات كثيرة في هذا الباب، ومشكلات لم تجد حلا والضحايا فيها الأولاد.

وأولي للشباب المسلم أن يتزوجوا مسلمات ليعفوا ويعفوهن فلا يتركوهن عوانس عاطلات عن الزواج يتعرضن للفتن في أرض المهجر ويحاربن في دينهم، فعليه أن يقيم بيتا مسلما ويحفظ أختا مسلمة له ﴿ولأمة مؤمنة خير من مشركة ولو أعجبتكم ... ولعبد مؤمن خير من مشرك ولو أعجبكم ...﴾ [البقرة: ٢٢١]

ولا يجوز نكاح المتعة مطلقا في بلاد الإسلام لانتقاء الأسباب التي تبرر لرجال المهجر أن يتزوجوا من أجنبيات مدة إقامتهن في أرض المهجر، ولاختلاف العلماء في زواج المهاجرين من أجنبيات مدة إقامتهم خارج وطنهم.

والذي لا يقدر علي الزواج ؛ لا يباح له الزنى مطلقا ، وإن كان مهاجرا قال تعالى:

---

(٤٩) المغني في فقه الإمام أحمد بن حنبل لابن قدامه جـ ١٣٧/٧،١٣٦.

﴿وليستعفف الذين لا يجدون نكاحا حتى يغنيهم الله من فضله ...﴾ [النور: ٣٣]

وتذهب الشيعة الإمامية من دون فرق المسلمين إلي العمل بزواج المتعة في الظروف التي تتطلب الأخذ به كالهجرة إلي خارج الوطن والسفر الطويل، وعدم توفر الزوجة غير أنهم أبطلوا العمل به في وجود الزوجة. وقد استدلوا علي جوازه وبقاء مشروعيته في عصرنا ببعض الأدلة. من ذلك قوله تعالى: **﴿...فما استمتعتم به منهن فآتوهن أجورهن فريضة ولا جناح عليكم فيما تراضيتم به من بعد الفريضة ...﴾** [النساء: ٢٤] وجه أصحاب هذا المذهب هذه الآية إلي أن المراد منها الاستمتاع أو التمتع، وهما غير الزواج المؤبد يريدون زواج المتعة، وقد حملوا الفعل (استمتعتم) علي معني المتعة في الزواج المؤقت، وعلماء السنة يردون هذا التوجيه ويرونه بعيدا عن مقصد الآية الحقيقي، وهو إعطاء المرأة المهر، وهو حق لها، وهم يستدلون بروايات أخري من الأحاديث، ومنها ما رواه مسلم عن جابر بن عبد الله رضي الله عنه قال:«كنا نستمتع بالقبضة من التمر والدقيق لأيام علي عهد رسول الله صلى الله عليه وسلم وأبو بكر حتي نهي عنه عمر في شأن عمرو بن حريث[٥٠]»، وهذا الحديث يعنى أن النهى لم يبلغهم حتى عهد عمر رضى الله عنهم، فلما علموا انتهوا عنه. وبعض الشيعة لا يأخذون بفعل بعض الصحابة رضوان الله عليهم جميعا.

وقد جاءت روايات أخري تفيد أن جابر بن عبد الله وابن عباس وابن الزبير وغيرهم ناقشوا حكم المتعة، وقد تبين منها أنهم استجابوا لحكم عمر رضي الله عنه فيها، فقد نهي عنها، وهذا يدل علي أنه لم يبلغهم النهي عنها، عن أبي نضرة قال: كنت عند جابر بن عبد الله فأتاه آت، فقال: ابن عباس وابن الزبير، اختلفا في المتعتين، فقال جابر «فعلناهما مع رسول الله صلى الله عليه وسلم ثم نهانا عنهما عمر فلم نعد لهما[٥١]»، وهذا دليل علي أن الذي استمتع زمن أبي بكر وعمر لم يبلغه النسخ، ولم يك لعمر رضي الله عنه أن يحرم شيئا أحله النبي صلى الله عليه وسلم ! وجاء في رواية عن أبي نضرة قال: «كان ابن عباس يأمر بالمتعة وكان ابن الزبير ينهي عنها. قال: فذكرت ذلك لجابر بن عبد الله، فقال: علي يدي دار الحديث. تمتعنا مع رسول الله صلى الله عليه وسلم فلما قام عمر قال: إن الله كان يحل لرسوله بما شاء وإن القرآن الكريم قد نزل منازله: **﴿وأتموا الحج والعمرة لله﴾** (البقرة: ١٩٦) كما أمركم الله، وأبتغوا نكاح هذه النساء، فإن أوتي برجل نكح امرأة إلي أجل إلا رجمته بالحجارة[٥٢]».

([٥٠]) صحيح مسلم، كتاب النكاح، باب ما جاء في نكاح المتعة.

([٥١]) صحيح مسلم، كتاب النكاح، باب ما جاء في نكاح المتعة.

([٥٢]) صحيح مسلم، باب في المتعة بالحج والعمرة.

وقد فسر هذا الحديث أن المراد بالمتعتين، التمتع بالعمرة إلي الحج، ومتعة النساء. وقد نهي عمر مجتهدا في الأولي كما فهم من الآية، ونهي عن متعة النساء لثبوت الدليل عنده في نهي النبي صلى الله عليه وسلم عنها، ولهذا توعد من فعل المتعة بالرجم، لأنه عدها زنى.

واستدلوا كذلك بحديث البخاري عن عمران بن حصين رضي الله عنهما قال: «نزلت آية المتعة في كتاب الله، ففعلناها مع رسول الله صلى الله عليه وسلم ولم ينزل قرآن يحرمها، ولم ينه عنها حتي مات . قال رجل برأيه ما شاء[٥٣]» ، وهذا الحديث لا يحتج به في متعة الزواج بل فيمن تمتع بالعمرة إلي الحج، وقد رواه البخاري في كتاب الحج، ولم يروه في كتاب النكاح[٥٤]، وجاء في رواية أبي حاتم: ارتأي رجل برأيه ما شاء يعني عمر[٥٥]».

وجاء في رواية أن المراد بكلام عمر رضي الله عنه «متعة الحج» وجاء في رواية: قال عمران بن حصين: «نزلت آية المتعة في كتاب الله يعني متعة الحج، وأمرنا بها رسول الله صلى الله عليه وسلم ، ثم لم تنزل آية تنسخ متعة الحج، ولم ينه عنه رسول الله صلى الله عليه وسلم حتي مات، قال رجل برأيه بعد ما شاء[٥٦]».

ونهي عمر عن التمتع بالعمرة بالحج والعمرة نهي تنزيه لا تحريم، فكان عمر وعثمان رضي الله عنهما يأمران بالإفراد، رغبة في الإكثار من زيارة البيت، روي الإمام مالك عن عروة بن الزبير: أن خوله بنت حكيم دخلت علي عمر بن الخطاب: فقالت: «إن ربيعة بن أمية استمتع بامرأة، فحملت منه. فخرج عمر بن الخطاب فزعا، يجر رداءه. فقال: هذه المتعة، ولو كنت تقدمت فيها لرجمت[٥٧]». وهذا دليل عدم علمه بالنهى عنها.

وليس هنالك دليل علي أن عمر رضي الله عنه صاحب النهي عن المتعة بل متبع لأمر رسول الله صلى الله عليه وسلم ، قال عبد الله بن عمر رضي الله عنهما: «لما ولي عمر بن الخطاب، خطب الناس، فقال: إن رسول الله صلى الله عليه وسلم أذن لنا في المتعة ثلاثا، ثم حرمها، و الله لا أعلم أحدا يتمتع، وهو محصن إلا رجمته بالحجارة، إلا أن يأتي بأربعة يشهدون أن رسول الله صلى الله عليه وسلم أحلها

([٥٣]) صحيح البخاري، كتاب الحج، باب من تمتع بالعمرة إلي الحج رقم ٤١٥٦.

([٥٤]) صحيح البخارى، كتاب الحج، وارجع إلى صحيح مسلم، باب جواز المتعة.

([٥٥]) صحيح مسلم، باب جواز المتعة.

([٥٦]) صحيح مسلم، باب جواز المتعة.

([٥٧]) الموطأ، الإمام مالك، كتاب النكاح، باب نكاح المتعة ص٥٤٢.

بعد أن حرمها[58]» وهذا يؤكد أن النهي كان لرسول الله صلى الله عليه وسلم لا لعمر رضى الله عنه، وهو يسقط ما احتج به بعض الإمامية من أن عمر هو الذي نهي عن المتعة وليس رسول الله صلى الله عليه وسلم .

وقد رأي أصحاب هذا المذهب أن زواج المتعة عقد بين طرفين معلومين إلي أجل معين بمهر يذكر في متن العقد، ورأوا أن عقد المتعة كالعقد الدائم يشتمل علي إيجاب وقبول لفظيين، مثل: متعت وزوجت، وأنكحت ويحصل بذلك الإيجاب وينعقد باللفظ العقد، ويكون إيجاب الطلب بقوله: قبلت المتعة أو التزويج أو النكاح من فلانه علي كذا...... ويسمي ما اتفقا عليه من المتعة المؤقتة. ورأوا أنه لا يجوز لمسلم أن يتمتع بكافرة، ولا مسلمة بكافر، وليس للمسلم أن يتمتع بكتابية ولا بالمرتدة، ولا يتمتع الرجل المسلم بأمة (مملوكة) وعنده حرة إلا بإذنها، واشترطوا المهر وبدونه يبطل العقد، ويلزم علي الرجل دفعه بالعقد، ولها نصف المهر إن اتفقا علي المدة ولم يدخل بها مثل الزواج الدائم للمرأة نصف المهر إن لم يدخل الرجل بها، فإن دخل بها فلها المهر كله للتمتع بها مثل الدائمة.

واشترطوا تحديد المدة في العقد، وجوزوا له أن يعزل لئلا يقع حمل، بخلاف الزواج الدائم الذي لا يجيز العزل، وإن حملت لحق الولد به نسبا وله كل الحقوق الذي يأخذها الولد من الزواج الدائم. ولا يجوز الجمع بين الأختين في نكاح المتعة كالزواج الدائم. ولا يثبت بهذا العقد توارث بين الزوجين، ولا نفقة في عدة المتمتعة، وإن اشترطت عليه الميراث فلها ذلك. وعدة المرأة المتمتعة بعد انقضاء المدة المتفق عليها علي الأشهر الأظهر حيضتان.

وإن كانت لا تحيض، فعدتها خمسة وأربعون يوما، إذا كانت حائلا (غير حامل)، فإن كانت حاملا، فعدتها أن تضع حملها كالزواج الدائم، قال تعالي: **﴿...وأولات الأحمال أجلهن أن يضعن حملهن...﴾** **[الطلاق:٤]** وهذا عام في المطلقة والمتوفي عنها زوجها والمتمتعة. وعدة المتمتعة التي مات عنها المتمتع بها أربعة أشهر وعشرة أيام إن كانت غير حامل، فإن كانت حاملا فعدتها أن تضع حملها كالمرأة الدائمة[59].

استنبط علماء الشيعة هذه الأحكام من مجموع الأحكام التي يقوم عليها الزواج الدائم، وهذه الأحكام لا تخرج في مضمونها عن أحكام الزواج الدائم غير أنها حددت عقد

([58]) سنن ابن ماجة، جـ ٧٢/٢ رقم ١٩٦٣ باب النهي عن نكاح المتعة.

([59]) ارجع إلي: أصل الشيعة وأصولها، الحسين آل كاشف الغطاء، مؤسسة الإمام علي، بيروت ١٤١٧، ١٩٩٧م، ص ٢٥٣، ٢٥٤ وارجع إلي زواج المتعة بين الإباحة والتحريم عند الشيعة وأهل السنة، صلاح أبو السعودي، مكتبة النافذة.

المتعة بزمن يوفي به الطرفان، وهذا عند علماء السنة مفسد للعقد، لأن الزواج الشرعي لا يشترط فيه مدة، وتقوم عليه حقوق للزوجة، وزواج المتعة محدد بزمن، وليس للمرأة حقوق المطلقة التي تأخذ النفقة في العدة ويقيم لها المطلق مسكنا حتي تستوفي عدتها، فإن شاء فارقها وإن شاء ردها في الأولي والثانية، وليس له أن يردها في الثالثة إلا أن تتزوج غيره فإن فارقها الثاني جاز له أن يتزوجها بعقد جديد.

وزواج المتعة يفتقد إلي الأهداف العظمي التي يحققها الزواج الشرعي، وهو المودة والرحمة والسكن النفسي الاستقرار والذرية الصالحة، فالرجل فيه يبحث عن إشباع نهمه الجنسي والمرآة تبتغي فيه الأجر، فهما لا يطمحان إلي بناء أسرة مسلمة، وقد رخص فيه لأسباب طارئة وزال بزوالها، وهو من جملة الأحكام المنسوخة، فقد سد الزواج الشرعي خلته وكفي الحاجة إليه.

نكاح المحارم

نكاح غير شرعي أبطله الإسلام وهو في المجتمعات البدائية والأمم الوثنية، وقد حدثنا التاريخ عن العديد من الأمم التي تزوج الأخ فيها أخته وأمه وزوجة أبيه وعمته وخالته وابنة أخيه، وغير ذلك من العلاقات المحرمة داخل الأسرة، وقد أبطل كل ذلك بنص جامع لكل أنواع النكاح الباطل قال تعالي: ﴿حرمت عليكم أمهاتكم وبناتكم وأخواتكم وعماتكم وخالاتكم وبنات الأخ وبنات الأخت وأمهاتكم اللاتي أرضعنكم وأخواتكم من الرضاعة وأمهات نسآئكم وربائبكم اللاتي في حجوركم من نسآئكم اللاتي دخلتم بهن فإن لم تكونوا دخلتم بهن فلا جناح عليكم وحلائل أبنائكم الذين من أصلابكم وأن تجمعوا بين الأختين إلا ما قد سلف إن الله كان غفورا رحيما ﴾ [النساء: ٢٣].

أبطل الإسلام سبعا من النسب، وستا من رضاع وصهر (الزواج)، وألحقت السنة المتواترة سابعة بالمصاهرة، وهي أن لا يجمع الرجل بين المرأة وعمتها، ونص عليه الإجماع، وبذلك يحرم من الصهر سبع فالسبع المحرمات من النسب (الأمهات والبنات والأخوات و العمات والخالات و بنات الأخ و بنات الأخت).

والسبع المحرمات بالصهر والرضاع :(الأمهات من الرضاعة ،والأخوات من الرضاعة ، وأمهات الزوجات والربائب (بنات الزوجة من غيره) و زوجات الأبناء والجمع

بين الأختين وزوجة الأب (المطلقة أو الأرملة) قال تعالي: **﴿ولا تنكحوا ما نكح آباؤكم﴾**[النساء:٣٢].

ويحرم كذلك زواج المرأة المتزوجة، فتجمع بين زوجين، وهذا حرام مطلقا، ونكاحها من الثاني سفاح، فالعقد الأول صحيح والثاني فاسد. قال تعالي: **﴿والمحصنات من النساء إلا ما ملكت أيمانكم كتاب الله عليكم وأحل لكم ما وراء ...﴾ [النساء: ٢٤]** أي لا تنكحوا امرأة حرة متزوجة أولها زوج، إلا المسبيات ذوات الأزواج، لهم أن يتزوجوا من المسبية بعد أن تستبرئ بيحضة أو بوضع حملها. قال صلى الله عليه وسلم :«لا توطأ حامل حتى تضع ولا حائل حتى تحيض»[٦٠] وهذا خاص بسبايا الحرب اللائي تركهن أزواجهن وفروا أو قتلوا، وليس ذلك في الإماء ذوات الأزواج.

وكان بعض أهل الجاهلية يتزوجون من زوجات آبائهم وهن بمنازل أمهاتهم، قال تعالي: **﴿ولا تنكحوا ما نكح آباؤكم من النساء إلا ما قد سلف إنه كان فاحشة ومقتا وساء سبيلا﴾ [النساء: ٢٢]**، وكان ذلك عرفا متبعا في بعض العرب، فيتزوج الرجل منهم أرملة أبيه أو مطلقته برضاها، فنهي الله تعالي عن أن يتزوج الابن حليلة أبيه من بعده.

وقد فعل ذلك جماعة من قريش ومن غيرهم، فقد خلف عمر بن أمية علي امرأة أبيه بعد موته، فولدت له مسافرا وأبا معيط، وكان لها من أمية أبو العيص،وغيره فكان بنو أمية أخوة مسافر وأبي معيط وأعمامهما وتزوج صفوان بن أمية امرأة أبيه فاختة بنت الأسود بن المطلب بن أسد، بعد أن قتل أمية عنها، وتزوج منظور بن زبان بن سيار زوجة أبيه، مليكه بنت خارجة، وخلف حصن بن أبي قيس علي امرأة أبيه كبيشية بنت معن[٦١].

وروي أن ثلاثا من بني قيس بن ثعلبة تناوبوا امرأة أبيهم، فعيرهم بذلك أوس بن حجر التميمي[٦٢]وكان هذا من أحكام الجاهلية قال تعالي: **﴿ولا تنكحوا ما نكح آباؤكم من النساء إلا ما قد سلف إنه كان فاحشة ومقتا وساء سبيلا(٢٢)حرمت عليكم أمهاتكم وبناتكم وأخواتكم وعماتكم وخالاتكم وبنات الأخ وبنات الأخت وأمهاتكم اللاتي أرضعنكم وأخواتكم من الرضاعة وأمهات نسآئكم وربائبكم اللاتي في حجوركم من نسآئكم اللاتي دخلتم بهن فإن لم تكونوا دخلتم بهن فلا**

---

(٦٠) رواه أبو داود، كتاب النكاح، ٢١٥٧. وصححه الألباني. والحائل غير الحامل. والمحصنات: العفيفات، والمراد ذوات الأزواج منهن.

(٦١) القرطبي جـ٥/٨٨.

(٦٢) بلوغ الأرب جـ ٥٢/٢.

جناح عليكم وحلائل أبنائكم الذين من أصلابكم وأن تجمعوا بين الأختين إلا ما قد سلف إن الله كان غفورا رحيما(٢٣)والمحصنات من النساء إلا ما ملكت أيمانكم كتاب الله عليكم وأحل لكم ما وراء ذلكم أن تبتغوا بأموالكم محصنين غير مسافحين فما استمتعتم به منهن فآتوهن أجورهن فريضة ولا جناح عليكم فيما تراضيتم به من بعد الفريضة إن الله كان عليما حكيما(٢٤)﴾[النساء].

وقيل إن هذا وقع لبعض المسلمين، قال الأشعث بن سوار:«توفي أبو قيس وكان من صالحي الأنصار،فخطب ابنه قيس امرأة أبيه، فقالت:إني أعدك ولدا، ولكني آتي رسول الله صلى الله عليه وسلم «استأمره،فأتته فأخبرته،فأنزل الله هذه الآية[٦٣]».وقد ضعف العلماء هذه الرواية،لأن زواج حليلة الأب كان ممقوتا بين العرب لا يرغبون فيه ويبكتون ويذمون من فعله.

وقد عرف هذا النوع بزواج المقت، لان العرب مقتته أي أبغضته، وتسمي العرب من يتزوج امرأة أبيه إن مات عنها أو طلقها (الضيزن) والابن منه (مقيتا) أو (مقتيا)[٦٤].

وهناك زواج منهي عنه لما يترتب عليه من قطعية الأرحام وإثارة العداوة بين الأرحام والقرابات، فقد حرم الله تعالي علي لسان نبيه صلى الله عليه وسلم يجمع الرجل بين المرأة وعمتها أو خالتها ولا العمة علي بنت أخيها ولا الخالة علي بنت أختها ولا تنكح الأخت الكبري علي الصغرى ولا الصغرى علي الكبرى فالجمع بين الأختين حرام، ولا يجمع بين العمتين والخالتين يعني لا يجمع بين امرأتين إحداهما عمة الأخرى والأخرى خالة الأولي، كان يتزوج رجل بنت آخر وتزوج آخر بنته، وأراد أحفادها الزواج من بعضهما. وهذا حرام لأن فيه قطيعة الأرحام، ومن مقاصد الإسلام في الزواج شيوع القرابات بين الناس بالمصاهرة.

عن أبي هريرة رضي الله عنه قال النبي صلى الله عليه وسلم :«لا يجمع بين المرأة وعمتها ولابين المرأة

([٦٣]) أخرجه ابن أبي حاتم: ٥٠٧٣ من حديث رجل من الأنصار، وأخرجه ابن جرير الطبري جـ٢١٧،٢١٨/٤، وإسناده ضعيف ففي رواية ابن أبي حاتم أشعث بن سوار وقيس بن الربيع وكلاهما ضعيف. ورواه ابن جرير عن عكرمة مرسلا وفيه ابن جريج وهو مدلس.

([٦٤]) القرطبي ٨٩/٥ والقاموس المحيط: مقيت، ضيزن.

وخالتها»[٦٥] وروي أيضا: «لا تنكح المرأة علي عمتها ولا العمة علي بنت أخيها ولا المرأة علي خالتها ولا الخالة علي بنت أختها ولا تنكح الكبرى علي الصغرى ولا الصغرى علي الكبرى[٦٦]». وروي «لا يجمع بين العمتين والخالتين وفي رواية: «نهي أن يجمع بين العمة والخالة» والثاني صحيح، والأول ضعيف. وجاء في سبب تحريم الجمع بين القرابات، قال النبي صلى الله عليه وسلم :«إنكم إذا فعلتم ذلك قطعتم أرحامكم»[٦٧].

نكاح الشغار

الشغار أن يزوج الرجل ابنته على أن يزوجه الآخر ابنته ليس بينهما صداق، أو أن يسقط الرجل مهر المرأة التى يزوجها من رجل آخر، ويسقط الآخر مهر وليته، فتكون كل منهما جزاء الأخرى، أو بدل لها دون مهر، ويبطل كل عقد أهدر فيه المهر، وقام على البدل وحده دون مهر.

وقد أبطل الإسلام نكاح الشغار الذي كان عليه الجاهليون، وهو نكاح فاسد إن أسقط فيه المهر، واختلف العلماء فيمن جعل لها مهرا، فقيل يصح زواجها على المهر الذى أخذته على أن يرجع الرجل عن جعل البدل فيه شرطا، وأبطله غيرهم لوجود شرط البدل فيه، قال أبو هريرة رضي الله عنه: «نهي رسول الله صلى الله عليه وسلم عن الشغار، والشغار أن يقول الرجل زوجني ابنتك وأزوجك ابنتي أو زوجني أختك وأزوجك أختي وكانوا يطلون المهر أي يهدرون المهر، وهو حق المرأة[٦٨]» روى ابن عمر رضى الله عنهما: «أن رسول الله صلى الله عليه وسلم نهى عن الشغار، والشغار أن يزوج الرجل ابنته على أن يزوجه ابنته وليس بينها صداق[٦٩]». وقد أبطله النبيﷺ:«لا شغار في الإسلام[٧٠]»، ورأي العلماء أنه إن وقع في الإسلام بدون مهر فرق بينهما، لفساد العقد بدون المهر، فيفسخ العقد، وما أعطي فيه مهر لكل منها

---

(٦٥) رواه البخاري في كتاب النكاح.ومسلم في النكاح،ورواه الترمذي وأبو داود والنسائي وابن ماجة.

(٦٦) رواه أبو داود:٢٠٦٥،والترمذي في النكاح:١١٢٦حديث صحيح عن أبي هريرة رضي الله عنه.

(٦٧) رواه ابن حبان: ٤١١٦ وإسناده حسن.

(٦٨) رواه مسلم.

(٦٩) رواه البخاري في كتاب النكاح، باب الشغار.

(٧٠) رواه مسلم.

لا يفسخ، وينصح الزوجان بترك البدل فيه وعدم صحته، وأن لا يجعل أحدهما زوجته مثل الأخرى في حسن المعاملة والخصام لما يترتب علي ذلك من ظلم ومفاسد[٧١].

نكاح المحلل

أن يتزوج الرجل المرأة ليحلها لزوجها الأول الذى طلقها ثلاثا، ثم يفارقها وتعود للأول، وهو نكاح فاسد أبطله الإسلام، وقد أحدثه الناس في الإسلام بعد أن حرم الله تعالي المرأة علي زوجها بعد أن طلقها ثلاثا متفرقات قال تعالي: **﴿... فلا تحل له من بعد حتى تنكح زوجا غيره...﴾ [البقرة: ٢٣٠]**.

احتال الناس علي الحكم الشرعي، فعقدوا عقدها من رجل آخر زواجا صوريا، ولا يدخل الرجل بها أو يدخل بها ثم يفرق بينهما، وتتزوج من زوجها الأول بعقد جديد ولا ينتظرون انتهاء العدة، وهذا عقد باطل، لعدم صحة نية الزواج والسكن معها والعشرة، وفاعل ذلك ملعون، عن ابن مسعود رضي الله عنه: «لعن رسول الله صلى الله عليه وسلم المحلل والمحلل له»[٧٢] ولا تحل به الزوجة لمن طلقها ثلاثا، ويفسخ عقد المحلل، ويثبت المهر للزوجة إن وطئت من المحلل، أو من الذي طلقها ثلاثا.

نكاح المعتدة

يفسد عقد المرأة التي تزوجت في العدة من طلاق أو وفاة، قال تعالي: **﴿.ولا تعزموا عقدة النكاح حتى يبلغ الكتاب أجله...﴾ [البقرة: ٢٣٥]**، ويفرق بينهما وتأخذ المهر إن خلا بها ، ويعاقب بعدم زواجها مطلقا بعد انتهاء العدة عند بعض العلماء إن دخل بها ، ويحرم على الرجل أن يخطب المرأة المعتدة، أو أن يعاشرها سرا على وعد منه أن يعقد عليها بعد انتهاء عدتها، أو أن يعقد عليها سرا فى العدة ، ويعلن ذلك بعد العدة. ونكاح[٧٣] المرأة بلا ولي باطل ، لقول النبيﷺ :«لا نكاح إلا بولي»فيفرق بينهما ، ويثبت لها المهر،

([٧١]) متفق عليه.

([٧٢]) صححه الترمذي.

([٧٣]) سميته نكاحا ولم أسمه زواجا، لأنه ليس إلا وطئا محرما عن غير وجه شرعي، ويطلق الزواج علي ما كان شرعيا.

واشترط العلماء وجود الولي وموافقته علي الزواج، فالمرأة التي تتزوج بدون إذن وليها نكاحها باطل باطل.

ولا يصح الزواج من مشركة حتى تؤمن قال تعالي: ﴿**ولا تنكحوا المشركات حتى يؤمن...**﴾ [البقرة: ٢٢١] فيفسد عقد المشركة ومن في منزلتها من الوثنيات والملحدات، وكذلك يفسد العقد بكفر الزوج أو الزوجة ويفسد عقد المرأة التي تسلم، ويفرق بينهما وبين زوجها الكافر، والكتابي غير المسلم.

ويفسد عقد الرجل إن زاد عن أربع نسوة وإن أسلم ومعه فوق أربع، اختار منهن أربعا وفارق ما زاد عنهن.

******

الزواج الشرعى فى الإسلام

الحكمة الشرعية فى الزواج:

شرع الله تعالي الزواج ليكونا سكنا وقرارا نفسيا وبدنيا، وقد جمع الله تعالي بين أول زوج وزوجته في مكان واحد تهيأت فيه أسباب المعاش الوارف، قال تعالي: **﴿وقلنا يا آدم اسكن أنت وزوجك الجنة .....﴾ [البقرة: ٣٥]** فلا سكينة للرجل دون زوجة ولا قرار لهما إلا في موضع به معاش: **﴿وكلا منها رغدا حيث شئتما﴾[البقرة: ٣٥]**

والمقصد من الزواج الالتئام والمحبة والسكن وحفظ النسل الذي يحفظ الدين ومصالحه ويعبد الله تعالي ويوحده، قال تعالي: **﴿وما خلقت الجن والإنس إلا ليعبدون﴾ [الذاريات: ٥٦]** وقد خلق الله تعالي الزوجات مما خلق منه الأزواج فهما لأصل واحد. قال تعالي: **﴿يا أيها الناس اتقوا ربكم الذي خلقكم من نفس واحدة وخلق منها زوجها وبث منهما رجالا كثيرا ونساء واتقوا الله الذي تساءلون به والأرحام إن الله كان عليكم رقيبا﴾ [النساء: ١]**.

فالناس جميعا لآم وآدم من تراب، وقد خلق الله تعالي منه زوجه حواء، وأولدها آدم أولادا فتزوجوا وانتشروا في الأرض، فأقاموا عمارة الأرض، وأقام المؤمنون لله بيوتا يعبد فيها ليل نهار، والرهبنة التي تعزف عن الزواج تهدم العمارة والعبادة، لانقطاع النسل البشري بها، فأنكر الله تعالي الرهبنة علي من ابتدعوها: **﴿ورهبانية ابتدعوها ما كتبناها عليهم إلا ابتغاء رضوان الله فما رعوها حق رعايتها ....﴾ [الحديد: ٢٧]** ابتدعوا الرهبنة ابتغاء العبادة فأفسدوا العبادة، لانحرافهم عن مقاصدها الحميدة.

ونصح بولس رسول المسيح أتباع المسيح بنصائح، منها أن يظلوا بلا زواج مثله، وإن لم يتمكنوا من ضبط أنفسهم تزوجوا، ونصح الزوجة التي انفصل عن زوجها ألا تتزوج، ونصح الأرملة ألا تتزوج، ونصح الزوج الذي ماتت زوجته ألا يتزوج، لأن المتزوج ينشغل بالدنيا(1)، فقد تركوا العمل وعمارة الأرض والجهاد ونشر الدعوة، والزواج الذي يحفظ النسل فيكون مددا للدين ينصر به، ويقضي به على الشرك والإلحاد، ولحقوا بالبراري والجبال، واعتزلوا الناس، وزعموا أنهم تفرغوا للعبادة، فلم تقم مصالح الدين ، وأفسدوا أسباب معاشهم وتركوا عمارة الأرض.

وقاتلوا في أنفسهم ما جبلوا عليه من الرغبة في التزاوج والحاجة إلي الدفء العاطفي والسكن إلي المرأة، وقد غالبتهم أنفسهم فجنحت ببعضهم إلي الفجور لانحرافهم عن الفطرة وسنن الأنبياء في الزواج الحلال.

---

(1) رسالة بولس.

والزواج آيه من آيات اللـه في البشر قال تعالي: **﴿ومن آياته أن خلق لكم من أنفسكم أزواجا لتسكنوا إليها وجعل بينكم مودة ورحمة إن في ذلك لآيات لقوم يتفكرون﴾ [الروم: ٢١]** لقد جعل اللـه تعالي المرأة من أصل خلق الرجل، فهي منه فردت إليه مرة ثانية زوجة لتلتئم به جسديا ونفسيا عن مودة وحب ورغبة وسكن.

وهذه العلاقة الحميمة يظلها أمان وسكينة لمشروعيتها، قال تعالي: **﴿...هن لباس لكم وأنتم لباس لهن...﴾ [البقرة: ١٨٧]** أي هن ستر لكم وغطاء وكنف وأنتم كذلك لهن، فالرجل ستر لزوجته وغطاء، وهي كذلك فكل منهما لحاف الآخر، وحقق اللـه تعالي بهذا الزواج للنفس البشرية رغبة ملحة وأساسية تحرص عليها، وهي«الولد» أو«الذرية»، فهو من دواعي السعي في الأرض والمجاهدة فيها، قال تعالي: **﴿و اللـه جعل لكم من أنفسكم أزواجا وجعل لكم من أزواجكم بنين وحفدة ورزقكم من الطيبات ...﴾[النحل: ٧٢]** فترك الزواج ليس من الفطرة بل خروج عن سنن الأنبياء والمرسلين، ومخالفة للدين وإضرار به، قال تعالي: **﴿ولقد أرسلنا رسلا من قبلك وجعلنا لهم أزواجا وذرية .....﴾ [الرعد: ٣٨]**. وقال تعالي للرجال والنساء: **﴿ و اللـه خلقكم من تراب ثم من نطفة ثم جعلكم أزواجا...﴾ [فاطر: ١١]**.

فزواج النبي صلى اللـه عليه وسلم ليس بدعة، فقد عاب عليه النصاري الزواج، الذي من الفطرة ومن سنن الأنبياء، وقد أمره اللـه تعالى بالاقتداء بهم. وقد يخشي المرء أعباء تربية الأولاد ونفقتهم، فيحجم عن الزواج أو الإنجاب خشية العجز عن الوفاء بالنفقة فأسكن اللـه تعالي قلوب عباده ووعدهم برزقهم ورزق أولادهم، قال تعالي: **﴿وأنكحوا الأيامى منكم والصالحين من عبادكم وإمائكم إن يكونوا فقراء يغنهم اللـه من فضله و اللـه واسع عليم﴾ [النور:٣٢]**.وقال تعالي ناهيا عن قتل الأولاد خشية الفقر: **﴿ولا تقتلوا أولادكم خشية إملاق نحن نرزقهم وإياكم إن قتلهم كان خطءا كبيرا﴾ [الإسراء: ٣١]**.

وقال النبي صلى اللـه عليه وسلم :«ثلاثة حق علي اللـه عونهم المجاهد في سبيل اللـه، والمكاتب الذي يريد الأداء،والناكح الذي يريد العفاف»[٢]. فالزواج والولد يجلبان الرزق خلافا لاعتقاد الناس أنه يجلب الفقر، وهذا خطأ كبير، وفي الزواج إعفاف النفس وصلاحها وسكينتها وتحقيق لما ترغب فيه من الشهوة ووفاء لقسطها من الحب والمودة والتراحم والرغبة في الولد.

---

(٢) رواه الترمذي.

وكان أصحاب النبي صلى اللـه عليه وسلم يرغبون في الزواج ، ويتهمون من لم يتزوج ، فبه يكتمل دين
المسلم، عن أنس رضي اللـه عنه عن النبي صلى اللـه عليه وسلم :«من رزقه اللـه امرأة صالحة فقد أعانه علي شطر دينه، فليتق اللـه في الشطر الباقي»[٣].

وقال عبد اللـه بن عباس رضي اللـه عنه: « لا يتم نسك الناسك حتي يتزوج». وكان أصحاب النبي صلى اللـه عليه وسلم يتوجسون من أمر من ترك الزواج وهو عليه قادر، قال عمر رضي اللـه عنه، لأبي الزوائد: «إنما يمنعك من التزويج عجز أو فجور».

وقال عبد اللـه بن مسعود رضي اللـه عنه: «لو لم يبق من أجلى إلا عشرة أيام، وأعلم أني أموت في آخرها، ولي طول النكاح فيهن، لتزوجت مخافة الفتنة».

والزواج الشرعي يحفظ المرأة ويحقق مصالحها الدينية والدنيوية، وهو أكثر فائدة لها من الرجل لما يقع عليها من تبعات الزواج وما يترتب عليه من الولد،فقد يتبرأ الرجل منها ومن ولدها بيد أنها لا تستطيع أن تبرئ نفسها مما لحق بها، فحفظ اللـه تعالي حقها بعقد شرعي وجعل لها هدية (المهر) يهديها الخاطب إليها، وصان عرضها وكرامتها، فأوجب شهادة الشهود وإعلان الزواج ليعلم الناس طبيعة العلاقة بينها وبين الرجل، وهي بهذا العقد الشرعي تخرج علي الناس بحملها وتباهي النساء به غير خجلة ولا وجلة، وهي تعلم وهم يعلمون كذلك أن هذا الحمل عن لقاء بينهما وبين رجل بيد أن الحلال سبيل ذلك والموصل إليه، وقد أوجب اللـه لها نفقة علي زوجها، فلا تكلف بالخروج إلي العمل، فالرجل ولي ذلك والقادر عليه بما متعة اللـه تعالي من قوة وقدرة علي مواجهة أعباء الحياة، فجعل اللـه الرجل في حاجتها يقوم عليها وعلي أولادها ويحميها ويقيها أعباء الحياة ونكباتها، فالزواج قيد في عنق الرجل وطرفه بيد المرأة تقوده به إلي حوائجها، وهي ساكن في بيتها قار فيه، ودون ذلك حرام به مذلة وعار وغضب الجبار!

رؤية الخطبة:

رؤية من رأي (شاهد)، وهي المشاهدة أو المعاينة التي تكون للخاطب لمن يريد خطبتها وتكون أيضا للمخطوبة لمن ترضي بزواجه، فللمرأة من ذلك ما للرجل والرؤية لهما لمصلحة إقامة حياة زوجية فيها مودة وسكينة وحسن الصحبة، وبها يعرف سكون النفس واقتناع العقل أو عدمهما، روى عنمحمد بن مسلمة قال: «خطبت امرأة، فجعلت أتخبأ لها حتى نظرت إليها فى فخل لها، فقيل له: أتفعل هذا ، وأنت صاحب رسول اللـه صلى اللـه عليه وسلم ؛

(٣) رواه الطبراني والحاكم، وقال صحيح لإسناد.

فقال: سمعت رسول الله صلى الله عليه وسلم يقول: «إذا ألقى فى قلب امرء خطبة امرأة، فلا بأس أن ينظر إليها[٤]»، وقال النبى صلى الله عليه وسلم للمغيرة بن شعبة رضى الله عنه: «اذهب فأنظر إليها فإنه أجدر أن يؤم بينكما[٥]».

وهذه الرؤية المقصودة جائزة عند قصد الزواج حقيقة، وتحرم إن كانت بقصد التعرف علي أخلاق النساء وطبائعهن وأسرارهن والتلذاذ بهن، ثم يصطفي الرجل منهن الفضلى إن شاء، فهذا حرام شرعا، ولا يحقق المقصد قطعا، لأن الرجل الذي له صحبة في النساء فاسد الطوية وسئ الظن بهن، لكثرة وقائعه مع نساء لا دين لهن ولا أخلاق فيحسبهن أجمعهن علي هذه الطوية فيسئ الظن بالمؤمنات العفيفات، وهذا النوع من الرجال لا تطيب عشرته ولا يؤمن جانبه ولا يتقي شره، فهو خبيث شكاك غير قنوع، ويتطلع إلي الأخريات عندما يمل عهده بمن تزوجته إلا من تاب منهم وعمل صالحا.

وللمرأة أن تصلح من هيئتها وتتزين للخطاب، وهو ما يعرف بالتشوف، والمرأة المتشوفة التي تظهر نفسها ليراها الناس، فتخرج من البيت وترتدي ملابسها وزنتها التي كانت عليها قبل الوفاة، وهذا جائز من غير إسراف قي الزينة أو تبرج، وقد صح ذلك في الحديث،عن سبيعة الأسلمية رضي الله عنها: أنها كانت تحت سعد بن خولة، فقتل عنها في حجة الوداع، وكان بدريا فوضعت حملها قبل أن ينقضي أربعة أشهر وعشر من وفاته، فلقيها أبو السنابل - يعني ابن بعكك - حين تعلت من نفاسها، وقد اكتحلت، وفي رواية: فدخل علي حموي أو قد اختضبت وتهيأت، فقال لها: اربعي علي نفسك، هذا لعلك تريدين النكاح، إنها أربعة أشهر وعشر من وفاة زوجك، قالت: فأتيت النبي صلى الله عليه وسلم ، فذكرت له ما قاله أبو السنابل بن بعكك، فقال لها النبي صلى الله عليه وسلم :«قد حللت حين وضعت حملك»[٦]، وروي أبو السنابل رضي الله عنه، قال: «وضعت سبيعة حملها بعد وفاة زوجها بثلاثة وعشرين أوخمسة وعشرين ليلة، فلما تعلت تشوفت للأزواج، فعيب عليها، فذكر ذلك لرسول الله صلى الله عليه وسلم فقال: «ما يمنعها، قد انقضي أجلها[٧]»، وليس المراد بالزينة أن تخرج في أبهي زينة بحلي، تحدث صوتا أو تزيد في الملابس زينة، فهذا تبرج منهي عنه، فلها أن تتهيأ للخطاب بزينة ليس فيها إسراف كأن تصلح من ملبسها وأن تكتحل وأن تتخضب

---

(٤) رواه البخارى.

(٥) رواه النسائى والترمذى.

(٦) رواه أحمد ٤٣٢/٦ بسند.

(٧) رواه النسائي ١٩٠/٦.

بالخضاب (ما تضعه من حناء علي الشعر ونحوه)، وذلك من غير إسراف أو كشف للجسد أو تجسيم له بالثوب الضيق أو أن ترتدي ثيابا تشف جسدها، وليس لها أن تتعطر للأجانب إسراف، لأن وضع الطيب للأجانب حرام، أو أن تظهر شيئا من زينتها لغير الزوج، وينهي أن تضع زينة تصلح من عيب فيها للخطاب أو تغير لونها بزينة (المكياج) أو أن تستخدم طلاء الأظافر مطلقا، وهذا حرام من وجهين:

أولهما: نهي الشرع عن إبداء الزينة لغير الزوج قال تعالي:(**ولا يبدين زينتهن إلا ما ظهر منها وليضربن بخمرهن على جيوبهن ولا يبدين زينتهن إلا لبعولتهن) [النور: ٣١]**.

اختلفت العلماء فيما يظهر من زينة المرأة فهم علي رأين في معني الزينة، فبعضهم يري أن الزينة الثياب التي ترتديها المرأة التي تظهر عليها من الخارج ويراها الناس، وتستر جميع الجسد وتحجبه تماما، ومن أصحاب هذا الرأي عبد الله بن مسعود رضي الله عنه، قال ظاهر الزينة وهو الثياب، وزاد ابن جبير الوجه، أي الثياب الظاهرة والوجه، واستدل بعض العلماء بهذه الآية، وقوله تعالي(**...وإذا سألتموهن متاعا فاسألوهن من وراء حجاب ...) [الأحزاب:٥٣]** علي وجوب ستر جميع الجسد.

والرأي الثاني يري أن المراد بالزينة: الوجه والكفان، وما تتزين به المرأة من الحلق، والكحل والخضاب والقرط والسوار، وما يراه الناس من ظاهرة ثيابها وحليها دون تبرج.

ومن أصحاب هذا الرأي: سعيد بن جبير وعطاء والأوزاعي، رأوا أن ما يجوز ظهوره في الآية الوجه والكفان، ورأي ابن عباس وقتادة والمسور بن مخرمة أن المراد بها الكحل والسوار والخضاب.

واستدل بجواز إظهار الوجه والكفين بحديث عائشة رضي الله عنها أن أسماء بنت أبي بكر رضي الله عنها دخلت علي رسول الله صلى الله عليه وسلم فقال لها: «يا أسماء إن المرأة إذا بلغت المحيض لم يصلح أن يري منها إلا هذا» وأشار إلي وجهه وكفيه.[٨]

وروي عن عائشة عن االنبي صلى الله عليه وسلم قال: «لا يحل لامرأة تؤمن بالله واليوم الآخر إذا عركت أن تظهر إلا وجهها ويديها إلي ها هنا[٩]» ، وقد ذكر الطبري عن قتادة أنه أشار إلي

---

[٨] رواه أبو داود في كتاب اللباس، باب فيما تبدي المرأة من زينتها رقم ٤١٠٤ من حديث خالد بن دريك عن عائشة رضي الله عنها، وخالد بن دريك لم يدرك عائشة فهو منقطع، وقد صححه الألباني لما له من شواهد تدل علي صحة معناه.

[٩] ذكره صاحب الدر المنثور وقال: أخرجه سنيد، وابن جرير. وعركت: حاضت.

نصف الذراع، وذلك للضرورة في السير والحركة والعمل أو إصلاح شأن فما ظهر علي هذا الوجه مما تؤدي إليه الضرورة في النساء عن غير قصد، فهو المعفو عنه، وأيد القرطبي ذلك بظهور اليد وكشف الوجه في العبادة: (الصلاة والحج)، وجواز ظهورهما راجعا إليهما[١٠]، وقد استدل بالحديثين القرطبي في ضرورة عدم إظهار غير الوجه والكفين فقط، وقال:«فهذا أقوي في جانب الاحتياط لمراعاة فساد الناس فلا تبدي المرأة من زينتها إلا ما ظهر من وجهها، وقال خويز منداد إن المرأة إذا كانت جميلة وخيف من وجهها وكفيها الفتنة فعليها ستر ذلك،وإن كانت عجوزا أو مقبحة جاز أن تكشف وجهها وكفيها» والوجه والكفان من الزينة (الخلقية) والزينة المكتسبة كالحلي والثياب، والعطر وما تزيده في الثوب، وحمل بعض العلماء ما ظهر منها عن غير قصد، نحو: الثياب الظاهرة الخالية من الزينة والزرقشة والزخرف.

والخاطب لا يجوز له أن يري من المخطوبة فوق الوجه والكفين، وعامة ما يراه من قامتها دون تفحص دقائق الجسم، أو تتبع للمفاتن ولا تجوز له الخلوة بها.

ثانيهما: أن الزينة تخفى ما تحتها وتغير هيئة المرأة وبشرتها، فتتحمر الصفراء وتتبيض السوداء، وفي تغير الخلقة تغرير بالخاطب وخداع له، ويجب عليها أن تري الخاطب ما هي عليه حقيقة دون خداع له، وليس لها أن تستر عيبا عنه، ويجوز لها أن تصلخ العيوب الظاهرة للناس فى الوجه أو اليدين دون إسراف يخرجها عما عليه هيئة النساء، ولكن يجب أن تطلع الخاطب على هذا العيب لئلا تغرر به.

ويحرم عليها أن تضع في عينيها ما يغير لونها كالعدسات اللاصقة بقصد التجميل للرجال، ولا بأس أن تستخدم العدسات اللاصقة التي تشبه لون القرنية للنظر تستغني بها عن النظارة (الشوافة)، ويجب عليها أن تخبر الخاطب بحال بصرها من القوة أو الضعف وأن تخبره بكل ما لا يعلمه من عيوب في جسدها قبل الزواج.

وروي أن السيدة عائشة رضي الله عنها شوفت جارية، وطافت بها، وقالت لعلنا نصطاد بها شباب قريش، وهذه الرواية ضعفها بعض العلماء، وهي في مضمونها لا تخرج

---

(١٠) القرطبي جـ ١٩٣/١٢، ١٩٢.

عما كان من تهيئة المرأة نفسها وخروجها يراها الخطاب، ولم تضع طيبا ولم تتعطر ولم تتمايل عن كشح أو تتقصع في الخطو، لتغري الرجال[11]

والهدف من تزين المرأة وظهورها للرجال الرغبة في الزواج وإعلانا لهم بذلك ليخطبوها.

ويشترط لهذا أن تكون نية الزواج صادقة فيها، ولا يجوز لها مطلقا أن تستعين علي استقطاب الخطاب بما حرمه الله تعالي.

وبعض الأمهات يخرجن بناتهن عاريات وسافرات ومتعطرات ليجلبن الخطاب إليهن، ويقلن: ستتحجب بعد الخطوبة، وتدعى زورا أنها تخرجها علي المعصية لتصطاد زوجا، والحقيقة أنها ستجلب غاويا، ولن تجلب صالحا أبدا، فالصالحون يبحثون عن المؤمنات العفيفات ، ولن تصطاد لنفسها صيدا سمينا بل غثا فضفاضا لا خير فيه، وسيبحث عن أخري بعد أن يملها فالصائد يهوي صيدا كل يوم.

وقد كره العلماء أن يخرج الخاطب علي من يريد مصاهرتهم في زينة ليخدعهم بها عن نفسه ويغريهم بنسبه، وكرهوا كذلك أن يستعين في ذلك بما يجمله في أعينهم ويصرفهم عن معرفة حقيقة أمره وكشف عيبه.

وروي ابن طاوس عن أبيه (من التابعين) أنه قال له في امرأة أراد أن يتزوجها: اذهب فانظر إليها، قال فلبست ثيابي، فدهنت وتهيأت، فلما رآني فعلت، قال: اجلس، كره أن أذهب إليها علي تلك الحال[12]

ويجب علي الخاطب أن لا يبدي لمن رغب في مصاهرتهم غير ما هو عليه، فلا يكذب عليهم فيما سألوه عنه، ولا يغير من خلقه فيسود الشيب أو يخفى عيوبا في جسده، فهذا يعد تغريرا بهم (خداع) يبطل العقد، وللمرأة الحق في خلعه إن ظهر خلاف ما أبداه لها قبل الزواج من الصحة والشباب وحسن الهيئة، ولها الحق في خلعه إن ادعي الغني وهو مفلس أو أنه من أحساب العائلات، وهو لا نسب له ولا حسب، ولها الحق أيضا في خلعه إن أخبرها أنه غير متزوج، وسبق له الزواج، وتحققت من خلاف ذلك.

---

(11) أخرجه أبن أبي شيبة ٩٤/٤ عن وكيع عن العلاء بن عبد الكريم اليامي، عن عمار بن عمران، رجل من زيد الله عن امرأة منهم عن عائشة رضي الله عنها، وعلق بن القطان علي هذه الرواية قائلا: "هذا غاية في الضعف للجهل بمن هم فوق وكيع"، النظر في أحكام النظر ص٣٩٧.

(12) ذكره عبد الرازق في مصنفة ١٥٧/٦ وهو صحيح السند.

ويشترط في جواز النظر إلى المرأة ما يأتي:

- أن يكون النظر إليها بقصد الخطبة وأن تكون النية خالصة وليس في النفس شئ منها أو ريبة، فإن لم تكن النية معقودة للزواج وجب عدم النظر مطلقا، لأمر الله تعالي للرجل والمرأة: **﴿قل للمؤمنين يغضوا من أبصارهم ويحفظوا فروجهم ذلك أزكى لهم إن الله خبير بما يصنعون (٣٠) وقل للمؤمنات يغضضن من أبصارهن﴾**[النور].

فإن كانت النية معقودة علي الزواج، فله ان ينظر إلي ما يباح أن تظهر المرأة عليه لعامة الرجال ويرونها عليه فقط دون زيادة، وهو الوجه والكفان وعامة الجسد المستور بثوب فضفاض لا يشف فيري ما تحته ولا يجسم الجسم فيصف حجمه للناس ومعالمه وأن يكون الثوب مرسلا يغطي الكعبين، فإن ارتفع عنهما أو انكشف ارتدت ما يغطي القدمين، كالجوارب،والحذاء الكاسي.

- أن يكون النظر إليها عاما لا يتفحص دقائق الجسد ولا يطيل التفكير الذي يثير الشهوة في شئ رآه من جسدها فلا يخلص النظر إلي ما يفتنه منها.
- ويكون النظر إليها ؛ بقدر ما يكفيه من الرضا بها والقبول ، ويستفاد من هذا من حديث المغيرة بن شعبة رضي الله قال: أتيت النبي صلى الله عليه وسلم فذكرت له امرأة أخطبها، فقال:«اذهب إليها فإنه أجدر أن يؤدم بينكما[١٣]».

قال [المغيرة] : «فأتيت المرأة من الأنصار، فخطبتها إلي أبويها، وأخبرتهما بقول رسول الله صلى الله عليه وسلم ، فكأنهما كرها ذلك. قال: فسمعت ذلك المرأة، وهي في خدرها. فقالت: إن كان رسول الله صلى الله عليه وسلم أمرك أن تنظر، فانظر، وإلا فإني أنشدك الله -كأنها عظمت ذلك عليه – ورفعت السجف. قال فنظرت إليها، فتزوجتها، فما نزلت مني امرأة قط بمنزلتها[١٤]».

ولا يراد به النظر إلي ما يفتنه، فلو كان كذلك لما استراحت نفسه، لأن النظرة الحرام تغير النفس وتفسد الحب.

وقد أمره النبي صلى الله عليه وسلم أن ينظر إليها، ويتبين منه أنه يريد أن يتحقق منها للزواج فإن وجد ما يحبه تزوجها، والهدف من الرؤية ما تحققه من السكون والرضا والقبول، فإن كان

---

(١٣) أجدر أن يؤدم بينكما: يحقق المودة ويبعث الحب والسكينة ويديم حسن العشرة، السجف: أحد السترين المقرونين بينهما فرجه.

(١٤) رواه أحمد ٢٤٥/٤ والترمذي ١٠٨٧/٦ وابن ماجة ١٨٦٦ والدارمي ١٨٠/٢ والبيهقي في السنن الكبري ٨٤،٨٥/٧ .

بينهما تجانس روحي تلاقيا وقبلا الزواج، وفي ذلك إباحة رؤيتها له، فإنه عندما يطلب رؤيتها ستراه هي الأخرى، فالرؤية للطرفين، فلا يكفي أن يراها دون أن تراه.

وقد أنكر أبواها طلب رؤيتها لها عن قصد وكرها ذلك، لأنه لم يكن مألوفا قبل ذلك، وكانت العرب تتحفظ في ذلك وترى كشف بناتهم ومخالطتهن الرجال عيبا، وكره الأبوين ذلك ليس بقصد مخالفة أمر الرسول صلى الله عليه وسلم بل غيرة علي ابنتهم من رجل أجنبي، وفيه ضرورة مشاركة الأم في زواج البنت فلها نصيب الأب منها وزيادة، فهي الأم وعليها أن تطيع زوجها في الحق وأن ترضي بما يجتهد فيه ليحفظ مصالح ابنته الزوجية. وقد أذعنت الابنة لأمر رسول الله صلى الله عليه وسلم وقدمت طاعته علي طاعة والديها، واستحلفته أن يكون صادقا فيما ذكره من أمر الرسول، وعظمت حرمة الله تعالي فأمرته أن يتقي ربه في النظر إليها، ورفعت الحائل الذي كانت تسمع كلامه من ورائه ليراها وهو في مكان وهي ساكنة وكاسية غير عارية فى مكانها، فلما رأي عفافها وحسن دينها وطاعتها لله تعالي ورسول الله صلي الله صلى الله عليه وسلم ارتضى هيئتها الوقورة المحتشمة التي تلاقت مع ما ظنه بها من حسن الدين، وقع القبول في نفسه وأحبها ولم يحب امرأة أخري مثل حبها وكانت مقدمة عنده، وقد جاء في بعض الروايات أنه سبق له الزواج من غيرها، فلم يحب واحدة منهن مثل حبه لها.

فصاحب الدين يحب صاحبة الدين ويعجبه منها دينها وورعها وحياءها وحفظها لحدود الله وعفتها وترفعها عن المعاصي وخشيتها لله تعالي ووقارها وحشمتها وتواريها عن الرجال واستحياءها من مخالطتهم وتورعها عن الفحش، وهي أيضا تحب منه الدين والعفاف واللين والرحمة والود والرجولة والنخوة والنشاط والجد في الحياة والتميز علي الأقران والسبق في الحياة وطلبها الحلال والكسب الحلال والسعي في طلب الرزق.

ويستفاد من الحديث أن الرؤية لم تتجاوز النظر إليها فقط وهي قارة في خدرها (الموضح الذي تقر فيه النساء بعيدا عن الرجال، ويكون من ستائر أو خيمة تصنع لها تسترها) ولم يكن هنالك خطاب طويل (تعارف شخصى) يلج الرجل منه إلي مداخل أخري في حياتها ويختلى بها بعيدا عن رقابة الأسرة، فله أن يعرف كل ما يريده من أبويها أولا، وأن يسألها عما يريد معرفته فى حضور محرم.

ولا يجوز للرجل أن ينظر إلي امرأة أو أن يسألها عما لها دون قصد الخطبة، وروي أبو حميد رضي الله عنه : قال رسول الله صلى الله عليه وسلم :«إذا خطب أحدكم امرأة، فلا جناح عليه أن ينظر إليها، إذا كان إنما ينظر إليها لخطبة، وإن كانت لا تعلم[١٥]»، وروي عن جابر رضي

([١٥]) رواه أحمد ٤٢٤/٥ والطبراني في الأوسط ٩١١١، ورأي العلماء أن إسناده صحيح ورجاله ثقاة.

الـلـه عنه قال رسول الـلـه صلى الـلـه عليه وسلم :«إذا خطب أحدكم المرأة فاستطاع أن ينظر إلي ما يدعوه إلي نكاحها فليفعل»، يريد ما يحبه فيها من صفات وينظر إلي الوجه والكفين، ولا يباح له أن ينظر إلي ما فوق ذلك ولا إلى شئ من مفاتنها بحال[16] ، وزاد بعضهم علي الوجه والكفين عموم الجسد علي أن يكون النظر عابرا ولا يتفحص عضوا ولا يطيل النظر إليه.

وقد صح النظر بقصد الخطبة عن النبي صلى الـلـه عليه وسلم ، فقد نظر إلي امرأة عرضت عليه أن يتزوجها. روي سهل بن سعد رضي الـلـه عنه: أن امرأة جاءت إلي رسول صلى الـلـه عليه وسلم فقالت: «يا رسول الـلـه جئت لأهب لك نفسي، فنظر إليها رسول الـلـه صلى الـلـه عليه وسلم ، فصعد النظر إليها وصوبه، ثم طأطأ رأسه[17]» والوهب للنبي صلى الـلـه عليه وسلم وحدة قال تعالي: **﴿وامرأة مؤمنة إن وهبت نفسها للنبي إن أراد النبي أن يستنكحها خالصة لك من دون المؤمنين﴾** [الأحزاب: ٥٠]

وليس هذا لغيره، فما يسمي الزواج بالوهب بين بعض من يزعمون أنهم سائحون في سبيل الـلـه ويعاشرون نساء ويزعمون ذلك، وليسوا إلا دعارا ودواعر يعبثون بالدين ويستحلون الأعراض بالباطل، فالصحيح الزواج، وليس الوهب لغير النبي صلى الـلـه عليه وسلم . ونظر النبي صلى الـلـه عليه وسلم إليها بقصد الزواج عامة، وصرف بصره عنها عندما لم يجد قبولا في نفسه للزواج منها، ونظره صلى الـلـه عليه وسلم إليها لم يكن تفحصا ولا تدقيقا في معالم جسدها فتصويب البصر أسرع من ذلك.

واختلف العلماء فيما للرجل أن ينظر إليه من المرأة التي يريد زواجها، والاختلاف وقع في المواضع التي يغض فيها البصر، ولا يجوز له أن يتفحص الجسد ويطيل النظر إلي معالمه للأمر بغض النظر عن المرأة الأجنبية فليست بزوجة، وله أن يري منها عن قصد ما يراه الناظر عن غير قصد فلا يجوز لرجل أن يتطلع إلي امرأة إن علم أنها امرأة، ولكن يجوز له التطلع إليها بقصد الزواج.

ويجب أن يكون النظر إليها مصحوبا بالتقوي وحسن النية وقصد الزواج حقيقة لا المعاينة للمقارنة بينها وبين غيرها، فالنظر المباح للخطوبة جائز بقصد إيقاع الخطبة إن تلاقت مع ما يحبه ممن يرغب في زواجها.

وتحفظ العلماء في حديثهم عما يجوز النظر إليه مما دون الوجه والكفين، لأن الخاطب يستطيع أن يتعرف من خلال الوجه والكفين علي لون البشرة والجمال والدمامة وخصوبة

([16]) أحكام النظر إلي المحرمات محمد عبد الـلـه بن حبيب العامري ص٧٣.

([17]) رواه البخاري في كتاب النكاح. ومسلم ١٠٤١/٢. والنسائي ١١٣/٦.

الجسد وبدانته أو نحافته، ويستطيع أن يتعرف من هيئتها علي طولها أو قصرها. وليس له أن ينظر إلي ما أمر بغض البصر عنه من دون الوجه والكفين.

وبعض العلماء أجازوا أن يعاين جميع البدن، طولا وعرضا وهي محتشمة دون أن يتطلع إلي ما تحت الثياب ولا يطيل النظر، فالأصل في غض البصر أن يحول الرجل بصره عن المرأة التي تصادف أن رآها، فإن علم بوجودها تحول عنها قبل أن يراها إلا الخاطب فله أن ينظر إليها وأن يسمع حديثها، وله أن يراقب خلقها من بعد ليعلم سلامتها، وإن وجد من تكفيه التأكد من ذلك كفته عن النظر إليها. وله أن يرسل من أخواته أو قريباته من تعاين ما يحبه في المرأة التي يريد زواجها، وأن تتأكد من سلامة جسدها، وليس له أن يري من جسدها ما نهي الله، وليس له أن يجالسها وحدها ويتحسس جسدها أو يلمسها، وله أن يجالسها في كنف الأسرة وأن يحادثها في حضرتهم.

وقد يستدل بعض الناس بنصوص بعض الأحاديث في جواز النظر إلي معالم جسد المخطوبة، والتطلع إليها، والأحاديث التي استدلوا بها لا تفسر في ضوء إباحة النظر إلي مفاتن الجسد، ومن ذلك. أن عمر رضي الله عنه خطب إلي علي رضي الله عنه ابنته، فقال: «إنها صغيرة»، فقيل لعمر: إنما يريد بذلك أن يصرفه عنها ، قال: فكلمه، فقال علي: «أبعث بها إليك، فإن رضيت فهي امرأتك»، قال: فبعث بها إليه قال: «فذهب عمر، فكشف عن ساقها: فقالت: أرسل، فلولا أنك أمير المؤمنين لصككت عنقك».

وهذا يستدل به في المشورة في الخطبة والتفكير فيها؛ لأن نصه يفيد أن عمر وعليا رضي الله عنهما اتفقا عليها، وأصبحت النية معقودة للزواج؛ علي أن يرضي عمر رضي الله عنه بصغرها وهيئة بدنها، فلما رضي منها ذلك كشف عن ساقها، وهذا له بعد أن اشترط عليه أبوها أن يرضي بها زوجة، وقد وقع الاتفاق علي الزواج لذلك أرسلها إليه، ويستبعد أن يرسلها إليه دون نية الزواج فليس هذا من خلق أصحاب النبى صلي الله عليه وسلم ، وقد أنكرت عليه ذلك لوجهين:

أولهما: أنها قد تكون علي غير علم بالزواج فلم يخبرها علي رضي الله عنه لئلا تستحي من الذهاب إلي بيت عمر رضي الله عنه، فقد ذهبت في حاجة أرسلها علي رضي الله عنه فيها.

وثانيهما: أنها لم تتوقع هذا، فاستحت، وهي بكرلم تطلع علي شئ من ذلك فأنكرته، وكان عمر رضي الله عنه مهيبا، وهذا خلق نساء بيت النبي صلى الله عليه وسلم وخلق المسلمات، وقد أرسلها إليه لتري هيئته في بيته ومسكنها لتألفه.

ولم يكن عمر رضي الله عنه دخل بها، ولم يفعل عمر ذلك إلا بعد قبول زواجها عندما رآها، وقد أجري عمر العقد وهذا دليل عزمه وصدق قصده.

وقد اتفق العلماء قاطبة علي حرمة النظر إلي مفاتن المرأة وسوء القصد من النظر، والنظر الذي يثير شهوة حرام، وإن كان للخطبة لأنها أجنبية فلم يعقد العقد.

وقد أجمع العلماء علي أن الخاطب يغض طرفه عمن عقد النية علي زواجها حتي يعقد عليها عقدا شرعيا يبيح له الدخول بها، واستدلوا علي تحريم النظر إلي معالم جسدها بقوله تعالي: **﴿قل للمؤمنين يغضوا من أبصارهم ويحفظوا فروجهم ذلك أزكى لهم إن الله خبير بما يصنعون(٣٠) وقل للمؤمنات يغضضن من أبصارهن(٣١)﴾** **[النور]** ذلك أنها أجنبية فلا تحل له النظرة الخائنة، والنظرة الحرام إلى المخطوبة والعبث بها والتلذذ يغير النفس وينفرها ويصدها ويثير الشك ويوهى المودة بينهما.

وترك ذلك أحوط، فقد ينفض الأمر دون زواج، ويصبح ذلك سوءة في حياة المرأة وعيبا تعير به، وخطر يهدد سكينتها مع آخر، وفي الناس أمثال وعبر لك تعظك وتنهاك عما أخطأ فيه غيرك.

ولاية الرجل علي المرأة في الزواج:

لايصح زواج المرأة إلا بإذن وليها فيتولي العقد عنها إن كانت بكرا أو تستئذنه إن كانت ثيبا (سبق لها الزواج)، والولاية في الزواج قبل كل شئ حكم شرعي أوجبه الله تعالي، قال تعالي: **﴿ولا تنكحوا المشركين حتى يؤمنوا﴾** **[البقرة: ٢٢١]** أي لا تزوجوا نساءكم المؤمنات من الرجال المشركين حتي يؤمنوا، والخطاب للرجال أصحاب الولاية فى الزواج.

وقال تعالي: **﴿فانكحوهن بإذن أهلهن﴾** **[النساء: ٢٥]** وهذا في الأمة غير الحرة تستأذن سيدها وكذلك العبد يستأذن سيده، والرجل أولي بابنته من أمته.

والمقصد من ذلك مراعاة حق الأهل في ابنتهم، فالابنة لوالديها، وهما صاحبا حق عليها، فتتزوج بإذنهما، ولها علي أخيها حق النفقة وله حق الولاية فتستأذنه، وكذلك كل ولي لها حق النفقة عليه أو من في منزله الوالد. وإذن الولي أو ولايته عليها في الزواج يحفظ

حقوقها ويقيم لها أمرها، فيأخذ لها العهود والمواثيق علي زوجها ويجهزها، ويكون مسئولا عنها، ويلزم زوجها بحقوقها ويراجعه فيما قصر فيه.

ولا يجوز لفتاة مسلمة صالحة أن تزوج نفسها بغير إذن وليها، الأولي فالأولي، والولاية تكون في الأب، والأخ، والعم، والخال، والابن، وابن الأخ، وكبير الأسرة والعشيرة.

واستدل العلماء بقوله تعالي: **﴿ولا تنكحوا المشركات حتى يؤمن ولأمة مؤمنة خير من مشركة ولو أعجبتكم ولا تنكحوا المشركين حتى يؤمنوا ولعبد مؤمن خير من مشرك ولو أعجبكم أولئك يدعون إلى النار و الله يدعو إلى الجنة والمغفرة بإذنه ويبين آياته للناس لعلهم يتذكرون﴾** [البقرة: ٢٢١].

الخطاب في الآية موجه للرجال في نكاح المشركات،وعندما تحدث عن نكاح المؤمنة من الشرك قال: (ولا تنكحوا المشركين حتي يؤمنوا) أي لا تزوجوا المشركين من بناتكم حتي يؤمنوا فالتاء بالضم من المضارع من أنكح قال محمد بن علي بن الحسين: النكاح بولي في كتاب الله ثم قرأ: (ولا تنكحوا المشركين)[١٨]، وقال القرطبي: في هذه الآية دليل علي أن لا نكاح إلا بولي[١٩]». وروي عن عائشة وابن عباس وأبي هريرة، وأبو موسي الأشعري وعمران بن حصين وأنس أنهم رووا عن النبي صلى الله عليه وسلم :«لا نكاح إلا بولي»[٢٠].

وقد حدث بحديث: «لا نكاح إلا بولي» جمع من الصحابة، وهم علي هذا الرأي، وهم: عمرو بن الخطاب وعلي بن أبي طالب وأبو موسي الأشعري وعائشة وأبو هريرة وعمران بن حصين وأنس بن مالك رضي الله عنهم، وبه قال سعيد بن المسيب والحسن البصري وعمر بن عبد العزيز وجابر بن زيد، وسفيان الثوري وابن أبي ليلي وابن شبرمة والشافعي، وعبيد الله بن الحسن وأحمد وإسحاق وأبو عبيد وقول مالك وأبي ثور والطبري.

واستدل العلماء بقوله تعالي: **﴿....فلا تعضلوهن أن ينكحن أزواجهن....﴾** **[البقرة: ٢٣٢]** قيل نزلت في معقل بن يسار إذ عضل أخته عن مراجعة زوجها[٢١]، قال

---

(١٨) ارجع إلي القرطبي ٦٤/٣: ٦١.

(١٩) القرطبي ٣ / ٦٢.

(٢٠) رواه أبو داود في كتاب النكاح باب في المولي، رقم ٢٠٨٥، والترمذي في كتاب النكاح، باب لا نكاح إلا بولي ١١٠١ وابن ماجة في كتاب النكاح، باب لا نكاح إلا بولي: ١٨٨١، وأحمد ٣٩٤/٤، وابن حبان: ٤٠٧٧.

(٢١) البخاري: كتاب التفسير

القرطبي: «ولولا أن له حقا في النكاح ما نهي عن العضل، فالمرأة يزوجها وليها، وليس له أن يكرها علي الزواج ممن تنفر منه أو أن يمنعها من أن تعود إلي زوجها الذي، فارقها فالزوج أحق بردها[٢٢]»واستدل العلماء بقوله تعالي: **﴿فانكحوهن بإذن أهلهن﴾ [النساء: ٢٥]** وقوله: **﴿وأنكحوا الأيامى منكم... ﴾[النور: ٣٢]** أي زوجوا، فلم يخاطب الله تعالي بالنكاح غير الرجال، ولو كان إلي النساء لذكرهن.

واستدلوا كذلك بقوله: **﴿قال إني أريد أن أنكحك إحدى ابنتي هاتين﴾ [القصص:٢٧]** تزويج الرجل ابنته من موسي عليه السلام. وقوله تعالي: **﴿ الرجال قوامون على النساء...﴾ [النساء:٣٤]** استدلوا بها علي أن لا نكاح إلا بولي رجل.

واستدل القرطبى بحديث زواج النبي صلى الله عليه وسلم من حفصة رضي الله عنه حين تأيمت وعقد عمر رضي الله عنه النكاح لرسول الله صلى الله عليه وسلم ، ولم تعقده لنفسها وهي أيم[٢٣]، ولو كان لها أن تزوج نفسها لكان أولي الناس بذلك أن تعقد لنفسها علي رسول الله صلى الله عليه وسلم ، وهذا يبطل قول من قال إن للمرأة البالغة المالكة لنفسها تزوج نفسها وعقد النكاح دون وليها، ليدع خطبة حفصة لنفسه فهو أولي بها من أبيها، فيزوجها من نفسه قال تعالي: **﴿النبي أولى بالمؤمنين من أنفسهم﴾ [الأحزاب:٦]** وقد أجمع علماء المسلمين على وجوب ولاية الرجل فى زواج المرأة، وقد جاء في الحديث:«الأيم أحق بنفسها من وليها».

معناه: أحق بنفسها في الإعراب عن رغبتها في الزواج، فلا يعقد عليها إلا برضاها، وهي أحق بنفسها في عقد النكاح بعد موافقة الولي أو استئذانه بيد أن الولي يلي عقد الزواج عن البكر، وتعقد الثيب التي سبق لها الزواج عن نفسها[٢٤]، ولا تصح ولاية المرأة للمرأة في الزواج.

([٢٢]) القرطبي ١٣٧/٣

([٩٦]) رواه البخارى فى النكاح، تزويج الأب ابنته من الإمام، وفيه قال عمر رضى الله عنه:« خطب النبىﷺ إلى حفصة فأنكحته».

([٢٤]) رواه مالك في النكاح ٥٢٤/٢،ومسلم في النكاح، وأبو داود في كتاب النكاح، والنسائي في النكاح، وابن ماجة في النكاح، وأحمد ٢١٩/١ عن ابن عباس رضي الله عنهما.

وروي عن أبي هريرة رضي الله عنه قال رسول الله صلى الله عليه وسلم :«لا تزوج المرأة المرأة ولا تزوج المرأة نفسها»[٢٥]، وفيه زيادة فإن الزانية هي التي تزوج نفسها ولا تزوج المرأة نفسها دون أذن وليها عائشة رضي الله عنها، قال رسول الله صلى الله عليه وسلم :«أيما امرأة نكحت بغير إذن وليها فنكاحها باطل ثلاث مرات، فإن دخل بها فالمهر لها بما أصاب منها، فإن تشاجروا فالسلطان ولي من لا ولي له»[٢٦]، واحترم الإسلام كرامة الأنثى ورغبتها، وجعل لها حقا في إبداء رأيها فيمن تتزوجه، ووازن بين الإعراب عنه وقدرة المرأة في التعبير عن هذا الحق، فجعل صمت البكر حياء دليلا على رضاها بالزواج، فيستأذنها وليها، فتستحي وتفوض الأمر إليه، والحال دليل الموافقة، وإن كان لها خلاف ذلك ستعلن عن رفضها باللفظ صراحة دون صمت أو بصمت يصحبه غضب يدل على الرفض.

عن أبي هريرة رضي الله عنه قال رسول الله صلى الله عليه وسلم :«لا تنكح الأيم حتى تستأمر ولا تنكح البكر حتى تستأذن» قالوا يا رسول الله وكيف إذنها ؟ (يريد البكر) قال : «أن تسكت»[٢٧]

وعن ابن عباس رضي الله عنه أن النبي صلى الله عليه وسلم قال : «الأيم أحق بنفسها من وليها والبكر تستأذن في نفسها، وإذنها صماتها»[٢٨]، وروي عن عائشة رضي الله عنها أنها سألت رسول الله صلى الله عليه وسلم عن الجارية ينكحها أهلها، أتستأمر أم لا؟ فقال لها رسول الله صلى الله عليه وسلم «نعم تستأمر» فقالت عائشة رضي الله عنها :فقلت له فإنها تستحي، فقال رسول الله صلى الله عليه وسلم : «فذلك إذنها إذا هي سكتت»[٢٩].

وأوجب النبي صلى الله عليه وسلم استشارة الثيب في الزواج، وهذا دليل على عدم صحة أن تزوج نفسها دون إذن الولي، ويجوز لها تولي العقد بعد الإذن من وليها، ويجب استئذان البكر بإخبارها عن الزوج وعدم إبدائها رفضا، وهذا تكريم عظيم للمرأة، لم تبتدر إليه أمة من الأمم قبل الإسلام، ولم يدعه قديم أو حديث.

(٢٥) رواه ابن ماجة في كتاب النكاح: ١٨٨٢، والدارقطني ٢٣٧/٣، والبيهقي ١١٠/٧، وصححه الألباني.
(٢٦) رواه أبو داود في كتاب النكاح: ٢٠٨٣، والترمذي في النكاح: ١١٠٢، وابن ماجة في النكاح: ١٨٧٩، والدارمي: ٢١٨٤، وأحمد ٦٦/٦، ١٦٥. وصححه الألباني.
(٢٧) رواه البخاري في كتاب النكاح. ومسلم في كتاب النكاح، والنسائي.
(٢٨) رواه مسلم، وأبو داود، والترمذي، والنسائي، وابن ماجة.
(٢٩) رواه البخاري ومسلم والنسائي.

ولا يجوز لولي المرأة أن يكرهها علي نكاح لا ترغب فيه علي أن تكون علي حق فيما تنكره فيمن يريد الخطبة، ويعتد برجاحة عقلها ووعيها بالأمور، فبعض الأبكار المعاصرات ليست علي شئ من ذلك ولا يحسن للاختيار ولا يعرفن أسس اختيار الزوج الصالح. وقد أعز الله تعالي النساء، وتفضل عليهن وأكرمهن بحق الفصل في أمر الخاطب، وكان الأب أو ولي المرأة في الجاهلية صاحب ذلك.

عن بريدة بن الحصيب رضي الله عنه قال: جاءت فتاة إلي النبي صلى الله عليه وسلم فقالت: «إن أبي زوجني ابن أخيه ليرفع بي خسيسته قال: فجعل الأمر إليها، فقالت: «قد أجزت، ما صنع أبي، ولكن أردت أن تعلم النساء أن ليس إلي الأباء من الأمر شئ».

فليس علي الولي أن يكره ابنته البالغة علي الزواج العاقلة، وقد دل الحديث علي ما كانت عليه البنت من دين وعقل وحكمه، فلم تفضح أباها ولم تقطع رحمها، فتطلق من ابن عمها رضي الله عنهم جميعا[٣٠]. وعن الخنساء بنت خذام الأنصارية رضي الله عنها: «أن أباها زوجها وهي ثيب، فكرهت ذلك، فأتت رسول الله صلى الله عليه وسلم ، فرد نكاحها[٣١]»، وقد سبق للخنساء رضي الله عنها الزواج، فكانت بالغة عاقلة وتعلم ما ينفعها، فزوجها أبوها علي ما كان يزوج الرجال بناتهم دون مشورة البنت، ومثل هذا النكاح يرد إن كرهت البنت ذلك ولم تجزه علي نفسها.

قال الإمام الترمذي رحمة الله:«رأي أكثر أهل العلم من أهل الكوفة وغيرهم أن للأب إذا زوج البكر، وهي بالغة بغير أمرها، فلم ترض بتزويج الأب، فالنكاح مفسوخ[٣٢]»، ورأي ابن القيم مثل ذلك:«فلا تجبر البكر البالغ علي النكاح ولا تزوج إلا برضاها [٣٣]»، وهو مذهب جمهور العلماء.

حق المرأة في المهر:

المهر والصداق بمعني واحد، وهو ما يعطيه الرجل المرأة هدية أو عطية بنية الزواج منها. قال تعالي:

﴿وآتوا النساء صدقاتهن نحلة فإن طبن لكم عن شيء منه نفسا

---

(٣٠) رواه أبن ماجة: ١٨٧/٤، بسند صحيح.

(٣١) رواه البخاري ط السندي ج٢٥٠/٣،أبو داود رقم: ٢١٠١، النسائي ٨٦/٦ وابن ماجة : ١٨٧٣.

(٣٢) جامع الترمذي ٤١٦/٣٥.

(٣٣) ارجع إلي زاد المعاد لابن القيم ٩٦/٥.

فكلوه هنيئا مريئا﴾[النساء: ٤]، والصدقات جمع صدقة، ويقال: صداق ، وصداق ، ويعنى الأجر والعطية، والخطاب في الآية للأزواج أمر الله تعالي بإعطاء المهر هدية أو هبة للزوجات.

وقد كان ولي المرأة يأخذ مهرها ولا يعطيه لها مستأثرا به فنهاهم الله تعالي عن ذلك ، فيجعله خالصا لها، ولها أن تتصرف فيه، فتجهز به نفسها للزواج أو تدخره.

والآية دليل علي وجوب الصداق للمرأة في الزواج وأجمع علي ذلك العلماء، قال تعالي: **﴿فانكحوهن بإذن أهلهن وآتوهن أجورهن بالمعروف﴾** [**النساء: ٢٥**] والأجور يراد بها المهور، وأجمع العلماء كذلك أنه لا حد له في المقدار، فيقدر علي ما يراه الناس في استطاعتهم، وقد ورد في الصحيح أن النبي صلى الله عليه وسلم أمهر زوجاته رضوان الله عليهم، وأمهر أصحابه رضوان الله عليهم زوجاتهم كل بحسب استطاعته، دون مغالاة في المهور، وقد روي أن عمر رضي الله عنه، تأذي من المغالاة في المهور في خلافته، فعزم على إلزام الناس بالإقتداء برسول الله صلى الله عليه وسلم فقال: «ما أصدق قط امرأة من نسائه ولا بناته فوق اثنتي عشرة أوقية... »، فاعترضت عليه امرأة بأنه لا حد لكثيره وذكرت قوله تعالي: **﴿وآتيتم إحداهن قنطارا﴾**[**النساء:٢٠**] فتراجع عمر بن الخطاب عن عزمه علي ألا يزيد المهر فوق ما كان يفعله رسول الله صلى الله عليه وسلم لأن المهر هدية واجبة، ويؤدي الرجل المرأة +نحلة" والنحلة العطاء، أو العطية التي يهبها الرجل للزوجة عن طيب نفس من الأزواج دون تنازع أو مغالاة.

وقيل النحلة الفريضة الواجبة، وهي مسماة بين الطرفين ومعلومة، وقيل إن الخطاب للأولياء الذين كانوا يأخذون ما يعطيه الزوج لزوجته في الجاهلية، ولا يعطونها منه شيئا أو يعطونها قليلا منه، فجعله الله تعالي حقا خالصا لها، وقد مدحت امرأة جاهلية زوجها فقالت: «لايأخذ الحلوان من بناتنا» أي: لا يأخذ مهر ابنته علي ما يفعله غيره تعففا، وإكراما لبناته.

فإن أرادت المرأة أن تعطي زوجها شيئا من مهرها عن طيب نفس دون قهر منه لها ذلك قال تعالي: **﴿فإن طبن لكم عن شيء منه نفسا فكلوه هنيئا مريئا﴾**[النساء:٤].

واستدل العلماء بهذه الأية علي أنه يجوز للمرأة ثيبا أو بكرا أن تهب صداقها لزوجها، ولها أن تشترط في مهرها ما شاءت، فقد جعلت أم سليم مهرها من أبي طلحة إسلامه، فأسلم وتزوجته وجعلت المهر إسلامه، وأقر النبي صلى الله عليه وسلم هذا الزواج، ولكن لا يصح

الزواج بدون صداق مطلقا، ولا يجوز للمرأة أن تشترط علي زوجها شرطا في الزواج يخالف ما أباحه الشرع، أو يخالفه في شئ، فلا يجوز لها أن تشترط عليه مالا يجوز شرطه.

ومن ذلك أن تشترط عليه ألا يتزوج عليها بأخري، فهذا شرط باطل ولا شئ عليه إن خالفه، ورأي العلماء أنها إن اشترطت عليه عند عقد النكاح ألا يتزوج عليها، وتنازلت عن شئ من مهرها مقابل هذا الشرط، ثم تزوج عليها، فلا شئ عليه، لأنها شرطت عليه ما لا يجوز شرطه، وقيل لها أن تستوفي ما تنازلت عنه من المهر إن خالف هذا الشرط، فتأخذه منه فيكتمل لها المهر علي الأصل، ويجب عليه الوفاء ببقية المهر، ويقول النبي صلى الله عليه وسلم :«المؤمنون عند شروطهم[٣٤]»، والرجل الذي يعد بمهر لا ينوي سداده زواجه باطل، عن عقبة بن عامر رضي الله عنه قال رسول الله صلى الله عليه وسلم :«أحق ما أوفيتم من الشروط أن توفوا به ما استحللتم به الفروج[٣٥]»، وعن أبي هريرة رضي الله عنه قال رسول الله صلى الله عليه وسلم :«اللهم إني أحرج حق الضعيفين: اليتيم والمرأة»، وقد أجاز العلماء أن يعطي الرجل جزءا من المهر، ويؤجل ما بقي إلي وقت معلوم يعد دينا عليه لزوجته، ولكنهم اشترطوا أن يقدم لها شيئا ولو يسيرا عند العقد، وهذا برضاها وإنكار الزوج لهذا الدين يفسد العقد، فعليه أن يوفي لها بما اشترطته عليه، و الله أعلم .

ولم يضع الإسلام مقدارا لمهر المرأة بل تركه تقديرا لما يراه الزوجان، ويرتضيان عليه، يكون علي عرف كل بلد وكل مجتمع.

واستدل العلماء علي إطلاق قدر المهر بقوله تعالى: **﴿إن أردتم استبدال زوج مكان زوج وآتيتم إحداهن قنطارا فلا تأخذوا منه شيئا أتأخذونه بهتانا وإثما مبينا﴾ [النساء:٢٠]** فقد منع الرجل أن يأخذ شيئا من مهرها إن فارقها عن غير فجور منها ومعصية، وإن بلغ مهرها قنطارا مبالغة في قيمة المهر.

وتعد المغالاة في المهر سبب رئيسي في إعاقة الزواج وتعسير فيه، وقد حاول عمر بن الخطاب رضي الله عنه أن يحد من المهور ويضع منها تيسيرا علي راغبي الزواج من الرجال فاعترضت عليه امرأة من المسلمين دفاعا عن حق المرأة في المهر بالقدر الذي ترضاه.

---

(٣٤) رواه أبو داود في كتاب الأقضية ٣٥٩٤، وابن حبان ٥٠٩١ من حديث أبي هريرة ولفظه:"المسلمون علي شروطهم" ٥٠٩١، والترمذي: كتاب الأحكام، ١٣٥٧، وابن ماجة في كتاب الأحكام، باب الصلح: ٢٣٥٣، وصححه الألباني في صحيح الجامع: ٣٨٦٢.

(٣٥) رواه البخاري.

خطب عمر رضي الله عنه فقال:«ألا لا تغالوا في صدقات النساء، فإنها لو كانت مكرمة في الدنيا أو تقوى عند الله لكان أولاكم بها رسول الله صلى الله عليه وسلم ما أصدق قط امرأة من نسائه ولا بناته فوق اثنتي عشرة أوقية». فقامت إليه امرأة فقالت:«يا عمر، يعطينا الله وتحرمنا! أليس الله سبحانه وتعالى يقول: (وآتيتم إحداهن قنطارا فلا تأخذوا منه شيئا)؟» فقال عمر: «أصابت امرأة وأخطأ عمر»وفي رواية:«فأطرق عمر، ثم قال:كل الناس أفقه منك يا عمر»، وفي أخرى: «امرأة أصابت ورجل أخطأ».

والمرأة صاحبة المهر اليسير أكثر بركة ونفعا لزوجها، فالمرأة إن كانت فقيرة حفظت مال الزوج ودبرت المعيشة وادخرت ما في وسعها، ونمت مال زوجها، وقد تكفل الله تعالى بغنى الزوجين الفقيرين بقناعتهما ورضاهما وصلاحهما(٣٦). قال الله تعالى: ﴿وأنكحوا الأيامى منكم والصالحين من عبادكم وإمائكم إن يكونوا فقراء يغنهم الله من فضله و الله واسع عليم﴾ [النور:٣٢].

هذا خطاب للأولياء قال الرسول فيه زوجوا من لا زوج له منكم ذكرا أو أنثى، والواحد من الأيامى:أيم، ويراد به الذكر والأنثى من غير زوج، وهي في الأصل للمرأة التي لا زوج لها بكرا كانت أم ثيبا، وهي المرأة الحرة، والصالحين من العبيد، والإماء: الجواري، ولا تمتنعوا عن تزويجهم أي تزويج من لا زوج له من الأحرار بسبب فقر الرجل أو المرأة، وقد وعدهما الله تعالى بالغنى، فالفقير الذي يتزوج للعفة والطاعة يغنيه الله تعالى، قال ابن مسعود رضي الله عنه:«التمسوا الغنى في النكاح»،وتلا هذه الآية،وقال عمر رضي الله عنه:« عجبى ممن لا يطلب الغنى في النكاح»، وقال ابن عباس رضي الله عنهما مثله.

وعن أبي هريرة رضي الله عنه أن رسول الله صلى الله عليه وسلم قال:«ثلاثة كلهم حق على الله عونه:

المجاهد في سبيل الله، والناكح يريد العفاف، والمكاتب يريد الأداء»(٣٧). والمرأة التي تيسر ـ على الزوج أمور الزواج تكون أكثر النساء بركة فأقلهن مؤمنة أو مهرا أكثرهن بركة، و الله تعالى تكفل بإغنائهم نفسا ومالا وعفافا، واستدل العلماء بهذه الآية على تزويج الفقير، وإن كان لا يملك شيئا، وقد صح ذلك بالحديث الشريف، فقد زوج النبي صلى الله عليه وسلم ، رجلا لا يملك

---

(٣٦) أخرجه أبو حاتم البستي في صحيح مسنده عن أبي العجفاء وابن ماجة في سننه.

(٣٧) رواه الترمذي في كتاب فضائل الجهاد، باب حاجات في المجاهد الناكح، والنسائي في النكاح، باب معونة الناكح الذي يريد العفاف،وابن ماجة في كتاب العتق،وأحمد ٢٥١/٢وهوحديث حسن.

إلا إزارا واحدا، أراد أن يهبها نصفه فمنعه النبي صلى الـلـه عليه وسلم [٣٨]، وهذا من باب التيسر لا الإعسار علي المعسر، واشترط العلماء أن يوفي لها بالطعام لعدم صبرها علي الجوع، وقد كان النبي صلى الـلـه عليه وسلم يكره المغالاة في المهور، عن أبي هريرة رضي الـلـه عنه: جاء رجل إلي النبي صلى الـلـه عليه وسلم فقال: إني تزوجت امرأة من الأنصار، فقال له النبي صلى الـلـه عليه وسلم :«هل نظرت إليها، فإن في أعين الأنصار شيئا»، قال: «علي كم تزوجتها؟» قال: علي أربعة أواق، فقال النبي صلى الـلـه عليه وسلم : «علي أربع أواق؟ كأنما تنحتون الفضة في عرض هذا الجبل، ما عندنا ما نعطيك، ولكن عسي أن نبعثك في بعث تصيب منه»، قال: «فبعث بعثا إلي بني عبس، بعث ذلك الرجل فيهم»، وقد فسر النووي قول النبي صلى الـلـه عليه وسلم «كأنما تنحتون الفضة من عرض هذا الجبل»علي أنه استنكار لكثرة الأواقي الأربع في المهر،ولو كان في المغالاة مكرمة لطلبها النبي صلى الـلـه عليه وسلم لبناته وحث عليها المسلمون[٣٩].وبعضهم أجاز لها الطلاق ممن لا يقدر علي نفقتها،وهي لا ترضي بما وقع عيها من ضرر،وقيل نزلت الآية فيمن كان فقيرا قبل الزواج يغنيه الـلـه تعالي، فإن تزوجته وهو موسر،وأعسر بالنفقة، فلم يقدر عليها، جاز التفريق بينهما قال تعالي:**﴿وإن يتفرقا يغن الـلـه كلا من سعته وكان الـلـه واسعا حكيما﴾**[النساء: ١٣٠] أي بعد الإعسار.

وقد أمر الـلـه تعالي العاجزين عن النكاح بالصبر دون الفاحشة، حتي يرزقهم الـلـه تعالي فيتزوجوا: **﴿وليستعفف الذين لا يجدون نكاحا حتى يغنيهم الـلـه من فضله...﴾ [النور: ٣٣]** أي لا يجدون ما يتزوجون به، وينفقون علي الزوجة، وهذا دليل آخر علي ضرورة توفير النفقة اللازمة لقيام الزواج واستمراره لئلا يتفرقا أو يتنازعا، وتعد النفقة من أسباب فشل الزواج في عصرنا، لزيادة أعباء الحياة.

والمهر حق خالص للزوجة، وليس للزوج فيه شئ، وليس له أن يتصرف فيه دون إذنها، قال تعالي: **﴿فلا تأخذوا منه شيئا﴾**[النساء:٢٠] في حال رغبة الزوج علي الطلاق، وهذا بخلاف الخلع، ووقوع الزوجة في الفاحشة.

وقد ذكر الـلـه تعالي سبب منع الأخذ، أنه استحل بهذا المال نكاحها، وقد كنى الـلـه تعالي عن الجماع بالإفضاء، لأنه أجمل وألطف في النفس، وهذا من حسن التعبير عن

---

(٣٨) صحيح البخاري، كتاب النكاح، باب عرض المرأة نفسها على الرجل الصالح، وفيه: «التمس ولو خاتما من حديد». وفيه أنه زوجه بما معه من القرآن: «أملكناكها بما معك من القرآن».

(٣٩) صحيح مسلم بشرح النووي ٩/٢١٤.

المعاني التي تخدش الحياء إن قيلت صراحة أمام رجل وامرأة، فكني عن ذلك تأدبا وتوجيها للناس للاقتداء بالقرآن الكريم في التعبير عن هذه المعاني.

وقد استدل العلماء بهذه الآية بأن المهر يصير حقا للمرأة بمجرد الخلوة بها في بيت، وبعضهم قال: تستحقه بالوطء، وبعضهم قال: بالخلوة في بيت الإهداء، ورأي أبو حنيفة وأصحابه أنها تستحق المهر إن خلا بها خلوة صحيحة، وعليها العدة إن دخل بها أو لم يدخل بها، واستدلوا بحديث ثوبان، قال رسول الله صلى الله عليه وسلم : «من كشف خمار امرأة ونظر إليها وجب الصداق»[٤٠]. وقال عمر رضي الله عنه:« إذا أغلق بابا وأرخي سترا ورأي العورة فقد وجب الصداق، وعليها العدة ولها الميراث»، وقال علي رضي الله عنه: «إذا أغلق بابا وأرخي سترا ورأي العورة فقد وجب الصداق».

وقال الإمام مالك: «إذا طال مكثه معها مثل السنة ونحوها واتفقا علي ألا مسيس وطلبت المهر كله كان لها». وقال الشافعي: «لا عدة عليها ولها نصف المهر»، وقال القرطبي في المهر: «والصحيح استقراره بالخلوة مطلقا»، ووافق بذلك رأي أبي حنيفة وأصحابه، ورأي أن هذا الوجه أرجح لما يترتب علي الخلوة من أمور تكون بين الزوجين، فتأخذ المهر جزاء لها بما ناله منها، وهذا أبرأ لذمة الخاطب مما أحدثه بها من ضرر وما ناله منها.

ولا يأخذ الزوج مهرها لما أخذه الله تعالي عليه من ميثاق الزواج الذي أجازله أن يستحلها به. **﴿وأخذن منكم ميثاقا غليظا﴾ [النساء: ٢١]** ما استحله منها بوجه شرعي، قال النبي صلى الله عليه وسلم يوم حج عرفه: فاتقوا الله في النساء فإنكم أخذتموهن بأمانة الله واستحللتم فروجهن بكلمة الله ، وقيل الميثاق الغليظ: الإمساك بمعروف أو التسريح بإحسان، وقيل عقدة النكاح، وقول الرجل نكحت وملكت عقدة النكاح[٤١]، ويتبين من كل ذلك أن الرجل أخذ المرأة بوجه شرعي، فاستحل نكاحها، فألزمه الله تعالي بمهر يصير حقا لها بما استحله منها و الله أعلم، وقد نزل الإسلام بهذا الحكم ليبطل ما كان الرجال يفعلونه بالنساء ذوات الأموال وزوجاتهم فكان الرجل يرث زوجة أبيه أو زوجة أخيه، فكان يمنعها من الزواج ليأخذ مالها، أو يتزوجها ويضيق عليها ويتعسف في معاملتها فتفتدي نفسها بمالها أو ترد عليه ما أعطاه لها من مهر، ويستحلون مالها عن غير حق فهم علي غير دين صحيح.

والملحدون في عالمنا المعاصر يحتكمون إلي ما احتكم إليه أسلافهم في العصور البدائية، ففضحهم الله تعالي بها وأذل رقابهم إنها أحكام تقوم علي قوة البشر، فالحكم في

---

(٤٠) أخرجه الدار قطني عن عبد الرحمن بن ثوبان ٣٧/٣ وهو حديث مرسل.

(٤١) القرطبي ٨٧/٥.

عالم على غير دين للأقوى. وكان القوي منهم يأخذ مال الزوجة ومال المرأة التي في ولايته، في مجتمع لا يعترف بغير الرجال، وليس فيه مكان للضعفاء والنساء قال تعالي: **﴿يا أيها الذين آمنوا لا يحل لكم أن ترثوا النساء كرها ولا تعضلوهن لتذهبوا ببعض ما آتيتموهن إلا أن يأتين بفاحشة مبينة وعاشروهن بالمعروف فإن كرهتموهن فعسى أن تكرهوا شيئا ويجعل الله فيه خيرا كثيرا﴾ [النساء: ١٩].**

لقد نهي الله تعالي عن أن يتزوج الرجل امرأة أبيه أو أن يعدها جزءا من الميراث ويضيق عليها ليأخذ مالها. والخطاب لولي المرأة كأن يضيق عليها ليأخذ مالها، فلا يحل لكم أن ترثوهن من أزواجهن، فتكونوا أزواجا لهن، فكان يعضلها أي يمنعها من الزواج ليأخذ مالها قال ابن عباس:«كانوا إذا مات الرجل كان أولياؤه أحق بامرأته، إن شاء بعضهم تزوجها، وإن شاءوا لم يزوجوها، فهم أحق بها من أهلها، فنزلت الآية»[٤٢].

وروي الزهري وأبو مجلز:«كان من عادتهم إذا مات الرجل يلقي ابنه من غيرها أو أقرب عصبته ثوبه علي المرأة فيصير أحق بها من نفسها ومن أوليائها، فإن شاء تزوجها بغير صداق إلا الصداق الذي أصدقها الميت، وإن شاء زوجها من غيره أو أخذ صداقها ولم يعطها شيئا، وإن شاء عضلها لتفتدي منه بما ورثته من الميت أو تموت فيرثها، فأنزل الله تعالي: **﴿يا أيها الذين آمنوا لا يحل لكم أن ترثوا النساء كرها﴾**[النساء: ١٩] »[٤٣]. وليس للرجل أن يضيق علي امرأة أو يشق أو يغلظ لها إلا عن فاحشة ثبتت عليها، فإن لم تأت بفاحشة، أمر الله تعالي بالمعاشرة بالمعروف فيحسن معاشرتها، ويمسكها بالمعروف، ويوفيها حقها من المهر، والنفقة ولا يغلظ لها ولا يفحش لها بالقبول، ولا يظهر ميلا إلي غيرها[٤٤]، وأباح الله تعالي للرجل أن يأكل من مالها بإذنها بالمعروف دون إسراف، وأجاز لها أن تعطيه مالا وأن تهبه ما شاءت من مهرها برضاها لما بينهما من المودة والرحمة، فالأصل في مال المرأة أنه حق خالص لها وليس للزوج حق فيه مطلقا بيد أن المرأة لها أن تأكل من مال زوجها وأن تنفق منه بالمعروف دون إسراف والنفقة حق لها، فليس لها من

---

(٤٢) رواه البخاري كتاب التفسير:٤٥٧٩ في تفسير الآية ١٩ من النساء ورواه أبو داود كتاب النكاح، باب قوله تعالي: (لا يحل لكم أن ترثوا النساء كرها).

(٤٣) القرطبي جـ٦/٨١ والإعضال حبس الزوجة ومنعها من التزويج حتي تموت أو تترك مالها أو ترد ما أخذته.

(٤٤) القرطبي جـ ٦/٨٢/٨٣.

مال زوجها سوي ما يكفيها وأولادها من النفقة، وما بقي حق خالص للزوج، ليس لها أن تستحله لنفسها دون أن تستأذنه.

حسن المعاشرة:

أمر الله تعالي الزوجين بحسن المعاشرة،**﴿وعاشروهن بالمعروف﴾**[النساء: ١٩]، أى: على ما أمر به من حسن المعاشرة، والخطاب للجميع، والمراد الأزواج فى الآية. فقد أقام بينهما الزوج علي أساس من السكن والمودة والرحمة والألفة، وحذرهما مما يوقع ببينهما العداوة ويورطهما في الفحشاء والمنكر ويخرجاهما من رضي الله تعالي وعفوه إلي غضبه وعذابه.

وقد أمر الله تعالي الأزواج بحسن معاشرة الزوجات قال تعالي: (وعاشروهن بالمعروف) وحسن المعاشرة بالرفق واللين والمودة والوفاء بكل ما يعد به زوجته ويمنحها الشعور بالأمان والثقة، وأن يمتعها بحقها من الدفء العاطفي، ويوفيها قسطها من المعاشرة ويعفها ويمنعها من المفسدين ويسكنها مسكنا آمنا تحبه، وينفق عليها دون بخل أو إسراف ويهديها، فالمرأة تحب الهدية والنساء يغرهن الثناء، فيحدثها عن جمالها وإعجابه بها ورضاه عنها وبكل ما هي عليه، ويشعرها أنها المرأة الأثيرة والوحيدة في قلبه، ولا يحدثها عن غيرها، ولا يتطلع إلي غيرها ويبدي إعجابه بشئ من النساء ليست عليه لئلا تتهم نفسها.

ولنا في رسول الله صلى الله عليه وسلم قدوة حسنة، فكان خير الناس لأهله، فلم يكن فظا أو غليظا جافيا بل كان رءوفا رحيما، وكان صبورا عليهن يبتسم في وجه زوجته رضي الله عنها إن اشتدت عليه في القول أو غضبت فيذهب ما بها وتسترضيه صلى الله عليه وسلم ، ولم تتهمه إحداهن بتقصير ولا بسوء خلق. وروى أن النبى صلى الله عليه وسلم وعائشة رضى الله عنها احتكما إلى أبى بكر فى نزاع بينهما، فقال النبى صلى الله عليه وسلم : أقول أو تقولين؟ قالت: قل، ولا تقل إلا حقا، فغضب أبو بكر رضى الله عنه، ولطم وجهها، وقال: وهل يقول إلا الحق؟! فاستجارت بالنبى صلى الله عليه وسلم وجلست خلف ظهره، فقال النبى صلى الله عليه وسلم :«ما دعوناك لهذا! ».

وقد أصدر النبي صلى الله عليه وسلم بيانا يوم الحج الأكبر، وأوصي الرجال بالنساء: أما بعد أيها الناس، فإن لكم علي نسائكم حقا، ولهن عليكم حقا، ولكم عليهن أن لا يوطئن فرشكم أحدا تكرهونه، وعليهن أن لا يأتين بفاحشة مبينة، فإن فعلن، فإن الله قد أذن لكم أن تهجروهن في المضاجع وتضربوهن ضربا غير مبرح، فإن انتهين فلهن رزقهن وكسوتهن بالمعروف، استوصوا بالنساء خيرا فإنهن عوان لا يملكن لأنفسهم شيئا، وإنكم إنما

أخذتموهن بأمانة الله، واستحللتم فروجهن بكلمات الله فاعقلوا أيها الناس قولي، فإني قد بلغت[٤٥]. وقد أوجب الله تعالي للمرأة مثل الذي عليها من الحقوق قال تعالي: **﴿ولهن مثل الذي عليهن بالمعروف﴾[البقرة:٢٢٨]**، والمرأة تريد أن تري زوجها حسن الهيئة قال ابن عباس رضي الله عنهما:إني لأتزين لامرأتي كما تتزين لي وما أحسب أن أستنظف كل حقي الذي لي عليها، فتستوجب الذي لها علي،لأن الله تعالي قال:(ولهن مثل الذي عليهن بالمعروف) أي زينة من غير مأثم، وقال أيضا في تفسيرها: لهن حسن الصحبة والعشرة بالمعروف علي أزواجهن مثل الذي عليهن من الطاعة فيما أوجبه عليهن لأزواجهن،وقال الطبري معني الآية:إن لهن على أزواجهن ترك مضارتهن كما كان ذلك عليهن لأزواجهن والآية تضم جميع حقوق الزوجية، ويجب على الأزواج أن يتقوا الله فيهن مثل ما أوجب الله عليهن طاعة رجالهن،فطاعة الزوج واجبة في المعروف وغير معصية الله تعالي، وقد أوجب الله تعالي علي المرأة أن تطيع زوجها بما له من فضل النفقة عليها أو الإعالة، والبيت مؤسسة اجتماعية صغري لا تصلح دون قائد ورئيس يقودها ويتحمل مسئوليتها، والرجل كفء لهذه المسئولية وأحق بها بما له من فضل عليها:

قال تعالي: **﴿ولا تتمنوا ما فضل الله به بعضكم على بعض للرجال نصيب مما اكتسبوا وللنساء نصيب مما اكتسبن واسألوا الله من فضله إن الله كان بكل شيء عليما﴾[النساء: ٣٢].**

ذكر العلماء وجوه ما فضل به كل نوع عن الآخر، وهي:

عن أم سلمة رضي الله عنها أنها قالت: يغزو الرجال ولا تغزو النساء، وإنما لنا نصف الميراث فأنزل الله تعالي: **(ولا تتمنوا ما فضل الله به بعضكم علي بعض)**[٤٦]، وقال قتادة: كان أهل الجاهلية لا يورثون النساء ولا الصبيان فلما ورثوا وجعل للذكر مثل حظ الأنثيين تمنت النساء أن لو جعل أنصباؤهن كأنصباء الرجال.

---

(٤٥) السيرة جـ٤/٢٧٦ عوان: جمع عانية، الأسيرة وفي رواية عوار: جمع عارية. غبر مبرح: غير شديد، تقول: برح به الأمر، إذا اشتد عليه وشق. وجاء مثله في صحيح الترمذي كتاب الرضاع، باب حق المرأة علي زوجها: ١١٦٣، ومسلم في الحج، وابن ماجة في كتاب النكاح: ١٨٥١.

(٤٦) الترمذي كتاب التفسير: ٣٠٢٢، وصححه الألباني.

وقال الرجال إنا لنرجوا أن تفضل النساء بحسناتنا في الآخرة كما فضلنا عليهن في الميراث، فنزلت: (**ولا تتمنوا ما فضل الله به بعضكم علي بعض**) ولقد ناقش المسلمون موضوع ميراث المرأة ووجه تفضيل الرجال علي النساء في الإرث فنزلت: (**ولا تتمنوا ما فضل الله به بعضكم علي بعض**).

ثم يبين الله تعالي: أن تفضيلهم عليهن في الإرث لما علي الرجال من المهر والإنفاق ثم فائدة تفضيلهم عائدة إليهن[٤٧]. وقد ذكر الله تعالي وجه التفضيل في المهر والنفقة علي الزوجة قال تعالي: ﴿**وبما أنفقوا من أموالهم**﴾ **[النساء: ٣٤]**.

وقد استدل العلماء بهذا علي وجوب الطاعة للزوج، واستدلوا كذلك بقوله تعالي: ﴿**فالصالحات قانتات حافظات للغيب بما حفظ الله**﴾ [النساء: ٣٤] قال سفيان الثوري: رحمه الله تعالي: «قانتات يعني: مطيعات لله ولأزواجهن» وجاء في حديث النبي صلى الله عليه وسلم عن الزوجة الصالحة: «التى تطيع إذا أمر»[٤٨]. فوجوه التفضيل تقوم على المسئولية والنفقة وحسن القيادة، وجميعها للرجال، فلهم الفضل عليهن فى ذلك، وليس الفضل فى الخلق أو النوع.

نشوز المرأة:

قد تعصي المرأة زوجها فيما يجب عليها الطاعة فيه وعرف هذا بالنشوز: العصيان، ووضع الله تعالي مراتب لعلاج هذا العصيان، أو التمرد. قال تعالي: ﴿**واللاتي تخافون نشوزهن فعظوهن واهجروهن في المضاجع واضربوهن فإن أطعنكم فلا تبغوا عليهن سبيلا إن الله كان عليا كبيرا**﴾**[النساء: ٣٤]**.

المرأة التي تعصي زوجها وتتعالي عليه وتستصعب عليه فلا تعمل بأمره مذنبة شرعا، فتأثم بالعصيان وأولي مراحل علاج النشوز الموعظة، وتكون بكتاب الله تعالي وبما أوجب الله عليهن من حسن الصحبة وجميل العشرة للزوج الدخول في طاعته طوعا، ويعظها من سيرة رسول الله صلى الله عليه وسلم وحسن صحبة زوجاته له، وبما قاله النبي صلى الله عليه وسلم في وجوب طاعتها لزوجها

---

[٤٧] ارجع إلي القرطبي جـ١٤٣/٥، ١٤٤.

[٤٨] رواه أحمد ٣٤١/٤.

وفضل الزوج علي الزوجة[٤٩]، والمرحلة الثانية: الهجر: (واهجروهن في المضاجع)، ولا يهجر المنـزل أي يتركه، بل هجر الجماع عند بعض العلماء، فيوليها ظهره في مكان النوم، وقال آخرون: يترك مكان النوم فلا يشاركها في الفراش. فإن كانت المرأة تحبه شق عليها بعده عنها وعدم مباشرته لها فتسترضيه وترجع للصلاح، فإن لم تسترضيه ولم تقبل عليه ولم تتأذ من الهجر تبين عصيانها وتمردها عن بغض ونفور من الزوج، ورأي العلماء أن هجر المضجع تكون غايته شهرا كما فعل النبي صلى الله عليه وسلم مع زوجاته، ويغلظ لها الزوج في المعاملة ويشتد عليها في القول دون سباب ودون ضرب ليرهبها ويردها عن التمرد والمخالفة حتي تطيع، وهذا آخر سبل الردع السلمي، ولا يعدم الرجل كل وسائل الوعظ والإرشاد فلعلها تقع في قلبها فترجع عما هي عليه.

والمرحلة الأخيرة في توجيه المرأة الناشز:+الضرب" وهو مشروط بعدم إيقاع الأذي الذي يفسد جسدها أو يؤثر فيها أو يصبها بشئ في نفسها كالهلع والخروج عن الوعي والاضطراب والفزع ليلا وغير ذلك، فيضربها بالقدر الذي يراه رادعا من غير إسراف أو عنف ولا يشتد عليها بالضرب جاء في الحديث :«فاضربوهن ضربا غير مبرح»[٥٠] لا يؤثر فى الجسد، ولا يلطم الوجه عن إياس بن سلمة قال رسول الله صلى الله عليه وسلم : «لا تضربوا إماء الله»، فجاء عمر إليه فقال: «ذئرن النساء علي أزواجهن» فرخص رسول الله صلى الله عليه وسلم في ضربهن، فأطاف [أي: فأحاط] بآل رسول الله صلى الله عليه وسلم وبأزواجه نساء كثير يشكون أزواجهن فقال رسول الله صلى الله عليه وسلم «لقد أطاف بآل بيت محمد صلى الله عليه وسلم وبأزواجه نساء كثير يشكون أزواجهم، ليس أولئك بخياركم»[٥١]. لقد نهي النبي صلى الله عليه وسلم عن ضرب النساء أولا، فشكا عمر إليه إجتراء النساء وتطاولهن علي أزواجهم وعصيانهن فأجاز الضرب ، فاشتكت النساء اللاتي ضربن إلي زوجات النبي صلى الله عليه وسلم ، فأعلن النبي صلى الله عليه وسلم أن الرجال الذين يشتدون علي النساء ويقسون عليهن

---

(٤٩) ارجع إلي القرطبي ١٤٥/٦ و ١٧٠،١٧١/١٦ وأقول ليس سوء خلق بعض الرجال أو النساء مبررا للطعن في الدين أو إنكار شئ ثابت منه أو تأويله علي غير المراد، فلا شك أن هنالك قلة من النساء لا يردعها الضرب وحده ولا شك أن هنالك قلة من الرجال أجلاف غلاظ يعصون الله تعالي ويظلمون زوجاتهن ويضيعون أولادهم، ولكن الصالحات القانتات العفيفات أمر الله تعالي بالإحسان إليهن وعدم إيذائهن في أنفسهن.

(٥٠) صحيح مسلم كتاب الحج، ورواه البخاري.

(٥١) رواه أبو داود وابن ماجة.

ليسوا بخيار الرجال . وليس كل الرجال أصحاب حق فيضربون نساءهم، وليست كل النساء مطيعات صالحات فلا يضربن، ومن ثم جاء في بعض الأحاديث النهي عن الضرب لما رآه النبي صلى الله عليه وسلم من الظلم الذي وقع علي المرأة عن غير حق وهو الشاهد، ونحن غائبون، وأجاز الضرب في موضع رأي المرأة فيه عاصية نافرة تحتاج ردعا وتأديبا في غير قسوة تجلب نفورا وصدودا، فنهي عن القسوة وعن ضرب الوجه والسباب.

وجاء عن معاوية بن حيدة رضي الله عنه أنه سأل النبي صلى الله عليه وسلم : ما حق زوجة أحدنا عليه؟ قال:«أن تطعمها إذا طمعت، وتكسوها إذا اكتسيت، ولا تضرب الوجه ولا تقبح ولا تهجر إلا في البيت[٥٢]». وقد هجر النبي صلى الله عليه وسلم زوجاته شهرا فصعد إلي حجرة له أعلي حجراتهن وأقام بها.

فليس للرجل المؤدب زوجته لطم وجهها، ولا يقول لها قبحك الله داعيا عليها بالقبح أو يسبها أو يطعن في عرضها أو يلعن أحدا من أهلها، فهذا حرام، ونهى كذلك أن يفعل الرجل ما ينافى حسن المعاشرة، قال النبي صلى الله عليه وسلم «لا يجلد أحدكم امرأته جلد العبد، ثم يجامعها في أخر اليوم[٥٣]». إنها زوجة رفيقة تودك وتحبك وتسكن إليها فلا تجعلها في منزلة العبد، ولايك كل همك منها قضاء نهمك منها، وتعرض عن حاجتها لحبك ورفقك ودفئك وشعورها بالأمن والسكن إليك، فلا تثير نفورها بقسوتك.

والضرب غير الشديد مباح وليس واجبا إلا للزوج العادل المنصف لزوجته المنفق عليها القائم بمسئولياته الزوجية المطيع لربه الفقيه بدينه، فلا يقيم الحدود إلا عالم بها، ولا يعذر إلا من فقه بالتعذير (العقاب بما دون الحدود)، والضرب لا يقع إلا بمخالفة الشرع أو حق من حقوق الزوج عمدا ونشوزا ، وبعض المعاصرين ينكرون الضرب حقيقة ويتأولونه علي غير معناه، ويستدلون علي إنكار الضرب بأن النبي صلى الله عليه وسلم لم يضرب زوجاته قط، وهذا صحيح، لأن زوجاته رضي الله عنهن علي خلق ودين يقبلن النصيحة ويطعن الله ورسوله، وليس هذا بحجة علي عدم إيقاع الضرب حقيقة بالمرأة الناشز، فقد صح وقوع الضرب غير الشديد بأحاديث متعددة بقصد التأديب وليس فيها إسراف يدمي أو يكسر، ومن ذلك ما جاء أن الزبير رضي الله عنه ضرب زوجته فشكت ذلك إلي أبيها أبي بكر رضي الله عنه، فأمرها أبوها بالصبر، وقال لها: «أي بنية اصبري، فإن الزبير رجل صالح، ولعله يكون

---

(٥٢) حديث حسن.

(٥٣) رواه البخاري، ومسلم والترمذي والنسائي في العشرة، وابن ماجة: ١٩٨٣.

زوجك في الجنة، ولقد بلغني أن الرجل إذا ابتكر بامرأة تزوجها في الجنة[٥٤]». وهو توجيه رشيد من أب رشيد صديق صالح، وما رواه الطبري عن النبي صلى الله عليه وسلم :«اضربوا النساء إذا عصينكم في معروف ضربا غير مبرح».قال عطاء: قلت لابن عباس ما الضرب غير المبرح؟ قال: «بالسواك ونحوه[٥٥]». وهذه الأحاديث لا تعني وجوب الضرب، بل تفيد العمل به ضرورة من غير إسراف، فقد صحت أحاديث تدعو إلي الرفق بالنساء واللين معهن والصبر عليهن، وقد كان النبي صلى الله عليه وسلم يصبر علي خلق زوجاته، وكانت رضوان الله عليهن يتبن عن قريب ويستغفرن الله تعالي، وأمر الله تعالي الرجل بألا يظلم زوجته التي تطيعه، فلا يضربها عن غير معصية؛ لأنه غاضب أو لأن أعباء الحياة تكاثرت عليه، أو استفزه الأولاد أو أثاره الناس فيقدم ويضرب زوجته إسقاطا لغضبه فيهدأ ويندم ويعتذر إليها، وهذا حمق مطاع؛ لأنه طوي غضبه وأثار الشعور بالذنب في نفسه وظلمها وأغضبها، وقد تنفر منه وتكرهه لجلافته وقسوته عليها من غير ذنب، قال تعالي: **﴿فإن أطعنكم فلا تبغوا عليهن سبيلا إن الله كان عليا كبيرا﴾[النساء: ٣٤]**. إن الله تعالي سيقتص منه لزوجته يوم القيامه، وقد هم النبي صلى الله عليه وسلم بأن يقتص من رجل لطم زوجته ظلما فمنع الله تعالي ذلك لئلا تفسد الحياة بين الزوجين في الدنيا[٥٦]. ولا يعني هذا إسقاط القصاص عن الرجل الذي ظلم الزوجة، فقد جعل الله تعالي ذلك لنفسه وعذاب الله تعالي أشد عليه، وسيقتص منه لها ويزيدها في الأجر والمنزلة، فالله تعالي لا يحب الظالمين.

ويجب علي الزوج ألا يلجأ إلي الضرب إلا بعد أن تعجز كل سبل التوجيه والوعظ عن تقويمها، ودخولها في طاعة زوجها، فقد أمر الله تعالي المسلم أن تقدم العفو علي العقاب،قال تعالي:**﴿خذ العفو وأمر بالعرف وأعرض عن الجاهلين﴾[الأعراف: ١٩٩]**.

فالضرب ليس حلا إيجابيا في كل الحالات، فقد يترتب عليه مضرة تصيب الزوجة فيندم الرجل، وقد تكرهه وتنفر منه وتأبي عشرته لما تظنه فيه من قسوة، وقد أمر الله تعالي نبية صلى الله عليه وسلم أن يتلطف مع الناس ويتودد إليهم ويعظهم ويدعوهم بالحسني، فكان صلى الله عليه وسلم رءوفا

---

(٥٤) القرطبي ١٤٨/٥ وهو توجيه حكيم من الأب لئلا يفسد زواج ابنته.

(٥٥) الطبري ٤٤/٥.

(٥٦) روي ذلك ابن جرير الطبري ٣٧،٣٨/٥ في حديث مرسل عن الحسن وقتادة وارجع إلي القرطبي ١٤٥/٥. منع الله تعالي القصاص من الزوج؛ لأنه صاحب فضل عليها بالنفقة والمهر ولا يقتص كذلك الأبناء من آبائهم وأمهاتهم؛ لأنهم أصحاب فضل عليهم، وبينهم من الصلة ما يسقط القصاص عنهم في الدنيا وهم محاسبون عن ذلك يوم القيامة أمام الله تعالي.

رحيما لينا ودودا في مخاطبة الكفار والمعاندين، وكان كذلك مع أصحابه رضوان الـلـه عليهم، فكانوا يستمعون إليه ويحرصون علي ملازمته ومجالسته، وأسرفوا في ذلك فعوتبوا لاستحياء النبي صلى الـلـه عليه وسلم من ردهم والاعتذار إليهم، وكان هذا التقرب عن حب.

قال تعالي: **﴿ولو كنت فظا غليظ القلب لانفضوا من حولك﴾**[آل عمران: ١٥٩] هذا في خلق النبي صلى الـلـه عليه وسلم وقد وصفه الـلـه تعالي ووصف أصحابه فيما بينهم: **﴿محمد رسول الـلـه والذين معه أشداء على الكفار رحماء بينهم تراهم ركعا سجدا﴾** [الفتح: ٢٩] فالمسلم يتواضع لأخيه المسلم وأخته ويعز علي المشركين قال تعالي: **﴿أذلة على المؤمنين أعزة على الكافرين﴾** [المائدة: ٥٤] يتواضعون ويلينون لإخوانهم في الغضب.

والزوجة أولي بالرحمة واللين فهي الصاحب بالجنب عند على وابن مسعود رضى الـلـه عنهما، وقد أوصي الـلـه تعالي بها فقال: **﴿والصاحب بالجنب﴾**[النساء: ٣٦] ، ولا يستخدم الرجل العاقل يده في الموضوع الذي يكفيه فيه لسانه ، ولا يستخدم شدته في موضع اللين ؛ بل يرفق بالقوارير ليحظي بالقبول والحب والإلف، فالرجل الفطن يقود زوجته ويطوعها طوعا لما تحب ويتقرب إليها بالمودة والرحمة.

ولا تقوم المرأة بما يقوم به العبد الآبق (المتمرد الذي لا يطيع) بل تقوم بالحسني، فيجب علي الرجل أن يدرك طبيعة المرأة،، وأن يكون التقويم بالمداراة والحسني والفعل الحسن، وإن كان بها طبع ملازم لها عجر عن صرفها عنه، فليدعه إن كان غير معصية ولينظر فيما بقي من صفاتها التي تعجبه.

قال النبي صلى الـلـه عليه وسلم : «المرأة كالضلع، إن أقمتها كسرتها، وإن استمتعت بها استمتعت بها وفيها عوج»[٥٧]، ولا يقيم حكمه عليها علي صفة كرهها منها لئلا يظلمها قال النبي صلى الـلـه عليه وسلم : «لا يفرك مؤمن مؤمنة إن كره منها خلقا رضي منها آخر». أي لا يبغضها لخلق فيها، وما تبقي منها من خلالها الحسنة وما متعها الـلـه تعالي به يكفي هذا الخلق الذي كرهه منها.

كان النبي صلى الـلـه عليه وسلم يحلم علي زوجاته ولا يضربهن وإن عصين، فقد اتفقن عليه جميعا بإيعاز من عائشة وحفصة رضى الـلـه عنهما عندما شرب شيئا عند إحداهن أو مكث عندها، فأصابتهن الغيرة، فأنكرن عليه العسل وزعمن أنه أكل عندها طعاما لا يحبه، ويجزع منه لرائحته، فحرم علي نفسه العسل، فعاتبه الـلـه تعالي علي ذلك: **﴿يا أيها النبي لم تحرم ما أحل الـلـه لك تبتغي مرضات أزواجك و الـلـه غفور رحيم﴾** [التحريم: ١].

([٥٧]) رواه البخاري ٢٥٦/١ عن أبي هريرة رضي الـلـه عنه.

فاعتزلهن النبي صلى الله عليه وسلم شهرا، وأقام بحجرة متواضعة أعلي حجراتهن، فظن المسلمون أنه طلق زوجاته رضوان الله عليهن عندما تظاهرن عليه وحدثن بحديث أسره إلي بعضهن، فأمرهن الله تعالي بالتوبة، ووعده الله تعالي إن لم يتبن ولم يندمن عن ذلك أن يبدله بأزواج خير منهن وصفاتهن: **﴿مسلمات مؤمنات قانتات تائبات عابدات سائحات ثيبات وأبكارا﴾ [التحريم: ٥]** فالمرأة المؤمنة تأوب إلي رشدها فتتوب إلي الله وتطيع زوجها كما فعلت زوجات النبي صلى الله عليه وسلم .

ولم يبادر النبي صلى الله عليه وسلم بضرب إحداهن لغيرتها من الأخرى فتسئ إليها، فكان يقتص منها بالمثل للأخري دون أن يضربها، روي أنس رضي الله عنه: «كان النبي صلى الله عليه وسلم : عند بعض نسائه فأرسلت إحدي أمهات المؤمنين بصحفة فيها طعام، فضربت التي في بيتها النبي صلى الله عليه وسلم يد الخادم، فسقطت الصحفة، فانفلقت، فجمع النبي صلى الله عليه وسلم فلق الصحفة ، ثم جعل يجمع فيها الطعام الذي كان في الصحفة، ويقول: غارت أمكم، ثم حبس الخادم حتي أتي بصحفة من عند التي هو في بيتها ، فدفع الصحفة إلي التي كسرت صحفتها ، وأمسك المكسورة في بيت التي كسرت[٥٨]».

لقد تصرف النبي صلى الله عليه وسلم عن حكمه بالغة في معالجة الحدث دون عنف، وأوقع عقابا مثيلا فأخذ منها بديلا للذي أفسدته ولم يضربها؛ لأنها غارت وقال: «أم المؤمنين»- يداعبها ويصرف غضبها - وقد أستشارته فاطمة بنت قيس في أمر رجلين خطباها أيهما تختار، فذكر أن أحدهما: ضراب للنساء[٥٩]وأشار عليها بثالث، صاحب دين وفضل، وقال لها: «طاعة الله وطاعة رسوله خير لك»، فتزوجته، وقد أسعدها الله تعالي به، وهو أسامه بن زيد كان مولي أسود، فالكفاءة في الدين تقدم علي المال والحسب، وصاحب الدين يتقي الله تعالي في زوجته ويقتدي برسول الله صلى الله عليه وسلم في معاملتها في الرخاء والشدة والغضب، وليس الإسلام متهم في ضرب النساء، بل المتهم المرأة التي تزوجت رجلا لا يقدم العفو والسماحة والوعظ علي التأديب بالضرب واللعن والسباب والتقبيح.

ويقوم الرجل زوجته بالعقاب إن رأي في نفسه صلاحا لا يطعن فيه، فكيف يعاقب زوجته علي عصيانها له، وهو يعصي ربه، و الله تعالي يقول: **﴿أتأمرون الناس بالبر وتنسون أنفسكم...﴾**[البقرة: ٤٤] فيجب أن يكون الزوج قدوة صالحة لزوجته، فتسمع له

---

(٥٨) رواه البخاري ٢٦٤/٣ وقد ذكر النبي صلى الله عليه وسلم لفط "أم المؤمنين": "غارت أمكم" يخاطب أنس رضي الله عنه الراوي ومن معه توقيرا لزوجته وإجلالا لها، ولم يضربها أمامهم ولم يعنفها.

(٥٩) رواه البخاري ومسلم.

وتطيعه، وله في رسول الـلـه صلى الـلـه عليه وسلم قدوة حسنة فلم يقوم الزوجة بالضرب مطلقا بل بحسن الخلق، وقد شهدت له ربه بذلك فقال تعالى: **﴿وإنك لعلى خلق عظيم﴾** [ن:٤] علي دين عظيم من الأديان ، اجتمعت فيه كل الفضائل، وشهدت زوجته عائشة رضي الـلـه عنها له بذلك قالت: «كان خلقه القرآن[٦٠]»، فقد أدبه الـلـه تعالي بأدب القرآن الكريم، وسئلت عنه عائشة أيضا فقرأت: **﴿قد أفلح المؤمنون﴾**[المؤمنون: ١] إلي عشر آيات،وقالت: «ما كان أحد أحسن خلقا من رسول الـلـه صلى الـلـه عليه وسلم ما دعاه أحد من أصحابه ولا من أهل بيته إلا قال: لبيك؟» ولذلك قال تعالي: **﴿وإنك لعلى خلق عظيم﴾** [ن:٤].

الإصلاح بين الزوجين المتخاصمين:

قال تعالي: **﴿وإن خفتم شقاق بينهما فابعثوا حكما من أهله وحكما من أهلها إن يريدا إصلاحا يوفق الـلـه بينهما إن الـلـه كان عليما خبيرا﴾ [النساء: ٣٥]**.

إن عجزت كل وسائل تقويم الزوجة الناشز، أو المرأة التي اختلفت مع زوجها، ونشب بينهما خلاف في أمر بينهما أخطأت فيه أو أخطأ فيه أو فتنه وقعت بينهما أو إفساد من الآخر، فتخاصما وصار الخلاف علنا ولم يحتوه الزوجان، فيجب أن يتدخل أهل الإصلاح بينهما ويجب أن يصلح بينهما من اختصما إليه إن رفعا إليه الأمر.

والمراد بالشقاق بينهما: أن يأخذ كل واحد منهما جانبا ضد الآخر فلا يجتمعا ويتآلفا، ولا تقبل الزوجة مصالحة الزوج ونصيحته ولا تطيعه واحتد الخلاف بينهما، فيجب علي ولي الأمر أو من له سلطة الإصلاح أن يأتي برجل عاقل حكيم من أسرة الزوج أو أقاربه، وأن يأتي بمثله من أهل الزوجة أو أقاربها وأن يتأمل فيهما الحكمة والخير والإصلاح ويتحري فيهما الصدق والرغبة في الإصلاح، ويوليهما الإصلاح بينهما، فيسعيان في ذلك قدر طاقتهما، فإن يرد الزوجان أن يصطلحا يوفق الـلـه بينهما إلي الصلح.

ويفضل الحكمان أن يكونا من أهلي الزوج والزوجة، لأنهما أعلم بما بينهما وأحفظ لسرهما، ولهما عليهما أمر ونهي بحكم صلة الرحم، والاستجابة لهما أسرع، ويكونا من أهل العدالة وحسن النظر والبصر بالفقه ولهما قدرة علي الإصلاح ورعاية المصالح بين الزوجين، وأن يكون كبيرين لهما سن ومنزلة ليطيعهما الزوجان ويوفيان بما تعهدا به لهما،

---

(٦٠) رواه مسلم.

فإن لم يجد ولي الأمر من يصلح من الأهل نظر في الناس فاختار عادلين عالمين، ويجلس كل منهما مع من يواليه من أهله أو من له الصلح، ويخبره بأمر الخلاف أو الشجار، ويعلمه بنيته ومراده هل يريد الرجوع إلي الآخر أم الفراق أو أن الخلاف بينهما عن سوء فهم أو ظن وشك أو تقصير في شئ أو امتناع عن شئ، ولولي الأمر أن يفوض رجلين للإصلاح بينهما إن وقع بينهما الشجار في أمر أو أن تلجأ الزوجة إليه تشتكي زوجها، وروي الإمام النسائي أن عقيل بن أبي طالب تزوج فاطمة بنت عتبة بن ربيعة الذي قتله حمزة رضي الله عنه يوم بدر فكان عقيل إذا دخل عليها تقول: يا بني هاشم،و الله ، لا يحبكم قلبي أبدا ، أين الذين أعناتهم كأباريق الفضة! ترد أنوفهم قبل شفاهم؟أين عتبة بن ربيعة وشيبة بن ربيعة؟ فيسكت عقيل رضي الله عنه، فقالت يوما: أين عتبة بن ربيعه؟ فقال: علي يسارك في النار إذا دخلت، فلبست ثيابها، واشتكت ذلك لعثمان بن عفان رضي الله عنه، وهو خليفة يومئذ، فأرسل ابن عباس ومعاوية بن أبي سفيان رضي الله عنهم، فقال ابن عباس: لأفرقن بينهما، وقال معاوية: ما كنت لأفرق بين شيخين من بني عبد مناف، فذهبا إلي بيتهما، فوجداهما قد سدا عليهما أبوابهما وأصلحا أمرهما. والإصلاح بينهما بالألفة والنصيحة و التذكير بالله حتي ينيبا ويرجعا، فإن لم يصطلحا فرق بينهما الحكمان، واختلف العلماء في قرار الحكمين بالطلاق[٦١]. وانتهوا إلي أن الطلاق لا يكون بأمر الحكمين وحدهما، ولكن بموافقة الزوج ورغبته في ذلك، فلا يطلق الولي أو الحكم دون ولاية صريحة من الزوج بذلك، ويجوز الطلاق إن ترتب علي بقائهما زوجين مفاسد عظمي أو ضرر كبير يترتب عليه كفر أو معصية و الله تعالي أعلي وأعلم.

نفور الرجل من زوجته:

قد يكون النفور والهجر من قبل الرجل للمرأة، ويسمي نشوزا، ويكون عن عجز منها أو تقصير، وليس كنشوز المرأة، لأنه منها عصيان للأمر فيما يجب عليها الطاعة فيه، ونشوز الرجل عدم الأنس أو النفور والتباعد قال تعالي في نشوز الرجال: ﴿**وإن امرأة خافت من بعلها نشوزا أو إعراضا فلا جناح عليهما أن يصلحا بينهما صلحا والصلح خير وأحضرت الأنفس الشح وإن تحسنوا وتتقوا فإن الله كان بما تعملون خبيرا**﴾[النساء: ١٢٨].

(٦١) ارجع إلي القرطبي ١٥٢/٥،١٥١.

ونشوز الرجل يعني نفوره منها وإعراضه وعدم إقباله عليها، فيدابرها ويقاطعها مغاضبا عـن سـبب نفسى أو لتقصيرها أو لرغبته في شئ تأباه، وقد يرغب في مفارقتها لسبب مادى، وهي تـأبي ذلـك وتريـد أن لا يفارقها، فلها أن تتودد إليه وأن تسترضيه وتمنيه وتتألف قلبه وترغبه فيهـا، بالإحسـاس إليـه، وإسـقاط بعـض حقوقها، فتتنازل له عما يتأذى منه ويريد مفارقتها لأجله، فإن كان كره النفقة جاز لها أن تتنازل عنها، وتظـل زوجة، وإن كان لكبر سنها، فلها أن تتنازل عن حقها في المبيت وقسـطها في النكـاح أو غـير ذلـك، وغايـة ذلـك والمقصد منه أن المرأة العاقلة الحكيم تحرص علي بيتها واستقراره وتحافظ علي أولادهـا ومصـالحهم وضرورة وجود الأب قريبا منهم، لـئلا تتفكـك الأسرة ويضـيع الأولاد، وإن خشـيت عـلي نفسـها الفـتن لعـدم المعـاشرة الزوجية، تركت تأليف قلبه واستجابت لرغبته في الفراق وتزوجت، وإن كان في بقائهما زوجـين تماسـك الأسرة وحفظ الأولاد وعدم المعصية، فالأفضل أن تتمسك الزوجة به.

وقد تعجز الزوجة عن الوفاء لزوجها بحقوق المعاشرة والخدمة وإعـداد الطعـام وغـير ذلـك، فينـوي فراقها لكبر سنها، وهو شاب قوي أو يرغب في امرأة تفي بحقه ويجد فيها ما يحبه في النساء لئلا يعصي اللـه تعالي بالفاحشة أو أن يتطلع إلي النساء، وهي لا ترغب في فراقه وتحب أن تظل زوجته له، فلهـا أن تـأذن لـه في الزواج بأخري، أو تتنازل عن حقها في المعاشرة لزوجته الأخرى إن كان له غيرها، وهذا أصلح لأمرها، ووجه من وجوه تعدد الزوجات، فهو خير لها من الطلاق إن أبت الطلاق لمصلحه تراها لنفسها، كأن تكون مسنة أو مريضة مرضا لا يرجي شفاؤه، وروي أن السيدة سودة بنت زمعة رضي اللـه عنها لما أسنت وكانت تكبرالنبـى صلى اللـه عليه وسلم في السن، وقد رأت أن تهب حقها من المبيـت لعائشـة رضي اللـه عنهـا التـي كانـت أحب زوجاته إليه فقالت: «لا تطلقني وأمسكنى، واجعل يومي منك لعائشة»، ففعل ، فنزلت : **﴿فلا جناح عليهما أن يصلحا بينهما صلحا والصلح خير ﴾** [النساء:١٢٨].[٦٢] وعن عائشة رضي اللـه عنها **﴿وإن امرأة خافت من بعلها نشوزا أو إعراضا﴾**[النساء:١٢٨] قالت: الرجل تكون عنده المرأة ليس بمستكثر منها يريد أن يفارقها،

([٦٢]) رواه الترمذي في كتاب التفسير، ٣٠٤٠، وصححه الألباني في سنن الترمذي. وروى البخارى: عن عائشة: «أن سـودة بنـت زمعـة وهبت يومها لعائشة، وكان النبىصلى اللـه عليه وسـلم يقسـم لعائشـة بيومهـا ويـوم سـودة»، صحيح البخـارى، كتـاب النكاح.

فتقول: أجعلك من شأني في حل، فنزلت هذه الآية.[٦٣] وعن الزهري أن رافع بن خديج كانت تحته خولة ابنة محمد بن مسلمة، فكره من أمرها إما كبرا وإما غيره، فأراد أن يطلقها، فقالت: لا تطلقني وأقسم لي ما شئت فجرت السنة بذلك، ونزلت: **﴿وإن امرأة خافت من بعلها نشوزا أو إعراضا﴾**[النساء:١٢٨] [٦٤].

وروي مالك عن رافع بن خديج أنه تزوج بنت محمد بن مسلمة الأنصارية، فكانت عنده حتى كبرت، فتزوج عليها فتاة شابة، فآثر الشابة عليها فناشدته الطلاق، فطلقها واحدة، ثم أهملها حتى إذا كانت تحل راجعها، ثم عاد فآثر الشابة عليها، فناشدته الطلاق، فقال: ما شئت إنما بقيت واحدة، فإن شئت استقررت علي ما ترين من الأثرة (تفضيل الشابة)، وإن شئت فارقتك، قالت: بل أستقر علي الأثرة، فأمسكها علي ذلك، ولم ير رافع عليه إثما حيث قرت عنده علي الأثرة[٦٥] عليها، وقد آثر الشابة عليها في الميل بنفسه، فكان يحبها أكثر من خولة بنت محمد بن مسلمة، ولم يفضلها عليها في المطعم والملبس، وهذا ما ذهب إليه أبو عمر بن عبد البر في معني الأثرة، فلا يظن بمثل رافع أنه ظلم زوجته بتفضيل الأخرى في شيء اختصها به[٦٦] ، وسأل رجل عليا رضي الله عنه عن هذه الآية فقال: هي المرأة تكون عند الرجل فتنبوا عيناه عنها من دمامتها أو فقرها أو كبرها أو سوء خلقها، وتكره فراقه، فإن وضعت له من مهرها شيئا حل له أن يأخذ، وإن جعلت له من أيامها فلا حرج، وليس من الدين تطليق المرأة المريضة أو المسنة، فيفرق بينها وبين ولدها، ولا عائل لها، فشرع الله تعالى تعدد الزوجات لاحتواء ذلك، وليس فى هذا ترخيص للرجل، فيهمل زوجته أو يطلقها إن أسنت أو مرضت بعد أن يأخذ شبابها فيبدلها بأخرى وهذا غير صحيح، لأن الشرع آثر أن يبقي الرجل علي زوجته ولا يطلقها، وليس لهؤلاء أن يلزموا الرجل بها وحدها فلا يتزوج عليها، لوقوع الضرر بالرجل، وهذا الاتفاق أو الصلح تطلبه المرأة لنفسها، وهي التي تقوم بالتنازل عن بعض حقوقها ليتمسك بعصمتها، وقد أمر الله تعالي الأزواج بأن يحسنوا ويتقوا الله تعالي في العدل بين النساء وألا يظلموهن ولا يكرهوهن علي صحبتهم أو يهملوهن دون إحسان ورعاية.

([٦٣]) رواه البخاري في كتاب التفسير، وكتاب النكاح.

([٦٤]) رواه الطبري ١٩٨/٥ بإسناد حسن مرسلا عن سعيد بن المسبب رحمه الله تعالي.

([٦٥]) رواه مالك في كتاب النكاح، باب جامع النكاح، وهو منقطع.

([٦٦]) القرطبي ٣٥٤/٥.

*****

المسئولية والقوامة

القوامة وزن فعالة وتعنى القيام بالأمر، والقيام والقوام بمعنى واحد قال تعالى: **﴿ولا تؤتوا السفهاء أموالكم التي جعل الله لكم قياما وارزقوهم فيها واكسوهم وقولوا لهم قولا معروفا﴾**[النساء: ٥] أي قواما: يقيمون أموركم. والقوام وزن فعال مبالغة للذى يقوم بالشئ ويكثر منه قال تعالى: **﴿الرجال قوامون على النساء بما فضل الله بعضهم على بعض وبما أنفقوا من أموالهم ...﴾** [النساء: ٣٤] فالزوج صاحب الأمر أو الولاية على الزوجة بما دفعه لها من مهر وما أوجبه الله تعالى عليه من نفقة، وبما اختصه الله تعالى في الخلق من قوة وقدرة، وبما وهبه من قوة الإرادة وحدة الطبع وتمكن العقل وتغلبه على العاطفة، ويتساوى الرجل مع المرأة في كل شئ إلا ما ميز به النوعين في الخلق والطبع، فقد ميز الله تعالى الرجل عن الأنثى واختصه بمقومات القيادة البدنية والنفسية والذهنية وأهله لحمل الأعباء الأسرية، قال تعالى: **﴿وليس الذكر كالأنثى...﴾** [آل عمران: ٣٦] أي في الخلق والنفس والعقل، فالمرأة لا تصلح لكل أعمال الرجل، والرجال لا يصلحون لكل وظائف النساء، لاختصاص كل نوع بما يلائمة من العمل.

فزاد الرجل درجة على المرأة في أمور المسئولية التى أوكلت إليه، فالمرأة في إعالته قال تعالى: **﴿...ولهن مثل الذي عليهن بالمعروف وللرجال عليهن درجة...﴾** [البقرة: ٢٢٨]. أي لهم درجة عليهن بما ينفقون، وحسن معاملتهن ومدارتهن والصبر عليهن بما ينفقون، وحسن الدرجة إشارة إلى حض الرجال على حسن المعاملة، والتوسع للنساء في المال والخلق أي أن الأفضل ينبغي أن يتحامل على نفسه ، وقد عقب عليه ابن عطية فقال: وهذا قول حسن بارع [1]، ويتال الرجل هذه الدرجة بحسن عمله: **﴿ولكل درجات مما عملوا وما ربك بغافل عما يعملون﴾**[الأنعام: ١٣٢].

وليست رياسة الرجل تسلطا على المرأة بل رحمة ومروءة ومسئولية، فقد زاد الرجل درجة على المرأة في قوله تعالى فى سورة البقرة (الآية ٢٢٨)، وهي درجة المسئولية والإعالة التى جعلها الله تعالى من مسئوليات الرجل، ومن ثم الرجال قوامون على النساء: **﴿الرجال قوامون على النساء بما فضل الله بعضهم على بعض وبما أنفقوا من أموالهم ... ﴾** [البقرة:٣٤] .

وقوام على وزن فعال صيغة مبالغة: الحسن القيام بالأمور والمتولى لها، وهو المكثر من

---

(1) القرطبى ١٠٩/٣.

القيام بالأمور، والقوامة وزن فعالة: القيام على الأمر أو المال، أو ولاية الأمر، والرجل قوام أهل بيته لأنه يقيم لهم شأنهم، فالرجال قوامون أي يقومون بالنفقة عليهن والذب عنهن، ووجه التفضيل أن الرجل له من الإرث ضعف المرأة لما علي الرجل من المهر والنفقة على المرأة، وقد رد الله تعالى فائدة الزيادة التى يأخذها الرجل إلى المرأة، فينفق عليها، وهى زوجة ويعولها إن كانت أختا أو بنتا، وقيل التفضيل في القوة التى يستعين بها الرجل في حاجة المرأة وصونها، وقوة الطبع والشخصية التى تكون بها الرياسة والتدبير، وزيادة العقل وحسن التدبير والتصرف، ولا شك أن رجاحة عقل الرجل في الشدائد والمسئولية تنفع المرأة وتقيم مصالحها.

فقوة شخصية الرجل وقوة بدنه وشدة بأسه وحدة طبعه وتوازن عقله وغلبته على عاطفته أصلح للمسئولية والولاية والإعالة، ولين المرأة وضعفها النفسى ومالها من عواطف جياشة سريعة التأثير والاستجابة في حاجة إلى قوة تدعمها وتحفظها وتسددها في الأمور، فجعل الله الرجل سخرة لها يقوم عليها ويطعمها ويكسوها.

فالمرأة في حاجة إلى الرجل والرجل في حاجة إلى المرأة فكل منهما عوز للآخر وتمام له والتئام وسداد لما ليس فيه، وهذا وجه التفضيل بين الرجل والمرأة، وبقى من وجه التفضيل النفقة عليها (وبما أنفقوا من أموالهم) ويفضل فيها الرجل على المرأة، لأنه قد زاد على المرأة في مسئولية النفقة، والمرء مدين بالفضل لمن يعوله سواء أكان ذكرا أو أنثى بيد أن الزوجة ليست ملزمة بالنفقة على الرجل.

فالرجل متى عجز عن النفقة لم يكن قواما على زوجته وجوز العلماء لها فسخ العقد لزوال المقصود الذى شرح لأجله النكاح، وقد رأى الإمام مالك والشافعى ثبوت فسخ العقد عند الإعسار بالنفقة والكسوة، وقال أبو حنيفه لا يفسخ لقوله تعالى:﴿**وإن كان ذو عسرة فنظرة إلى ميسرة**﴾[البقرة: ٢٨٠] أي تصبر حتى ييسر الله تعالى عليه، وذلك لم أجهد نفسه في طلب الرزق وحرص على العمل[٢] وضيق عليه.

إن الرجل يرتفع على المرأة بحسن خلقه وفضله عليها بما تحتاجه من نفقة نفسها وكسوتها، وما يقوم به من رعايتها وصونها وخدمتها، ووجوب القيام عليها، وهى في البيت آمنة ساكنة. وأمر الله تعالى راعى الأسرة بالتقوى، وأن يحفظهم من المعاصى والمهالك، ويجب على المرأة أن تعينه على ذلك بوعظه وتذكيره وتخويفه من عقاب الله تعالى، قال

---

(٢) القرطبى ١٤٥/٥، ١٤٦.

تعالى: **﴿يا أيها الذين آمنوا قوا أنفسكم وأهليكم نارا وقودها الناس والحجارة عليها ملائكة غلاظ شداد لا يعصون الله ما أمرهم ويفعلون ما يؤمرون﴾** [التحريم: ٦].

هذا الأمر لولاه الأمر من لهم الولاية على زوجاتهم وأبنائهم وبناتهم بأن يقى نفسه ومن يعول من النار، فعلى الرجل أن يصلح نفسه بالطاعة، ويصلح أهله إصلاح الراعى للرعية، وحذر الله تعالى ولى الأمر من طلب الحرم للزوجة والأولاد استجابة لكثرة مطالبهم وتكليفه بما لايطيق، قال تعالى: **﴿إن من أزواجكم وأولادكم عدوا لكم فاحذروهم﴾** [التغابن:١٤]، والمسئولية تقع على الزوج والزوجة معا، فهما شريكان في تأديب الأولاد ورعايتهم جاء في الحديث: «والرجل راع على أهل بيته، وهو مسئول، والمرأة راعية على بيت زوجها وهي مسئولة ....»[٣] فالمرأة راعية، وذلك فيما عهد إليها فيه من رعاية مال الزوج وحفظه وتربية الأولاد وتأديبهم. والرجل مسئول عن أهله لأنهم من جملة رعيته، فيجب عليه أن يقيهم الوقوع في النار والهلاك في الدنيا. والزوج مسئول عن زوجته أمام الله تعالى؛ لأنه قيم عليها وله حق الطاعة عليها، فيأمرها بالصلاة ويعظها، وليس في ذلك قهر بل تعاون على البر والتقوى، قال تعالى: **﴿وتعاونوا على البر والتقوى﴾** [المائدة: ٢].

جاء في الحديث: «رحم الله امرا قام من الليل فصلى، فأيقظ أهله، فإن لم تقم رش وجهها بالماء، رحم الله امرأة قامت من الليل تصلى وأيقظت زوجها فإذا لم يقم رشت على وجهه من الماء»[٤]. وروى أن النبي صلى الله عليه وسلم كان إذا أوتر يقول: «قومى ياعائشة»[٥]. وروى: «أيقظوا صواحب الحجر»[٦]. يريد زوجاته. وقال تعالى: **﴿وأمر أهلك بالصلاة واصطبر عليها﴾** [طه: ١٣٢]. والأهل الزوجة والأولاد. وروى أنه لما نزل قوله تعالى: **﴿وتعاونوا على البر والتقوى﴾** [المائدة: ٢] أن عمر بن الخطاب قال: يا رسول الله نقى أنفسنا، فكيف بأهلينا؟ فقال : «تنهوهم عما نهاكم الله وتأمرونهم بما أمر الله»[٧]. وقال مقاتل: ذلك حق

---

(٣) رواه البخارى في كتاب الأحكام والنكاح.

(٤) رواه أبو داود، كتاب الصلاة، والنسائى، وابن ماجة في كتاب إقامة الصلاة، وأحمد ٢/٢٥٠، ٤٣٦. وابن حبان: ٢٥٦٧. والحاكم: ١١٦٤ من حديث أبي هريرة.

(٥) رواه مسلم، في كتاب صلاة المسافر: ٧٤٤.

(٦) رواه البخارى في كتاب العلم باب: العلم والعظة بالليل.

(٧) أخرجه ابن مردوية عن زيد بن أسلم مرسلا. الدر المنثور ٢٢٥/٨.

عليه في نفسه وولده وأهله وعبيده وإمائه.

فالمسئولية على الزوج العالم بدينه أن يأمر من في ولايته ومن له به صله بالدين والصلاح والتقوى . قال الكيا الهراسى : فعلينا تعليم أولادنا وأهلينا الدين والخير ، وما لا يستغنى عنه من الأدب. وهو قوله تعالى : **﴿وأمر أهلك بالصلاة واصطبر عليها﴾** [طه: ١٣٢]. ونحو قوله تعالى لنبيه صلى الله عليه وسلم: **﴿وأنذر عشيرتك الأقربين﴾** [الشعراء: ٢١٤] فجمع أعمامه وعماته ومن كان من أولادهم، فأنذرهم ... والرجل هو المسئول الأول عن الأسرة أمام الله تعالى. جاء في رواية :« إن الله سائل كل راع عما استرعاه»[٨] أحفظ أم ضيع؟«حتى يسأل الرجل عن أهل بيته»[٩]. فيما استرعاه:« أقام أمر الله فيهم أم أضاعه حتى إن الرجل ليسأل عن أهل بيته»[١٠]. وتقع مسئولية توجيه الأولاد إلى الصلاح والدين على الوالدين معا، لأنهما شريكان في التربية.

جاء في الحديث:«مروا أبناءكم بالصلاة لسبع واضربوهم عليها لعشر، وفرقوا بينهم في المضاجع»[١١]. والأمر هنا للمربى الأم والأب، والأولاد: عام في الذكور والإناث، بدليل التفريق بين الذكور والإناث في أماكن النوم عندما يفطنون إلى الفروق بين النوعين. وقد أوجب الله تعالى على الأولاد طاعة الوالدين عملا بما لهما من فضل عليهما، وذلك في المعروف. ويستفاد من ذلك تزويج صاحب الدين، لأنه أعلم بدينه فى معاشرة زوجته وتربية أولاده، وأن يتزوج الرجل من صاحبة الدين لتعينه على الطاعة وتحفظه وتحسن تربية أولاده، وتطعه فى الحق وتعينه عليه.

ويجب على المرأة أن تطيع زوجها في المعروف وما يصلح الأسرة وفيما له من حق عليها، فلا تأبى عليه في الفراش، لئلا تقع في المعصية، ولا تتخذ ذلك وسيلة لتحقيق مطالبها وللضغط عليه أو لقطيعة رحمه فلا يبر والديه، لأنها إن كانت سبب ذلك أثمت مرتين أولاهما أنها عصيت زوجها في الفراش، وثانيهما أنها سعت في قطيعة الرحم، جاء في الحديث: « إذا دعا الرجل امرأته إلى فراشه، فأبت ، فبات غضبان عليها ، لعنتها الملائكة حتى تصبح»[١٢]، وروى عن ابن عباس رضى الله عنهما عن النبي صلى الله عليه وسلم : «ثلاثة لا يقبل

---

(٨) رواه البخارى، كتاب الأحكام.

(٩) رواه النسائى، وابن حبان.

(١٠) رواه عبد الرزاق.

(١١) رواه أبو داود، كتاب الصلاة: ٤٩٥، وأحمد ١٧٨/٣، ١٨٠ والحاكم: ٧٠٨.

(١٢) رواه أحمد: ٤٣٩/٢ عن أبى هريرة، والبخارى، ٣١٥١٢، ومسلم ١٠٦٠/٢، وأبو داود: ٢١٤١، ورواه النسائى.

اللـه لهـم صـلاة، إمـام قـوم وهـم لـه كـارهون، وامـرأة باتـت زوجهـا عليهـا غضـبان، وأخـوان متصادمان»[١٣].

وقد حض النبى صلى اللـه عليه وسلم الزوجة على طاعة زوجها ، روى عن حصين
بن محصن، عن عمة له أتت النبى صلى اللـه عليه وسلم في حاجة لهـا، ففرغـت مـن حاجتهـا، فقـال رسـول اللـه صلى اللـه عليه وسلم: «أذات زوج أنت»؟ قالت: نعم، فقال: «فكيف أنت لـه»؟ قالـت: مـاآلوه إلا مـا عجزت عنه. قال: «انظري أين أنت منه؟ فإنما هو جنتك ونارك»[١٤]. وقد فسر العلماء «قانتات» بمعنى الطاعة في قوله تعالى: ﴿**فالصالحات قانتات حافظات للغيب بما حفظ اللـه**﴾[النساء: ٣٤] قـال سـفيان الثـوري: مطيعات لله ولأزواجهن.

وجاء في الحديث عن الزوجة الصالحة أنها «التى تطيع إذا أمر ...، وهذه الطاعة ليست مطلقة، لأنه لا طاعة في معصية اللـه، إنما الطاعة في المعروف»[١٥].

ونفقة الزوج علي زوجته واجبه، وليست بواجبة علي المرأة، فـما أنفقتـه عليـه وعـلي ولـده صـدقة، تؤجر عليها، ولها أن تتصدق عليه بزكاة مالها عن أبي هريرة رضي اللـه عنه أن رسول اللـه صلى اللـه عليـه وسلم انصرف يوما من الصبح، فأتي النساء في المسجد، فوقف عليهن فقال: «يا معشر النسـاء مـا رأيـت مـن نواقص عقول قط ودين، أذهب بقلوب ذوي الألباب منكن، وأني رأيت أنكـن أكـثر أهـل النـار يـوم القيامـة، فتقربن إلي اللـه بما استطعن»، وكان في النساء امرأة عبـد اللـه بـن مسـعود، فانقلبـت إلي عبـد اللـه بـن مسعود، فأخبرته بما سمعت من رسول صلى اللـه عليه وسلم وأخذت حليها، فقال ابن مسعود أين تذهبين بهذا الحلي؟ قالت: أتقرب به إلي اللـه ورسوله. قال: ويحك هلمـي، تصـدقي بـه عـلي وعـلي ولـدي، فإنـا لـه موضع، فقالت لا حتى أذهب إلي رسول اللـه صلى اللـه عليه وسلم . قـال: فـذهبت تسـتأذن عـلي رسـول اللـه صلى اللـه عليه وسلم فقالوا: يا رسول اللـه هذه زينب تستأذن، قال أي الزيانـب هـي؟ قـالوا امـرأة ابن مسعود قال: ائذنوا لها، فدخلت علي النبي صلى اللـه عليه وسلم فقالت: يـا رسـول اللـه إني سـمعت منك مقالة، فرجعت إلي ابن مسعود فحدثته، وأخذت حليا لي، أتقرب بها إلي اللـه وإليك، رجـاء ألا يجعلنـي اللـه من أهل النار، قال لي ابن مسعود تصدقي به علي، وعلي أبني، فإنـا لـه موضـع، فقلـت: حتـى أسـتاذن رسول

---

(١٣) رواه ابن حبان.

(١٤) رواه أحمد ٣٤١/٤ والنسائى في عشرة النساء والطبرانى، ٥٢٨. والحاكم ١٨٩/٢.

(١٥) رواه البخارى، ومسلم، وأبو داود، والنسائى.

الـلـه صلى الـلـه عليه وسلم ، فقال رسول الـلـه صلى الـلـه عليه وسـلم : «تصـدقي بـه عليـه، وعـلي بنيـه فإنهم له موضع».

وجاء في رواية عن زينب امرأة عبد الـلـه بن مسعود رضي الـلـه عنها - قالت: «خطبنا رسـول الـلـه صلى الـلـه عليه وسلم ، فقال: يا معشر النسـاء، تصـدقن، ولـو مـن حلـيكن، فـإن أكـثركن أهـل جهـنم يـوم القيامة»، قالت: وكان عبد الـلـه رجلا خفيف ذات اليد، فقالت لـه: سـل لي رسـول الـلـه صـلى الـلـه عليـه وسلم أيجزي عني من الصدقة النفقة علي زوجي، وأيتام في حجري؟ قالت: وكـان رسـول الـلـه صـلى الـلـه عليه وسلم قد ألقيت عليه المهابة، فقال: لا بل سليه أنت، قالـت فانطلقـت، فانتهيـت إلي البـاب، وإذا عـلي الباب امرأة من الأنصار، يقال لها زينب، حاجتها حاجتي، فخرج علينا بلال، فقلنا لـه: سـل لنـا رسـول الـلـه صلى الـلـه عليه وسلم : أيجزي عنا من الصدقة على أزواجنا وأيتام فى حجورنا؟ قالت: فدخل عليه بلال، فقال له: علي الباب زينب فقال أي الزيانب؟ قال زينب امرأة عبد الـلـه بن مسعود، وزينـب امـرأة مـن الأنصـار، تسألان عن النفقة علي أزواجهما، وأيتام في حجورهما، ويجزئ ذلك عنهما مـن الصـدقة؟ فقـال رسـول الـلـه صلى الـلـه عليه وسلم :« لهما أجران، أجر القرابة وأجر الصدقة[١٦]»فللمرأة أجر عظيم فيما تنفقه مـن مالهـا علي زوجها وأولادها، فهم أقرب إليها، فيجب علي المسلم أن يبدأ بالنفقة علي الأقارب أولا، وجاء في الحديث: «أعتق رجل فقير من بني عذرة عبدا له»، فبلغ ذلك رسول الـلـه صلى الـلـه عليه وسلم فقـال: «ألـك مـال غيره؟» فقال : لا فقال:«من يشتريه مني؟»فاشتراه نعيم بن عبد الـلـه العدوى بثمان مائـة درهـم، فجـاء بهـا رسول الـلـه صلى الـلـه عليه وسلم فدفعها إليـه، ثـم قـال:«ابـدأ بنفسـك فتصـدق عليهـا، فـإن فضـل شئ فلأهلك، فإن فضل عن أهلك شئ فلذي قرابتك، فإن فضل عن ذي قرابتك شئ فهكذا وهكذا»، يقـول: «فبـين يديك وعن يمينك وعن شمالك[١٧]».

وقد حذر النبي صلى الـلـه عليه وسـلم هـؤلاء الـذين يتنكـرون لحقـوق زوجـاتهم وأولادهـم، فـلا ينفقون عليهم، ويهملونهم فلا يحسنون طعامهم وملبسهم وتعاليم أولادهم، فيضيعون الأسرة، عن عبد الـلـه بن عمرو بن العاص رضي الـلـه عنهما، قال رسول الـلـه صلى الـلـه عليه وسلم :«كفي بالمرء إثما أن يحـبس عن من يملك قوته»[١٨]، ويجب علي المسلم أن يدخر لولده ولزوجة ما يحتاجون إليـه في سـفره أو لعـوز، و لا يتواكل في ذلك، ويقدم في ذلك طعام الأسرة، وروي عن عمر

---

(١٦) رواه البخاري ٢٥٦/١، ومسلم ٦٩٤/٢، والترمذي: عشرة النساء: ٣١٨ وابن ماجة٨٣٤. والحديث بلفظ الإمام من حديث زينب.

(١٧) رواه مسلم، والنسائي ٦٩/٥.

(١٨) رواه مسلم ٦٩٢/٢.

رضي الـلـه عنه أن النبي صلى الـلـه عليه وسـلم :«كـان يبيـع نخـل بنـي النضـير، ويحـبس لأهلـه سنتهم[19]»، أي كان يدخر حاجتهم من التمر، فيحبس طعام عام، وهو العرف الذي عليه الناس في ريف مصر يدخرون الحبوب حتي عام زراعتها وحصادها.

وهذا يتعارض مع روي أنه صلى الـلـه عليه وسلم لا يدخر شيئا لغد، يريـد أنـه كـان لـيس ببخيـل فيمنع عن الناس وأهل بيته، وهم في حاجة، ولم يكن يجمع للدنيا، بل كان يوجه المال لمصالح النـاس، وبقيـة الحديث يدل علي ذلك: «وما بقي يجعله في الكراع والسلاح عدة في سبيل الـلـه»، فكان يوجه المال في المنافع ولا يبطل العمل به، فالناس يحبسون المال ويعطلونه، فيصيب الحياة التجارية والمعاملات كساد لنقص المـال، فيجب علي المسلم أن يدفع بماله في حلبه المعاملات ينشط اقتصاد المسلمين، ولا يمـنعهم مـن الانتفـاع بـه في معاملاتهم.

فالنبي صلى الـلـه عليه وسلم لم يكنز المال بل كان يعد به عدة الحرب عملا بقوله تعالي: **﴿وأعدوا لهم ما استطعتم من قوة ومن رباط الخيل﴾**[الحشر:٦٠] [20].

ويحرص ولي الأمر وربة المنزل علي ادخار المال لحاجـات الأولاد لإقامـة مسـاكن لهـم يتزوجـون فيهـا وأموال ينفقونها في الزواج ويقيمون لهم مشاريع ويستثمرون لهم الأموال، وهذا شأن المسلم الـواعي الفطـن الذي يحرص علي سلامة أهل بيته من الضياع من بعده أو يرفعهم عن ضيق العيش لئلا يقتلهم الفقـر ويـذل رقابهم فينحرفون أو يتكففون الناس أو يعيشون علي المساعدات والمعونات والمعاشات، فالمسـلم الـذي يـترك أسرته غنية ميسورة لا تسأل الناس ولا تعيش في مؤنة الآخرين خير عند الـلـه تعالي من الذي تركها تسـتجدي العطاء وتعيش في سوء حال، فقد يفسدهم الفقر ويقتلهم، وللمسلم أجـر في كـل المـال الـذي ينفقـه علـيهم والمال الذي ادخره لهم ابتغاء أجر الـلـه تعالي.

ويجب عليه أن يتفق عليهم من مال حلال ويدخر لهم حلالا، وخير ما يتركه لبنيه عمل صالح وسيره طيبة ودعاء صالح فيبارك لهم الـلـه تعالي، فالرجل الصالح ينفع أهله، وخير من نفع أهله النبي صـلى الـلـه عليه وسلم .

قال سعد بن أبي وقاص رضي الـلـه عنه: جاءني رسول الـلــه صـلى الـلـه عليـه وسـلم يعـودني عـام حجة الوداع من وجع اشتد بي، فقلت: يا رسول الـلـه إني قد بلغ بي من الوجع ما تري، وأنا ذو مـال لا يرثنـي إلا ابنة لي، أفأتصدق بثلثي مالي؟ قال: لا. قلت، فالشطر يا رسول الـلـه؟ قال:

---

(19) رواه البخاري في كتاب النكاح ٢٨٦/٣، ٢٨٧، ومسلم ١٣٧٦/٣

(20) رواه الترمذي ٢٣٦٣

لا قال: «إن تذر ورثتك أغنياء خير من أن تذرهم عالة يتكففون الناس، وإنك لن تنفق نفقة تبتغي بها وجه الله إلا أجرت عليها حتى ما تجعل في امرأتك» قال: فقلت يا رسول الله أخلف بعد أصحابي؟ قال: « إنك إن تخلف فتعمل عملا تبتغى به وجه الله إلا ازددت به درجة ورفعة، ولعلك أن تخلف حتى ينتفع بك أقوام ويضربك آخرون، اللهم امض لأصحابي هجرتهم، ولا تردهم علي أعقابهم، لكن البائس سعد بن خولة»[٢١]. لقد فكر سعد رضي الله عنه أن يترك لنفسه صدقة جارية ينتفع بها بعد موته، ولم يكن له إلا بنتا واحدة، فأراد أن يتصدق بثلثي ماله، ويجعل ثلثا لابنته، فمنعه النبي صلى الله عليه وسلم فأراد أن يتصدق بنصفه فنهاه، ثم أمره أن يتصدق بالثلث فقط ليترك مالا نافعا لورثته لئلا يحتاجون عونا من الناس،فصارت الوصية الثلث، وقال ابن عباس رضي الله عنها:« لو أن الناس غضوا من الثلث إلي الربع ؛ لأن النبي صلى الله عليه وسلم قال : الثلث والثلث كثير» ، وقال أبو بكر رضي الله عنه : «أرضي ما رضيه الله لنفسه» يعني: الخمس، فأوصي بالخمس رضي الله عنه صدقة.

وفي الحديث فائدة عظيمة: أنه يجب علي راعي الأسرة أن يوفر لهم مسكنا ومطعما ومالا يستعينون به علي قضاء حوائجهم وضرورات الحياة ونكباتها، وأن عليه أن ينظر ذلك بعد موته لئلا يضيعوا من بعده، فالميت إذا خلف مالا للورثة فإن ذلك خير له ولهم، وله أجر في ذلك، لأنهم ينتفعون به بعد موته، وهو المستفاد من قوله صلى الله عليه وسلم :« إنك إن تذر ورثتك أغنياء خير من أن تدعهم عالة بتكففون الناس»، وله أجره في ذلك، فكل نفقة ينفقها الرجل علي أهله يبتغي بها وجه الله له أجر فيها حتي ما يضعه في فم امرأته حبا ورحمة بها وملاطفة، وقد جعل الله تعالي فيما ينفقه الزوج علي زوجته وما يطعمه إياها صدقة مع أن الإنفاق علي الزوجة أمر واجب، وكذلك النفقة علي الأولاد والوالدين والإخوة والأقارب، علي أن يبتغي بالنفقة عليهم وجه الله.

وأوجب الله تعالي علي المسلم البر والصلاح ليبقي خلفا في ذريته، فالأبناء ينتفعون بصلاح أعمال آبائهم الصالحين، وقد سخر الله تعالي من يحفظ وديعة الأب لابنيه وقيل الجد، قال تعالي علي لسان العبد الصالح الذي اصطحبه موسي عليه السلام، فتولي إقامة الجدار وإصلاحه في بلد لئيم لا يكرم ضيفه: **﴿وأما الجدار فكان لغلامين يتيمين في المدينة﴾**[الكهف:٨٢] وسأل سعد رضي الله عنه النبي صلى الله عليه وسلم أن يتأخر بعد أصحابه فيموت بمكة وذلك قبل الهجرة، فقال له النبي صلى الله عليه وسلم إنك لو تأخرت و لم تتمكن من الهجرة فلك أجر

---

(٢١) صحيح البخاري ٢٧٤٢، ومسلم. لقد كان سعد يظن أنه سيموت، فسأله عن عمره، فأخبره إن عاش قد ينتفع به المسلمون وقد نفعهم الله تعالى، ففتح على يديه بلادا، دخل أهلها الإسلام.

ومكان عظيم عند الـلـه تعالي، وستنتفع بعملك الصالح، وكان سعد يعتقد أنه سيموت في مرضه في حجة الوداع، ولكن رسول الـلـه صلى الـلـه عليه وسلم صرف عنه أنه سيموت في مرضه، فلعله أن يعمر، وقد عاش سعد زمنا طويلا، وقيل إنه خلف سبعة عشر ذكرا واثنتي عشرة بنتا، ولم تكن له إلا بنتا عندما مرض وعاده رسول الـلـه صلى الـلـه عليه وسلم . وقد انتفع الناس بسعد رضي الـلـه عنه، فقد فتح البلاد وحقق انتصارات عظيمة وساهم بدور كبير في نشر الإسلام.

ودعا النبي صلى الـلـه عليه وسلم لأصحابه رضوان الـلـه عليهم أن يثبتهم الـلـه تعالي علي الهجرة وألا يعودوا إلي مكة حنينا إليها بعد أن هاجروا لله تعالي، فلا يرتدوا علي أعقابهم، ليموتوا علي هجرتهم.

والمسلم الفطن يتورع عن الحرام ويتقي الـلـه تعالي في طلب الرزق الحلال، ولا ينشغل به عن طاعة الـلـه تعالي، فلا ينشغل بولده وماله عن عمله الصالح الذي يضعه في مكان عند الـلـه تعالي، قال أنس رضي الـلـه عنه: قال رسول الـلـه صلى الـلـه عليه وسلم :«يتبع الميت ثلاثة: أهله و ماله وعمله، فيرجع اثنان ويبقي واحد: يرجع أهله وماله ويبقي عمله»[٢٢]، والمسلم العاقل لا يجعل شغله الشاغل جمع المال، وادخاره حرصا علي حياة وارفة للأولاد ويفقد عمره، ولا يحسن تقويم أولاده فينفعوه من بعد مماته، فلا ينفقون نفقة عليه يصله أجرها بماله الذي اكتنزه لهم وبخلوا به عليه بعد موته،وهو يسأل عنه من أين اكتسبه وماذا عمل به.

ويجب علي المرأة أن تتقي الـلـه تعالي في مال زوجها فتنفق منه بالمعروف دون إسراف فيما عهد إليها به من النفقة علي البيت وعلي نفسها وولدها، وهذا ما تعارف عليه الناس، فالمرأة تتولي شئون البيت والطعام، وليس لها أن تتصرف فيما زاد عن النفقة إلا بإذنه، قال النبي صلى الـلـه عليه وسلم :« لا تنفق امرأة شيئا من بيت زوجها إلا بإذن زوجها»، وتستأذنه كذلك في التصرف في مالها وتشاوره فيه، وليس ذلك منعا أو حجرا عليها في مالها، بل المراد الاستئذان في الفعل؛ لأنها في ذمة الزوج، فتخبره بما تفعل في مالها، عن عبد الـلـه بن عمر بن العاص رضي الـلـه عنها قال النبي صلى الـلـه عليه وسلم :«لا يجوز لامرأة أمر في مالها إذا ملك زوجها عصمتها»[٢٣] تستأذن في فعلها لأن تبعات التصرف في المال تقع علي الزوج، ومن ثم يجب عليها أن تستشيره في أمر مالها، وتتعهد رأيه وخبرته، لأنه أبصر بالمعاملات منها لكثرة تجاربه، وقد تعارف المجتمع علي أن تخبر الإبنة أبويها وأخواتها بما تنوي عمله، وتسترشد

---

(٢٢) رواه البخاري: ٦٥١٤، ومسلم: ٢٩٦٠.

(٢٣) رواه أحمد ٢٢١/٢، وأبو داود: ٣٥٤٦. والنسائي ٢٧٨/٦، وابن ماجة: ٢٣٥٨. والحكم ٤٧/٢ وسنده حسن.

برأيهم، لأنهم ولاة عليها ويتحملون أعباء تصرفها وتبعاته، ولا تدرك عواقب عمل فعل ذلك إلا بعد أن تتورط في أمر فتستغيث بهم أو بزوجها إن كانت زوجة.

وللمرأة أن تتصدق، وزوجها غائب فتنفق من مال زوجها ومن طعام البيت في سبيل الله تعالي بالمعروف دون إسراف، وهو يعلم بنفقتها، روي عن أسماء رضي الله عنها قالت: يا رسول الله، إنه ليس لي إلا ما أدخل علي الزبير بيته، قال:«يا أسماء أعط وتصدقي، ولا توكي فيوكي عليك»[٢٤] ويكون هذا بإذن لها أن تتصرف، فتنفق في سبيل الله كأن تطعم الفقراء والسائلين وتكسوهم بما زاد عن حاجة الأسرة فيما علمت رضي الزوج به.

وقد شهدت بذلك السيدة عائشة رضي الله عنها، قالت قال النبي صلى الله عليه وسلم : «إذا أطعمت المرأة من بيت زوجها غير مفسدة، لها أجرها وله مثله، وللخازن مثل ذلك، له بما اكتسب ولها بما أنفقت». والخازن: الخادم، ولكنه لا يتصرف في شئ إلا بإذنه سيده، فإن أذن له في الصدقه فلكل منهما أجر، وقد ذهب العلماء إلي جواز تصرف المرأة في اليسير من مال زوجها مما تحتاجه للنفقة علي البيت من غير إسراف، ومما تتصدق به، عن تراض بينهما في ذلك، فإن لم يأذن لها فلا تفعل إلا بإذنه، لأنه صاحب المال، وهي بخلاف العبد والخادم فلا ينفقان من مال سيدهما إلا بإذنه بيد أنها لها الحق تأخذ ما يكفيها هي وأولادها بالمعروف من ماله إن كان غائبا، وجاز لها ذلك إن كان بخيلا ، وقد سألت هند بنت عتبة رضي الله عنها رسول الله صلى الله عليه وسلم [٢٥] فيما تأخذه من مال أبي سفيان الذي يضيق عليها في النفقة ولا يعطيها ما يكفيها وولدها، فأذن لها أن تأخذ من ماله بالمعروف أي: علي قدر النفقة فقط دون إسراف، قال النبي صلى الله عليه وسلم : «خذي من ماله ما يكفيك ويكفي بنيك». أو«خذي ما يكفيك وولدك بالمعروف»، وذلك دون أن تتأثل بمال تدخره لحاجتها الخاصة. وللمرء فيما ينفقه علي أهله أجر من الله تعالي، وهذا من فضل الله العظيم علي الزوج، وهو منتهي التكريم للمرأة، عن مجاهد عن أبي هريرة رضي الله عنه عن النبي صلي الله قال: «دينار أعطيته مسكينا، ودينار أعطيته في رقبة، ودينار أعطيته في سبيل الله، ودينار أنفقته علي أهلك هو أعظم أجرا». وعن ثوبان رضي الله عنها أن النبي صلى الله عليه وسلم قال: «أفضل دينار ينفقه الرجل علي

---

(٢٤) رواه، البخاري، ومسلم، والنسائي.

(٢٥) البخاري كتاب الزكاة. باب أجر المرأة إذا تصدقت.

عياله، ودينار ينفقه الرجل علي دابته في سبيل اللـه، ودينار ينفقه في سبيل اللـه[٢٦]». وعن أبي هريرة رضي اللـه عنه، أن رسول اللـه صلى اللـه عليه وسلم أمر بصدقة، فجاء رجل فقال: عندي دينار، قال: «أنفقه علي نفسك» قال: عندي آخر؟ قال: «أنفقه علي زوجك» قال: عندي آخر؟ قال: «أنفقه علي ولدك»، قال: عندي آخر؟قال: «أنفقه علي خادمك» قال: عندي آخر؟ قال: «أنت أبصر[٢٧]». وسأل معاوية بن حيدة رضي اللـه عنه: يا رسول اللـه، ما حق زوجة أحدنا عليه قال: «أن تطعمها إذا طعمت، وتكسوها إذا اكتست[٢٨]»، وجعل اللـه أجرا لمن أحسن إلي زوجته، فأطعمها بيده، عن سعد بن أبي وقاص رضي اللـه عنه، أن رسول اللـه صلى اللـه عليه وسلم قال:«إنك لن تنفق نفقة تبتغي بها وجه اللـه إلا أجرت عليها،حتي ما تجعل في امرأتك[٢٩]»، وللأم دور في حياة الطفل، وهو صغير، وتحتاج إلي النفقة، لعجزها عن العمل وقيامها علي رضاعة ولدها ورعايته، والحضانة في الصغر للأم، تكون حقا لها في الرضاعة، وهي عامان علي الاتساع، قال تعالي: **﴿والوالدات يرضعن أولادهن حولين كاملين لمن أراد أن يتم الرضاعة﴾[البقرة: ٢٣٣].**

ولها حق حضانة الولد بعد الرضاعة إن لم تتزوج، عن عمرو بن شعيب عن أبيه عن جده أن امرأة قالت: «يا رسول اللـه إن ابني هذا كان بطني له وعاء وثدي له سقاء، وحجري له حواء، وإن أباه طلقني، وأراد أن ينزعه مني، فقال: أنت أحق به، ما لم تنكحي».

ويجب علي والد الطفل النفقة عليه، وهو في حجر أمه، وعليه المسكن الذي يقيم به الطفل، وتجب عليه النفقة علي أم الطفل أيضا، لأنها تقوم علي تربية الطفل، والنفقة بمنزلة أجر لها لتفرغها عليه، فليس عليها رضاعة بعد العامين.

لكن «حق الولاية» للأب، ويراد بها مقادة الولد وإدارة شئونه؛ لأن الأب أقدر علي ذلك من الأم.

وطبيعة الرجل تختلف عن طبيعة المرأة، فالرجل أكثر عقلانية منها، فهو يعقل الأمور ويغلب فيها عقله علي العاطفة، والمرأة تنساق وراء عواطفها وانفعالاتها، ولهذا جعل اللـه

---

(٢٦) رواه أحمد ٢٨٤/٥، والبخاري في الأدب المفرد: ٧٤٨، ومسلم ٦٩١/٢، والترمذي، ١٩٦٦، والنسائي: عشرة النساء: ٣٠٠، وابن ماجة: ٢٧٦٠، والبيهقي في السنن الكبري ٤٦٧/٧.

(٢٧) رواه أحمد ٢٠٥١/٢، وأبو داود: ١٦٩١، والنسائي:٢٩٩.

(٢٨) رواه أبو داود: ٢١٤٢،١٤٤٠، والنسائي: ٢٦٩،٢٦٩، وابن ماجة: ١٨٥٠، وهو بسند صحيح.

(٢٩) حديث صحيح.

عقدة النكاح في يده وغلبها عنده علي المرأة؛ لأنه أكثر إحكاما لنفسه وضبطا لمشاعره وانفعالاته وله قدره علي كسر ثورة غضبه، وهذا مكمل لهذه، فالبيت يحتاج شخصا رابط الجأش جلد يقدر علي مواجهة الشدائد، ودور الرجل يتجلي في المصيبة الفادحة كفقد الولد، فتري الأب صابرا جلدا يأمر أهله بالصبر، والزوجة تكون أكثر هلعا وحزنا في مصابها الجلل، فيحكم الزوج الأمر، ويقوده إلي النهاية ويعزي الزوجة في وليدها، ويخفف عنها ويعظها بالصبر، وهذا يدخلها في قوامه الرجل وفضله علي المرأة، ولا تحمل القوامة علي معني التسلط والقهر والإذلال والاستبداد بالرأي.

وقد فطر الله تعالي المرأة علي الحب والود لتكون كنفا دافئا، لزوجها وملاذا له يأوي إليه من أعباء الحياة ويتروي منه ويتشبع بدفئه وحنانه، فالزوجة تصل حنان الأم في زوجها وتشبع فيه قسطه من الحب والحنان والرحمة، وقد متعها الله بذلك لأداء مهمة الأمومة، التي تحتاج حبا وحنانا عاليا يحتاج إليه الأطفال في صغرهم، فالطفل في المهد يحتاج إلي جرعات حنان، ويعجز الرجل عن الوفاء بها ففضلت عليه المرأة في ذلك، فهي أقرب للطفل منه وهي أكثر حنانا ورحمة وعطاء له من أبيه، ولهذا جعل الله تعالي الحضانة حقا للأم دون الأب علي ما يتمتع به الأب من قدرة علي النفقة، وأنه يقوي علي حفظ الولد وتأمينه في الحياة منها، لكن الله تعالي غلب الأهم علي ضروريات الحياة، وهو الجانب الروحي والنفسي- عند الطفل، ورضاعة الأم لا يعادلها بديل آخر من وسائل التغذية فهي إلي جانب فائدتها البنيوية، لها فوائد صحيحة وعاطفية، فالطفل الذي يحرم من كنف أمه قد تنقطع فيه أواصر الرحمة والبر عندما يجد جفاء في والديه، وقد عظم الله تعالي أجر من يحنو علي يتيم ويمسح علي رأسه ويربيه في كنفه فيكون عوضا له من كنف والديه فيربي تربية صحيحة.

ومن حقوق الطفل أن يربي في كنف أمين يتعلم منه الحياة، وإن استعانت الأسرة بالمربية (الحاضنة)، فعليهم أن يتخيروا صاحبة الدين التي تربية علي مكارم الأخلاق قالت أخت موسي عليه السلام: **﴿هل أدلكم على أهل بيت يكفلونه لكم وهم له ناصحون﴾** [القصص: ١٢].

والأم تتحمل مسئولية الأولاد مع الزوج، وأوجب الله لها نفقة، وهي ترضع ولدها، قال تعال: **﴿الوالدات يرضعن أولادهن حولين كاملين لمن أراد أن يتم الرضاعة وعلى المولود له رزقهن وكسوتهن بالمعروف لا تكلف نفس إلا وسعها لا تضآر**

والدة بولدها ولا مولود له بولده وعلى الوارث مثل ذلك فإن أرادا فصالا عن تراض منهما وتشاور فلا جناح عليهما وإن أردتم أن تسترضعوا أولادكم فلا جناح عليكم إذا سلمتم ما آتيتم بالمعروف واتقوا الله واعلموا أن الله بما تعملون بصير﴾ [البقرة: ٢٣٣].

هذا هو المقام الذي تقدم فيه الزوجة وتكرم ، ويشرع لها الحق ويلزم به الرجل ، فالأم أولي بالحضانة؛ لأنها وعاء الولد وهي التي ولدته، وهي التي ترضعه ويجب علي الزوج أن ينفق عليها، وألزم الله تعالي الأمهات بحق نحو أولادهن (يرضعن أولادهن) وهي إخبار عما يجب عليهن، وجاء بصيغة المضارع، لأنه واجب الأمومة والفطرة فليست في حاجة إلي أمر مباشر.

وذكر عامين علي السعة ولها أن تفطم قبل ذلك إذا لم يتضرر الولد، والحولان حد أقصي للرضاعة، وهذا دليل علي وجوب وفاء الأم بحق الطفل، وأن تمام الرضاعة أنفع له ولهذا قال (حولين كاملين)، وقد ثبت أن الرضاعة التامة ضمان لصحة الطفل وتمام لبنيته.

وألزم الله تعالي الأب بالنفقة والكسوة (وعلي المولود له رزقهن وكسوتهن بالمعروف) فهذا حق الأولاد الضعفاء والأمهات، وغلب الإناث لعظم دورهن وأن حقهن في النفقة والكسوة يقدم،والنفقة والكسوة علي قدر الاستطاعة (وعلي المولود له رزقهن وكسوتهن بالمعروف لا تكلف نفس إلا وسعها) فالنفقة تكون دون إسراف، ولا يكلف الوالد إلا بما يستطيع دون إرهاق أو مشقة، فلا يكلف فوق طاعته، لئلا يضل وينحرف فيطلب الحرام، أو يترك المسئولية فإن كانت الزوجة لا ترضع، وأردتم أن تأتوا بمرضعة فلكم ذلك، وعليكم (الرجال) أجر المرضعة أيضا بالمعروف الذي تعارف عليه الناس. واتقوا الله أيها المؤمنون والمؤمنات في كل أحوالكم، فهو بما تعملون بصير.

وكان النبي صلى الله عليه وسلم يحرص علي توجيه زوجاته رضي الله عليهن وتعليمهن أمور الدين وما ينفعهم في الحياة، ولم يمنع إحداهن من التعليم، بل كان يحفزهن ويوكلهن إلي من تعلمهن، عن الشفاء بنت عبد الله العدوية قالت: «دخل علي النبي صلى الله عليه وسلم وأنا عند حفصة رضي الله عنها، فقال لي: ألا تعلمين هذه [أي حفصه] رقية النملة كما تعلمت منك الكتابة؟[٣٠] » وقيل المراد من«رقية النملة»: تحسين الخط وتزينه، وذكرت بعض الآثار أن السيدة عائشة والسيدة أم سلمة رضي الله عنها: تعلمتا القراءة والكتابة وأنهما كانتا تقرأ

---

(٣٠) رواه مسلم وأبو داود.

وكانت إجادتهما القراءة أكثر من إجادتهما الكتابة، وكانت السيدة عائشة علي علم وفقه وبلغت فيهما منزلة عظيمة، وكان الناس يستفتونها ويسألونها، ويأخذون عنها الحديث والتفسير، والدليل علي وجوب تعليم الزوجة ما رواه أبو بردة عن أبيه قال: قال رسول الله صلى الله عليه وسلم «أيما رجل كانت عنده وليدة (خادمة) فعلمها فأحسن تعليمها وأدبها فأحسن تأديبها، ثم أعتقها وتزوجها فله أجران»[٣١].

وكانت النساء تجمع في يوم يعلمهن الرسول صلى الله عليه وسلم الدين، جاء في الصحيحين أن بعض النساء قلن للنبي صلى الله عليه وسلم : «يارسول الله غلبنا عليك الرجال، فاجعل لنا من نفسك يوما نأتيك فيه تعلمنا مما علمك الله، فقال لهن: اجتمعن في يوم كذا وكذا في مكان كذا وكذا، فاجتمعن فأتاهن رسول الله صلى الله عليه وسلم فعلمهن مما علمه الله...».

ويجب علي الزوج أن يعين زوجته في أعمالها ويتعاون معها،قال تعالي:**(وعاشروهن بالمعروف)**والعشرة تكون بالتعاون وحسن المعاملة،والا قتداء برسول الله صلى الله عليه وسلم في ذلك واجب،عن عائشة رضي الله عنها،قالت:« كان في مهنة أهله، فإذا سمع الآذان خرج»[٣٢].

أي كان يخدم زوجته ويساعدها ولا يترك ذلك إلا للصلاة، فيستحب معاونة الزوجة في الخدمة.

ويجب علي المرأة أن تحفظ زوجها وبيتها في غياب زوجها،قال تعالي: +**الصالحات قانتات حافظات للغيب بما حفظ الله﴾[النساء:٣٤]** ، فالمرأة تحفظ عرضها عن الفاحشة، جاء في الحديث: «وإن لكم عليهن أن لا يوطئن فرشكم أحدا تكرهون، فلا تزني، ولا تدخل بيته أحدا دون إذنه مطلقا، وتستأذنه وهو موجود بالبيت ليلقاه» عن أبي هريرة رضي الله عنه عن النبي صلى الله عليه وسلم : «ولا تأذن في بيته، وهو شاهد إلا بإذنه».

ولا تنكر المرأة فضلا لزوجها، ولا تبخثه مكانه ولا منزلته ولا تستخف به، عن أسماء

(٣١) رواه البخاري.

(٣٢) البخاري، والترمذي، وقد سأل الأسود بن يزيد عائشة رضي الله عنها: ما كان النبي صلى الله عليه وسلم يصنع في البيت قالت: "كان في مهنة أهله، فإذا سمع الآذان خرج" ورحم الله تعالي أبي فقد كان يعين والدتي في كل أمرها، ويقوم علينا إن مرضت، ويخدمها بنفسه، وفقد كنا ذكورا، وكان يتمني بنتا فختم الله تعالي بها ولده، فكانت أحبنا إليه، رحمه الله تعالي وأدخله الجنة أمين، وكانت فى غضبتها تمن عليه بأشياء صنعتها له، فيستزيدها من الحديث ثم يقول نسيت أن تذكرى كذا وكذا، ويعدد لها أشياء صنعتها له فلا ينكر شيئا، فتستحى وتسكت. رحمها الله تعالى.

رضي الله عنها: مر بنا رسول الله صلى الله عليه وسلم ونحن في نسوة، فسلم علينا، وقال : «إياكن وكفر المنعمين !، فقلنا : يا رسول الله،وما كفر المنعمين؟ قال : لعل إحداكن تطول أيمتها بين أبويها ، وتعنس ، فيرزقها الله عز وجل زوجا ، ويرزقها منه مالا وولدا ، فتغضب الغضبة ، فراحت، تقول: ما رأيت منه يوما خيرا قط»[٣٣]. عن أبي سعيد الخدري - رضي الله عنه قال خرج رسول الله صلى الله عليه وسلم في أضحي أو فطر إلي المصلي، ثم انصرف، فوعظ الناس، وأمرهم بالصدقة، فقال: أيها الناس تصدقوا ، فمر علي النساء، فقال: «يا معشر النساء تصدقن، فإني رأيتكن أكثر أهل النار»، فقلن: وبم ذلك يا رسول الله؟ قال: «تكثرن اللعن، وتكفرن العشير، وما رأيت من ناقصات عقل ودين أذهب للب الرجل الحازم من إحداكن يا معشر النساء»[٣٤]، فلا تؤذي المرأة زوجها بقول ولا تتهمه بعجز ولا تسرف في النفقة، ويجب عليها أن تشكره لفضله عليها بالقوامة والنفقة، فقد جعله الله تعالى فى مهنتها يخدمها وأغناها الله تعالي به عن العمل وطلب المال،ورزقها منه الولد،وجعل بينهما المودة والرحمة.

نفقة المرأة الناشز:

وهي التي تعصي زوجها، وخرجت من بيته ولم تعد إليه ورفضت الانتقال إلي بيت زوجها بلا حق أو انتقلت إليه ثم خرجت منه، ولم تعد إليه بلا سبب مشروع، أو خرجت من طاعة زوجها. وحكمها: أنه لا نفقة لها حتي تعود إلي بيت زوجها وتطيعه، فإن عادت فلها حق النفقة من يوم عودتها، والنشوز يوقف سريان حكم النفقة مؤقتا ولا يلغيه نهائيا، ولها حق الميراث، لأنها في عقد زوجها و الله أعلم.

نفقة المتمتع بها:

وهي التي تزوجها الرجل بأجر زمنا ويفارقها بعد انتهاء المدة، وقدبطل العمل به في عصر النبوة ولا نفقة لها نهائيا بعد فراق من تمتع بها، وليس لها حق النفقة في العدة[٣٥].

([٣٣]) رواه أحمد ٤٥٢/٦ وسنده حسن.

([٣٤]) رواه البخاري ٢٥٥/١، ومسلم ٨٧/١ والنسائي ١٨٧/٣، وابن ماجة:١٢٨٨

([٣٥]) الوجيز في أحكام الأسرة الإسلامية، الدكتور عبد الحميد مطلوب، القاهرة ١٤١٦هـ١٩٩٦ ص٢٢٨.

نفقة الحامل المطلقة:

وللمطلقة الحامل نفقة واجبة حتي تضع حملها ولها المسكن، تمكث فيه أيام العدة، قال تعالي: +**أسكنوهن من حيث سكنتم من وجدكم ولا تضاروهن لتضيقوا عليهن وإن كن أولات حمل فأنفقوا عليهن حتى يضعن حملهن...**﴾ [الطلاق: ٦].

تعدد الزوجات

يعد هذا الموضوع شائكا وحساسا في عصرنا لوفود ثقافات تأباه وتراه عيبا في الإسلام وإجحافا لحقوق المرأة المادية والمعنوية ، ويتخذونه مطعنا في الإسلام، ويشوهون به الإسلام، وساهم في هذا بعض المسلمين الذين لم يحسنوا معاملة الزوجات، وللرجل منهم أكثر من زوجة ولا يعدل بينهن، وعدد زوجاته عن غير سبب شرعي يستلزم زواجه أو مصلحة تستدعيه غير رغبته في النساء وحرصه علي الإكثار منهن وتغييرهن عن غير إثم أو عيب أو مصلحة دينية أو اجتماعية. وقد وضع المجتمع لتعدد الزوجات مفاهيم مشوهة وممارسات مشينه يأباها الله تعالي ثم الضمير الإنساني، وهم في كل الحالات لا يفهمون ما وراء تعدد الزوجات والظروف التي تبيح للرجل أن يتزوج أكثر من واحدة.

ومن وراء هؤلاء آخرون يطعنون في الإسلام ويصورونه علي أنه دين شبقي يدعو إلي المتعة بالنساء ويثير الغريزة ويمدح الفحولة، ويكثر من الأولاد ويدعوا إلي القتل والتخريب، فيذكرون عنه أنه يأمر الرجال بزواج الأربع، ويصورهن علي أنهن محظيات، وبعض سفهاء المسلمين يرددون ويتعلقون به، وهؤلاء الذين ينكرون أن يكون للرجل أكثر من زوجة لا ينكرون علي أنفسهم فاحشة الزنا، وأطفال السفاح وتجارة الأطفال وهتك أعراضهم والشذوذ الجنسي الذي سلكوا فيه كل مسلك غريب وشاذ، ولا حول ولا قوة إلا بالله. والإسلام في كل أحواله لا يدعو إلي غريزة أو شبق بل يربي رجالا أعفاء يترفعون عن الفاحشة ولا يقربون الزنا، فهذب الإسلام سلوكهم وشرع لهم وجها مشروعا للعلاقة بالمرأة (الزوج) وليس له وجه آخر للاتصال بها، بيد أن بعض المتخرصين الكذابين يزعمون أن الإسلام أعطاهم الحق فى التزوج من أربع فيهجرون زوجاتهم ويهملون أولادهم بلا نفقة، ويطلبون الثانية والثالثة والرابعة، ويستبدلون بهن زوجات للمتعة ويلصقون ظلمهم أزواجهم بالإسلام، ويقولون: حق مشروع ولايعدلون فى أزواجهم، ولايوفون بحقوقهن ونفقة أولادهم.

والإسلام حدد عدد الزوجات ولم يعدد، فالجهلاء يقولون إن الإسلام عدد الزوجات،

والإسلام لم يعدد بل أهل الجاهلية، روي أن غيلان بن أمية الثقفي أسلم وتحته عشر نسوة، فقال النبي صلى الله عليه وسلم : «اختر منهن أربعا وفارق سائرهن»[٣٦]. وهو الحكم في الآية ألا يزيد الرجل عن أربع نسوة، وعليه أن يفارق ما دونهن، فيختار منهن أقربهن لنفسه وأحسنهن عشرة تحقيقا للمودة والرحمة والسكينة، فالتعدد دون التقيد بالعدد من أعراف الجاهلية التي عمل بها الناس، ولا تعد عيبا، بل مفخرة ودليلا علي الرجولة والفحولة، وإكثارا من الأولاد والأصهار.

عن الحارث بن قيس الأسدي قال: أسلمت وعندي ثماني نسوة، فذكرت ذلك للنبي صلى الله عليه وسلم ، فقال:«اختر منهن أربعا »[٣٧]. وقال العلماء لما نزلت الآية: **﴿فانكحوا ما طاب لكم من النساء مثنى وثلاث ورباع فإن خفتم ألا تعدلوا فواحدة﴾ [النساء:٣]** فارق الناس ما زاد عن أربع نسوة، وقال العلماء إن زاد الرجل عن العدد أربع، وهو يعلم ذلك رجم رجم الزاني وقد منع الله الزيادة التي تؤدي إلي عدم العدل في المبيت (القسم) وحسن العشرة والعجز عن النفقة عليهن وتوفير (المسكن) وقال العلماء في +واحدة"، بالرفع أي: فواحدة فيها كفاية أو كافية، أو واحدة تقنع، وواحدة بالنصب علي تقدير فعل محذوف تقديره: فانكحوا واحدة[٣٨] وقال الله تعالي: **(ولن تستطيعوا أن تعدلوا بين النساء ولو حرصتم فلا تميلوا كل الميل فتذروها كالمعلقة وإن تصلحوا وتتقوا فإن الله كان غفورا رحيما) [النساء: ١٢٩]** لن يستطيع الرجل أن يعدل بين زوجاته، وذلك في ميل الطبع بالمحبة والجماع، والحظ من القلب، فوصف الله تعاني حالة البشر وأنهم بحكم الخلقة لا يملكون ميل قلوبهم إلي بعض دون بعض، وزعم الناس أن رسول الله صلى الله عليه وسلم كان يميل إلى إحدى زوجاته، المراد بالميل الحب وليس الحقوق، فالرجل يميل إلى بعض ولده وليس بظلم . وكان النبي صلى الله عليه وسلم يعتذر عن ميله إلي حب عائشة رضي الله عنها، فيقول: «اللهم إن

---

(٣٦) رواه الترمذي، في كتاب النكاح، باب ما جاء في الرجل المسلم يسلم، وعنده عشر نسوة، رقم ١٢٢٨، وابن ماجة في كتاب النكاح باب الرجل يسلم وعنده أكثر من أربع نسوة رقم: ١٩٥٣. وأحمد ١٤/٢، والطبراني في الأوسط١٩٨٠ وابن حبان ٤١٥٦، الحاكم: ٢٧٨٢،١٧٧١. وصحة الألباني في صحيح سنن ابن ماجة: ١٥٨٩.

(٣٧) أخرجه أبو داود في كتاب النكاح باب من أسلم وعنده نساء أكثر من أربع رقم: ٢٢٤١ وابن ماجة:١٩٥٢،وقال ابن كثير إسناده حسن وقال الألباني في صحيح سنن ابن ماجة: حسن صحيح.

(٣٨) القرطبي ١٩/٣.

هذا قسمتي فيما أملك، فلا تلمني فيما تملك ولا أملك»[٣٩]. فكانت عائشة رضي الله عنها أحب زوجاته إليه وصح ذلك في الحديث الذي رواه البخاري عن عمرو بن العاص رضي الله عنه. غير أنه كان يعدل بينهن في القسم والنفقة والمسكن وفي كل شئونهن، وكان يبدي لكل واحدة منهن أنها مقربة إليه ويحبها ويجلها، ويرفق بها ويلين لها في القول والطبع، والنبي صلى الله عليه وسلم نموذج يتحذي في العدل بين الزوجات بيد أنه لا يتوهم رجل في نفسه أنه سيعدل بينهن ويخالقهن بما كان عليه النبي صلى الله عليه وسلم فلا يدعي رجل في نفسه أنه تزوج أكثر من واحدة ليكون مثل رسول الله صلى الله عليه وسلم وأنه يقتدي به.

ويحرم عدم العدل بين الزوجات لأمر الله تعالي بالعدل بينهن وغلظ في عقوبة من مال عن العدل فى اليتيمة التي يتزوجها وليها، ثم لا ينصفها، وأمره أن يترك زوجها إن عجز عن الوفاء بحقوقها ولم يأمن العدل فيها.

وقال النبي صلى الله عليه وسلم : «من كانت له امرأتان فلم يعدل بينهما جاء يوم القيامة وشقة مائل» [٤٠]، وذلك في القسم بينهن في المبيت والتسوية بينهن في النفقة والمسكن.

والمسلم يتحرز من الوقوع في الظلم يتوقي ما يدفعه إليه، فينكح امرأة واحدة فيوفي لها بحقوقها وفيها غناء له عن غيرها والوقوع في الظلم.

وينصح بالزواج بواحدة في عصرنا والاكتفاء بها لزيادة أعباء الحياة، وعجز الرجال عن توفير كل النفقات للزوجة وأولادها، وصعوبة توفير المسكن، وعدم وفاء الرجل بكل حاجات الأسرة، وليس تعدد الزوجات في عصرنا في مصلحة الأسرة، فالأسرة التي تفتقد إلي قيام الأب عليها ورعاية الأمة عرضة للانهيار لعدم وجود النظام العائلي الجامع لكل الأولاد، فيغني كبير الأسرة عن وجود الأب أو الأم، فالجد والجدة يقومان بدور الأب والأم، وقد ذهب دورهما، ويبقي دور الأب والأم في عصرنا، وقد يكون التعدد فى الزوجات حلا لمشكلات فى بلاد إسلامية قليلة السكان وبها ثروة أو بها حرب راح

---

(٣٩) رواه أبو دواد في كتاب النكاح، القسم بين النساء، رقم ٢١٣٤، والترمذي: كتاب النكاح، ما جاء في التسوية بين الضرائر، رقم ١١٤٠، والنسائي: كتاب عشرة النساء، باب ميل الرجل إلي بعض نسائه دون بعض ٧٤/٧ وابن ماجة، كتاب النكاح، باب القسمة بين النساء:١٩٧١ من حديث عائشة. وضعفه الألباني في ضعيف سنن الترمذي رقم ١٩٣.

(٤٠) رواه أبو داود في كتاب النكاح:٢١٣٣، والترمذي في كتاب النكاح: ١١٤١، والنسائي جـ٦٣/٧. وابن ماجة ١٩٦٩، وصححه الألباني في صحيح الجامع رقم ٦٥١٥، عن أبي هريرة رضي الله عنه.

ضحيتها عدد كبير من الذكور مثل فلسطين، والبوسنا والهرسك وكوسوفا، بيد أنه فى مصر لايكون فى مصلحة استقرار الأسر الصغيرة التى تحتاج إلى تعاون الزوجين معا فى التربية والنفقة.

وتعد النفقة معضلة تقيد الأسرة وتهدمها إن كانت محددة، يليها رقابة الأب المسئول، وقد ندب الله تعالي الإكتفاء بواحدة في ضيق المعاش، قال تعالي: **﴿ذلك أدنى ألا تعولوا﴾ [النساء:٣]** أي ألا تجوروا في العدل بينهن، فلا تقدرون علي الإعالة فيصيبكم الفقر، وقال الشافعي رحمة الله: **(ألا تعولوا)** ألا تكثر عيالكم، والراجح ذلك أدني ألا تعجزوا عن الوفاء بما أنتم مكلفون به من حقوق للنسوة في العشرة، والقسم بينهن في المبيت، والمودة والنفقة عليهن وعلي أولادهن.

وفسرت الإعالة علي وجوه منها الكثرة والزيادة، أعال يعيل كثر عياله، ومنها الفقر والفاقة، عال الرجل: افتقر فصار عاله، وأنكروا في اللغة أن تكون عال بمعني كثر عياله، فلا يصح، وهم بذلك يردون معني الشافعي ألا تكثر عيالكم، وقد أنكر آخرون عليهم ذلك لصحة ذلك المعني في اللغة، ومن هؤلاء العالم اللغوي العظيم الكسائي: العرب تقول عال يعول أعال يعيل أي كثر عياله. وقال أبو حاتم: كان الشافعي أعلم بلغة العرب منا. وبهذا المعني قرأ طلحة بن مصرف: +ألا تعيلوا"[٤١] وانتهي العلماء إلي أن القدح في الإعالة بما يترتب علي كثرتها ومشقتها من الجور أو الظلم الذي يقع علي من يعولهن من الزوجات والأولاد، فالله تعالي لا يكلف نفسا إلا وسعها.

وقد جاء حكم تعدد الزوجات في قوله تعالي: **﴿وإن خفتم ألا تقسطوا في اليتامى فانكحوا ما طاب لكم من النساء مثنى وثلاث ورباع فإن خفتم ألا تعدلوا فواحدة أو ما ملكت أيمانكم ذلك أدنى ألا تعولوا﴾ [النساء: ٣]**.

هذه الآية الكريمة لا تنشد تعدي الزوجة الواحدة إلي زواج أربع زوجات، بل تقضي ألا يزيد الرجل علي أربع زوجات، وهو الذي يفسره حال الزواج الذي أدركه الإسلام فقد كان سادة العرب يزيدون في العدد دون التقيد بعدد، فقصرت الآية عدد الزوجات علي أربع وحرمت الزيادة فوق هذا العدد، ويفهم هذا من نهي الله تعالي عن ظلم يتامي النساء،فقد كان الرجل يتزوج اليتيمة ليأخذ مالها،ويتركها إن لم تكن صاحبة مال

وجاء في القرآن الكريم تحذير لكل من تزوج يتيمة وظلمها، وحذر كذلك من العجز عن العدل بين الزوجات، والأحوط ألا تكون البنت الصغيرة زوجة ثانية أو ثالثة لعدم

---

(٤١) ارجع إلي القرطبي جـ٣/٢١،٢٠.

علمها بما تكون عليه الضرائر، ويفهم هذا من قوله تعالي: ﴿**فانكحوا ما طاب لكم من النساء مثنى وثلاث ورباع**﴾ [**النساء:٣**]) قال القرطبي: «الآية دليل علي أنه لا يقال نساء إلا لمن بلغ الحلم»[٤٢]، فلا يزوج الأب ابنته حديثة السن من رجل له زوجات احترازا من وقوع الضرر عليها من هن أو عدم عدله معها. والأية أريد بها تحديد عدد الزوجات وعدم تجاوز العدد، وحذر النبي صلى الله عليه وسلم من عدم العدل بين الزوجات، وليس كل من زاد عن واحدة بعادل فيهن كعدل النبي صلى الله عليه وسلم بين زوجاته فيتوهم في نفسه العدل والقوة، فيزيد عن واحدة عن غير مصلحة دينية أو اجتماعية.

ويرى علماء الشيعة الذين أجازوا زواج المتعة أن للرجل أن يعدد منهن ما شاء دون التقيد بعدد أربع زوجات، ولكن هذا الرأى ليس عليه دليل من قرآن أو سنة وكان زواج المتعة رخصة وواحدة تكلفي، فلم يرد في الأحاديث التى جاء فيها ذكر المتعة ما يفيد أن الذين تمتعوا على عهد رسول الله صلى الله عليه وسلم زادوا في العدد، والزيادة في عددهن مخالف لسبب الإجازة فيه زمن النبى صلى الله عليه وسلم، فقد أجازه صلى الله عليه وسلم في الغزو والسفر لزمن محدود خشية الفتنة وغلبة الشهوة، والتمتع بواحدة يكفى في هذا[٤٣].

وقد أطلق الله تعالى الحكم في ملك اليمين، ليكونوا أمهات الأولاد، فلم يقيد التسرى بهن بعدد، ليصبحن حرات. بأولادهن فالرجل الذى يتسرى بأمته، ليس لها إلا أن يعتقها (يحررها) أو يبقيها سرية، فليس له أن يبيعها أو يهبها لأحد، فإن مات عنها، صارت حرة، وليس لها قسم في المبيت مثل الحرائر، بل يأتيها متى شاء، وقد أمر الله تعالى المؤمنين أن يحفظوا أنفسهم من الزني، وأجاز الله تعالى وجهين مشروعين من النكاح، وهما نكاح الزوجة أو ملك اليمين، قال تعالى: ﴿**والذين هم لفروجهم حافظون (٥) إلا على أزواجهم أو ما ملكت أيمانهم فإنهم غير ملومين (٦) فمن ابتغى وراء ذلك فأولئك هم العادون (٧)**﴾[**المؤمنون**] وملك اليمين أسيرات الحرب من النساء، ويشترط أن تكون الحرب حقيقة، وليست افتعالا وتحقق عنها وقوع النساء في الأسر. والتسرى بأسيرات الحرب أو تزويجهن خير لهن وتكريم لهن، وهو أفضل مما يفعله جنود المشركين بالنساء في

---

(٤٢) القرطبي جـ٣/١٥.

(٤٣) ارجع إلي أصل الشيعة وأصولها، الشيخ محمد الحسين آل كاشف الغطاء بيروت ١٤١٧هـ ١٩٩٧م ص٢٥٤.

الحروب وما يتعرضن له من اغتصاب جماعى وحمل سفاح ووحشية، فحفظ الله تعالى أعراض الأسيرات بين جنود الإسلام، فأجاز للجنود أن يتسروا بهن أو يعتقوهن ويتزوجوهن، ولم يحدد عدد الزوجات منهن، وإباحة العدد أفضل لهن مما يتعرضن له من أفعال مشينة يأباها الله تعالى ورسوله والمؤمنون وضمير البشر، والزواج مكرمة لهن وفضل عظيم، وقد ترفع جند الإسلام عن الفواحش أو الفجور بهن، والجارية التى يتسرى بها سيدها خير لها من أن يعاشرها من يملكها عن غير وجه شرعى، فجعل الله تعالى عليه قيدها، وهو أن يتزوجها فتصبح سرية ويصبح ابنها حرا، وترتفع منزلتها، وليس لسيدها حرية التصرف فيها إن تزوجها، فليس له أن يبيعها أو أن يهبها إلا أن يعتقها فقط، وليس لبنيه أن يرثوها عنه بل هي حرة بموته.

وأصل إباحة تعدد الزوجات لزوج واحد قائم على مصالح شرعية واجتماعية وأخلاقية، وينظر في هذا ظروف المجتمع ومصالح الأسرة. فالمجتمعات التى تكثر فيها الإناث لأسباب حربية واجتماعية واقتصادية تجتاحها أزمات أخلاقية تهدد صلاح المجتمع، فالدول التى تتعرض لحروب طاحنة تصاب بأوبئة اجتماعية تمثل خطرا عليها فبها نسبة عالية من الأرامل والعوانس لا رجال لهن، وأطفال بلا عائل. والمسلمون الأولون كانوا في جهاد دائم، وهجرة دائمة، لكن المجتمع الإسلامى لم يتعرض عبر تاريخه العسكرى إلى انهيار اجتماعي، لأن نظام الشريعة الإسلامية ومبادئ الدين حفظت المجتمع من السقوط والانهيار، فتعدد الزوجات في الإسلام قضى على وجود أرامل وعوانس وأطفال بلا عائل وحفظ الدين الناس من الفواحش وردعت العقوبات أهل المعاصى، وهذا من فضل الله تعالى. وليست إباحة التعدد مطلقة بل مقيدة بالعدل، إن عدد المسلم لضرورة. وإباحة التعدد في قوله تعالى: **فانكحوا ما طاب لكم من النساء مثنى وثلاث ورباع فإن خفتم ألا تعدلوا فواحدة أو ما ملكت أيمانكم ذلك أدنى ألا تعولوا**﴾[النساء: ٣]. هذا الآية لا توجب التعدد على مايفهم بعض الناس بل تبيح للرجل أن تكون له أكثر من زوجة ولا يزيد عن أربع، فأهل الجاهلية يطلقون العدد دون تحديد، فلم يك عدد أربع زوجات مثيرا للعرب، لأنهم كانوا يزيدون عليه دون قيد أو حق للنساء، وقد أمر النبى صلى الله عليه وسلم من أسلم منهم أن يختار من زوجاته أربعا ويفارق الأخريات عملا بعدم الزيادة على أربع، ولم تك هنالك اعتراضات أو خروج عن الشرع بل قالوا سمعنا وأطعنا. ولم يك تعدد الزوجات منكرا، وإن أثار غيرة الزوجة، فزوجات النبى صلى الله عليه وسلم كن يخطبن له ويجهزن له زوجه الجديدة ويعرضن عليه الزواج من أخرى، ولم يك الأمر على ما نستبشعه

في عصرنا، لما صار الناس إليه من اعتبار الزوجات متعة وغواية، فيكثرون الزوجات رفاهية ومتعة، ويطلقوهن دون أن يمتعوهن بمال مقابل ما أصابهن من أذى الفراق، ولم يك المجتمع ينتقص الأرامل في الزواج والمطلقات ويتوجس منهن ويظن بهن سوءا، ولو كان الطلاق سوءا لحرمه الله تعالى، ولكنه قد يكون حلا غير مستحب في عرف الناس، لأن المداومة على زواج غير ناجح قد يجلب مفاسد أكثر ضررا من الطلاق، وهو أبغض الحلال، ولا يحبذه الدين.

لم تكن الزيادة فوق زوجه عبئا أو مذمة أو خروجا عن العرف العام، لأن الإسلام قيد التعدد غير المحدد بعدد، فلم يذم الإسلام بالتعدد بل ذمه المشركون؛ لأنه ألزمهم بعدد وحقوق لزوجاتهم أنكروها، وجادلوا في حقها. ولم تتبرم المرأة من ذلك؛ لأن الإسلام شرع لها حقوق المسكن والنفقة والمبيت، فقد أمر الله تعالى بالعدل بين الزوجات، فإن علم المسلم من نفسه عجزا عن الوفاء بهذه الحقوق فلا يزيد عن واحدة، وزواج الواحدة يسقط عنه وزر العزوبة.

وقد أجاز الإسلام للزوجة التى تأذت من أخرى ؛ وتضررت منها ماديا ومعنويا أن تطلق، والطلاق خيار لها، ولا تعمل به سوى نساء تشبعن بثقافة الغرب، وتعتقد أنه حفظ لكرامتها من أن تبقى ثانية لرجل مع أخرى، وقد جافت الصواب، لأن زواجه من أخرى ليس حراما فتغضب له، وتطلب الطلاق، ونجدها تعفو عنه وتقبل عذره إن علمت علاقته المحرمة بأخرى دون زواج، ولا تغضب لانتهاك الحرمات، ولا تثأر لدينها ولا لكرامتها. وترضخ للأمر الواقع، وهذا ما لا حكمة فيه! والتعدد صار قضية، لأنه في أيدى رجال لا يتقون الله ولا يحفظون حقوقا، ولا يزيدون في الزوجات لمصلحة عامة أو لمصلحة شريعة، ويزعمون أنهم يستخدمون حقا شرعيا، ويستدلون بالدين فيما يوافق نزواتهم، ويتغاضون عن المسئولية التى تقع عليهم، والعدل الذى أوصى الله تعالى به الرجال، ويعتدون بتعدد أزواج النبى صلى الله عليه وسلم، ولا يعتبرون بسيرته وسلوكه وعدله معهن، ويضعون أنفسهم في منزلة رسول الله صلى الله عليه وسلم ولا يتخلقون بخلقه ولا يقتدون بأمره!.

الحكمة من تعدد زوجات النبى صلى الله عليه وسلم

طعن أعداء الأمة وبعض ضعاف العقل والدين ممن ينسبون إلى الإسلام متأثرين بالمشركين في نبوة النبى صلى الله عليه وسلم، لأنه تزوج النساء وأنجب أولادا، وأنكر بعض أهل الكتاب عليه الزواج، وعابوا عليه ترك الرهبنة التى ابتدعوها.

ولم يتورع هؤلاء عن القول فيه إنه نزاع للشهوة ويحب النساء ويكثر منهن، وأنه تزوج بنتا صغيرة يكبرها في السن.

وقد ابتدع النصارى الرهبانية التى لم يفرضها الله تعالى عليهم **﴿ورهبانية ابتدعوها﴾** [الحديد:٢٧] فتركوا الزواج وعمارة الأرض واعتزلوا الناس في الخلوات والأديرة والصوامع والكهوف وسكنوا الجبال، ونصح رجال الدين الناس بعدم الزواج لئلا يشغلهم عن العبادة ويملأ قلوبهم بالدنيا، فقد نصح القديس بولس الرسول في رسالته من لم يتزوجوا والأرامل بعدم الزواج مثله، ونصح الزوجة التى انفصلت عن زوجها بألا تعود إليه ولا تتزوج، ونصح العزاب أن يبقوا بلا زواج ....[٤٤].

وهذا يخالف شريعة موسى التى عمل بها المسيح وجاء ليكمل العمل بها، وجاء في سير أنبيائهم أنهم تزوجوا وعددوا الزوجات ، وذكر هذا العهد القديم ، وقد جاء فيه: «أعطتها لإبرام رجلها زوجة ثانية»[٤٥]، إن ساراى (سارة) زوجة إبرام (إبراهيم) دفعت له هاجر المصرية جاريتها فاتخذها زوجة ثانية. وجاء مثل ذلك عن يعقوب فلم يزد عن أربع نسوة ليتمكن من النفقة عليهن، واتخذ داود عليه السلام زوجات، وكذلك ابنه سليمان : «وأحب الملك سليمان نساء غريبة كثيرة مع بنت فرعون مؤابيات وعمونيات وأدوميات، وصيدونيات وحثيات»[٤٦]. وذكروا عنه أنه تزوج عددا كبيرا، وبلغ عدد زوجات بعض الأنبياء عندهم نحو ألف، وأجاز لوثر صاحب المذهب البروتستنتى الاقتران بأكثر من زوجه حسب ظروفه، فالتعدد خير من الطلاق[٤٧].

ولقد تعددت زوجات النبى صلى الله عليه وسلم بعد نزول الوحى عليه بأمر من الله تعالى، واقتداء بالأنبياء والرسل، قال تعالى **﴿ولقد أرسلنا رسلا من قبلك وجعلنا لهم أزواجا وذرية...﴾** [الرعد: ٣٨] فالزواج من سنن المرسلين الذين أمر أن يقتدى بهم **﴿أولئك الذين هدى الله فبهداهم اقتده﴾** [الأنعام: ٩٠] وقد أحل الله تعالى له الزواج ممن ليسوا بمحارم، قال تعالى: **﴿يا أيها النبي إنا أحللنا لك أزواجك اللاتي آتيت أجورهن وما**

---

(٤٤) ارجع إلى رسائل بولس، رسالة كورنثوس.

(٤٥) سفر التكوين، الإصحاح السادس.

(٤٦) سفر الملوك، الإصحاح الحادى عشر.

(٤٧) ارجع إلى: مكانة المرأة، للدكتور البلتاجي، ص١٥٩، وتعدد الزوجات، للدكتور محمود سلام ص ٥٩.

ملكت يمينك مما أفاء الله عليك وبنات عمك وبنات عماتك وبنات خالك وبنات خالاتك اللاتي هاجرن معك وامرأة مؤمنة إن وهبت نفسها للنبي إن أراد النبي أن يستنكحها خالصة لك من دون المؤمنين قد علمنا ما فرضنا عليهم في أزواجهم وما ملكت أيمانهم لكيلا يكون عليك حرج وكان الله غفورا رحيما﴾ [الأحزاب: ٥٠] لقد أحل الله تعالى له النساء، وكانت محرمات غير اللائى تزوجهن، فقد نسخت هذه الآية قوله تعالى: **﴿لا يحل لك النساء من بعد ولا أن تبدل بهن من أزواج ولو أعجبك حسنهن إلا ما ملكت يمينك وكان الله على كل شيء رقيبا﴾ [الأحزاب: ٥٢]**. هذه الآية منسوخة، وأحل الله له النساء، عن أم مسلمة رضى الله عنها قالت: «لم يمت رسول الله صلى الله عليه وسلم حتى أحل الله له أن يتزوج من النساء من شاء إلا ذات محرم».

إن زواج النبى صلى الله عليه وسلم كان بوحى من الله تعالى بعد البعثة أو برؤيا صالحة ورؤيا الأنبياء حق، وليست خرافة أحلام. قال تعالى في شأن زواجه من زينب بنت جحش: **﴿...فلما قضى زيد منها وطرا زوجناكها﴾ [الأحزاب: ٢٧]** وذكر السبب: **﴿...لا يكون على المؤمنين حرج في أزواج أدعيائهم إذا قضوا منهن وطرا وكان أمر الله مفعولا﴾ [الأحزاب: ٣٧]** فقد أمره الله تعالى بالزواج منها، لإبطال التبنى، فهو من أجل التشريع.

وجاء في شأن زواجه من عائشة رضى الله عنها عن عائشة رضى الله عنها قال رسول الله صلى الله عليه وسلم : «أريتك في المنام ثلاث ليال جاءنى بك الملك في سرقة من حرير، فيقول هذه امرأتك فأكشف عن وجهك، فإذا أنت هي، فأقول: إن يك هذا من عند الله يمضه»[٤٨].

وقد مات النبى صلى الله عليه وسلم عن تسع زوجات، وهن على الترتيب: سودة، وعائشة، وحفصة، وأم سلمة، وزينب بنت جحش، وأم حبيبة، وجويرية، وصفية، وميمونة رضى الله تعالى عنهن، واختلف العلماء في ريحانة هل كانت زوجة أو سرية، وهل ماتت قبله أم لا؟[٤٩] وقد أرادهن عبد الله بن عباس بقوله، وهم يدفنون ميمونة رضى الله عنها، وهي خالته: « فإنه كان عند النبى صلى الله عليه وسلم تسع ...»[٥٠].أي عند موته صلى الله عليه وسلم .وقال قتادة:«مات رسول الله صلى الله عليه وسلم عن تسع،خمس من قريش: عائشة، وحفصة، وأم حبيبة، وسودة، وأم سلمة.وثلاث من سائر العرب: ميمونة، وزينب بنت جحش، وجويرية، وواحدة من بنى هارون: صفية»[٥١]. وقد

(٤٨) رواه مسلم في الفضائل.
(٤٩) فتح البارى ١٥/٩.
(٥٠) البخارى، كتاب النكاح.
(٥١) القرطبى١٩٥/١٤.وأولاده القاسم وأمه خديجة رضى الله عنهما،وهو أول من مات من أولاده، وعاش سنتين وولدت الطاهره،وعبد الله،والطيب عند بعض العلماء،وإبراهيم وأمه مارية =

مات في حياته منهن: أولى زوجاته خديجة بنت خويلد القرشية، وزينب بنت خذيمة الهلالية، وهن اللائى دخل بهن، وعقد علي بعض النساء ولم يدخل بهن، وفارق بعض النساء فلم يدخل بهن، فاللاتى دخل بهن:

الأولى - خديجة بنت خويلد بن أسد بن عبد العزى بن قصى بن كلاب، تزوجت قبله عتيق بن عائذ وولدت منه ولدا اسمه عبد مناف، ثم تزوجت أبا هالة (زرارة بن النباش الأسدى)، وولدات منه هند - وهو ربيب رسول الله صلى الله عليه وسلم ، وتزوجها وسنها أربعون سنة، وهو ابن خمس وعشرين سنة، ولم يتزوج عليها في حياتها، وكانت صاحبة فضل عظيم عليه وظل وفيا لها، وتوفيت بمكة بعد سبع سنين من النبوة وقيل عشر، عن خمس وستين سنة، ودفنت بالحجون بمكة وحزن عليها النبى صلى الله عليه وسلم حزنا شديدا.

الثانية - سودة بنت زمعة بن قيس بن عبد شمس العامرية، أسلمت بمكة وبايعت، وكانت قبله زوجة لابن عمها السكران بن عمرو أسلم أيضا، وهاجر معها إلى الحبشة، ومات بعد أن عاد إلى مكة، وقيل بالحبشة، فتزوجها رسول الله صلى الله عليه وسلم بمكة، وهاجرت إلى المدينة، وقيل إنها كانت أكبر من النبى صلى الله عليه وسلم بخمس سنين، فلما أسنت وهبت قسمها لعائشة رضى الله عنها، ولم يطلقها النبى صلى الله عليه وسلم ، وتوفيت في شوال سنة أربع وخمسين بالمدينة.

الثالثة - عائشة بنت أبي بكر رضى الله عنهما، خطبها جبير ين مطعم فلم يتم زواجهما، لما كان من إسلام أبيها، فخطبها رسول الله صلى الله عليه وسلم بمكة قبل الهجرة بسنتين وقيل بثلاث، ودخل بها بالمدينة وهي بنت تسع سنين، وبقيت معه تسع سنين، ومات عنها رسول الله صلى الله عليه وسلم وهي بنت ثمانى عشرة سنة، ولم يتزوج بكرا غيرها، وماتت سنة تسع وخمسين وقيل ثمان وخمسين[٥٢].

الرابعة - حفصة بنت عمر بن الخطاب رضى الله عنها، تزوجها رسول الله صلى الله عليه وسلم بالمدينة، وكانت قبله عند خنيس بن حذافة السهمى، وتزوجها النبى صلى الله عليه وسلم ، ثم طلقها، فأتاه جبريل عليه السلام يقول له: إن الله يأمرك أن تراجع حفصة، فإنها صوامة قوامة [٥٣]،

=القبطية ولد في ذى الحجة سنة ثمان من الهجرة وتوفى عن ستة عشر شهرا وقيل ثمانية عشر ودفن بالبقيع، وولد من البنات: زينب، وأم كلثوم، ورقية، وفاطمة رضوان الله عليهن، وأمهم خديجة رضى الله عنها، وماتوا جميعا في حياة أبيهم غير فاطمة رضى الله عنها.

(٥٢) طعن الملاحدة في زواجه من عائشة رضى الله عنها، وهي صغيرة، ولم يذكروا أنها كانت مخطوبة برجل قبله يوشك أن يتزوجها، وكانت البنات في الجزيرة تنضج سريعا.

(٥٣) رواه الحاكم: ٦٧٥٣، و٦٧٥٤، ورواه الطبرانى ٢٤٥/٩، ورجاله رجال الصحيح.

فراجعها، وقد عرضها عمر رضى الله عنه على بعض أصحابه بعد أن طلقها زوجها، فلم يجبه أحد، لعلمهم أن رسول الله صلى الله عليه وسلم ذكرها، وتوفيت في خلافة عثمان رضى الله عنه، وهي بنت ستين سنة بالمدينة، وقيل توفيت في خلافة معاوية سنة خمس وأربعين.

الخامسة - أم سلمة رضى الله عنها، وهى هند بنت أبى أمية المخزومية، وكانت زوجة عند أبى سلمة عبد الله بن عبد الأسد رضى الله عنه، فولدت له سلمة وعمر وزينب ورقية، فمات عنها زوجها، وحزنت عليه فأبدلها الله تعالى خيرا منه، فتزوجها رسول الله صلى الله عليه وسلم وزوجه إياها ابنها سلمة بن أبي سلمة، وأصدقها رسول الله صلى الله عليه وسلم فراشا حشوه ليف وقدحا وصحفة ومجشة (الرحى) وضم أولادها إليه، وتوفيت سنة تسع وخمسين ودفنت بالبقيع عن عمر أربع وثمانين سنة، وكان زواجه صلى الله عليه وسلم منها لإعالة أولادها، وليكون قدوة للناس فى حسن معاملة من فى حجره من أولاد زوجاته، وقد رفضت الزواج من غيره وفاء لزوجها أبى سلمة رضى الله عنه.

السادسة - أم حبيبة (رملة بنت أبي سفيان) رضى الله عنهما، وكانت زوجة لعبيد الله بن جحش وهاجرا إلى الحبشة، فتنصر هناك ففارقته، فبعث النبى صلى الله عليه وسلم عمرو بن أمية الضمرى إلى النجاشي ملك الحبشة، ليخطب عليه أم حبيبة فزوجه إياها سنة سبع من الهجرة، وأصدقها النجاشي عن رسول الله صلى الله عليه وسلم أربعمائة دينار وقيل أربعة آلاف وبعث بها مع شرحبيل بن حسنة، وتوفيت سنة أربع وأربعين.

السابعة - زينب بنت جحش بن رئاب الأسدية رضى الله عنها، وكان اسمها برة، فسماها رسول صلى الله عليه وسلم زينب، وقد زوجها رسول الله صلى الله عليه وسلم من زيد بن حارثة رضى الله عنه، وكان عبدا، فأعتقه النبى صلى الله عليه وسلم ، وتبناه، وعرف بابن محمد قبل أن يبطل الله تعالى التبنى، فشاء الله تعالى أن يختلفا، فهم زيد بطلاقها، فمنعه النبى صلى الله عليه وسلم وأمره بأن يمسكها حتى استحالت العشرة بينهما فطلقها، وتزوجها النبى صلى الله عليه وسلم بأمر من الله تعالى، ولم يزوجها أحد من أهلها وكان تزويج الله تعالى نبيه بوحى منه من دون الناس، فزوج الله تعالى نبيه من زينب بنت جحش مطلقة زيد بن حارثة ابنه بالتبنى قبل تحريم التبنى قال تعالى: **﴿وإذ تقول للذي أنعم الله عليه وأنعمت عليه أمسك عليك زوجك واتق الله وتخفي في نفسك ما الله مبديه وتخشى الناس و الله أحق أن تخشاه فلما قضى زيد منها وطرا زوجناكها لكي لا يكون على المؤمنين حرج في أزواج أدعيائهم إذا قضوا منهن وطرا وكان أمر الله مفعولا﴾** [الأحزاب: ٣٧].

لقد أنعم الله تعالى على زيد بالإيمان به، وأنعم النبى صلى الله عليه وسلم بالعتق وبالتبني، فأبطل الله تعالى التبنى: (ادعوهم لآبائهم هو أقسط عند الله ...). فصار زيد مولى رسول الله صلى الله عليه وسلم ،

وكان العرب يحرمون زواج زوجة الابن، فأوحى الله تعالى إلى نبيه بأن زيدا سيطلق زينب ويتزوجها، فاستحيى النبى صلى الله عليه وسلم من ذلك وأخفاه لشدة الموقف لئلا يقولون: تزوج حليلة ابنه، فشاء الله أن يؤكد بطلان التبنى بزواج النبى صلى الله عليه وسلم من زينب، فلما طلقها زيد نزل الوحى بزواجها بعد العدة من رسول الله صلى الله عليه وسلم ، فدخل عليها بغير إذن، ولا تجديد عقد ولا تقرير صداق، ولا شئ، مما يشترط على الرجل، وهذا من خصوصياته صلى الله عليه وسلم .

وكان زواج النبى صلى الله عليه وسلم من زينب تأكيدا لبطلان التبني، وزواج زينب رضى الله عنها بوحى خاص بالنبى صلى الله عليه وسلم . روي: كانت زينب تفاخر نساء النبى صلى الله عليه وسلم وتقول:« زوجكن آباؤكم وزوجنى الله تعالى». وروى النسائى: «كانت زينب تفخر على نساء النبى صلى الله عليه وسلم تقول: إن الله عز وجل أنكحنى من السماء»[٥٤].

الثامنة - زينب بنت خذيمة بن الحارث بن عبد الله الهلالية، كانت تسمى في الجاهلية أم المساكين لإطعامها إياهم، ورقتها عليهم، تزوجها رسول الله صلى الله عليه وسلم ، وأصدقها أربعمائة درهم، وقد زوجها منه قبيصة بن عمرو الهلالى، وتزوجت قبله عبيدة بن الحارث بن المطلب بن عبد مناف، وكانت قبله عند جهم بن عمرو بن الحارث بن عمها، وقد تزوجها رسول الله صلى الله عليه وسلم بعد الهجرة بواحد وثلاثين شهرا، فمكثت معه ثمانية أشهر وتوفيت في حياته، ودفنت بالبقيع.

التاسعة - جويرية بنت الحارث بن أبي ضرار المصطلقية، أسرها المسلمون في غزوة بنى المصطلق، فوقعت في سهم ثابت بن قيس بن شماس، فكاتبها، فقضى رسول الله صلى الله عليه وسلم كتابتها، وتزوجها في شعبان سنة ست من الهجرة، وكان اسمها برة، وسماها جويرية، وماتت سنة ست وخمسين، وهى بنت خمس وستين سنة.

العاشرة - صفية بنت حيى بن أخطب الهارونية كانت زوجة لكنانة بن الربيع بن أبي الحقيق، فقتل في خيبر، وقتل أبوها حيى بن أخطب، وسباها الرسول صلى الله عليه وسلم ، فوقعت في سهم دحية الكلبى رضى الله عنه، فاشتراها رسول الله صلى الله عليه وسلم بسبعة أرؤس وقيل اصطفاها، والصحيح الأول، فأسلمت وأعتقها وتزوجها صلى الله عليه وسلم ، وماتت سنة خمسين ودفنت بالبقيع.

الحادية عشرة - ميمونة بنت الحارث الهلالية، تزوجها رسول الله صلى الله عليه وسلم بسرف قرب مكة سنة سبع من الهجرة في عمرة القضية، وهى آخر امرأة تزوجها، وماتت سنة إحدى وستين - على خلاف - في المكان الذى تزوجها فيه صلى الله عليه وسلم ، وصلى عليها عبد الله بن عباس

---

(٥٤) ارجع إلى القرطبى ج ١٥٦/١٤، ١٥٧.

رضى الـلـه عنهما ودفنها بسرف رضى الـلـه عنها.

الثانية عشرة - ريحانة بنت زيد بن عمرو من بنى النضير، سباها الرسول صلى الـلـه عليه وسلم وأعتقها، وتزوجها سنة ست، وماتت في مرجعه من حجة الوداع، فدفنها بالبقيع وقيل ماتت سنة ست عشرة في خلافة عمر، وقيل كان يطؤها بملك اليمين، ولم يعتقها، وبعض العلماء كالسهيلى لم يدخلها في عداد الزوجات بل جعلها ملك يمين، فالزوجات من دونها إحدى عشرة زوجة.

واللائى تزوجهن ولم يدخل بهن:

- **أسماء بنت النعمان الكندية**، تزوجها فوجد بها بياضا فمتعها وردها إلى أهلها، وقيل: استعاذت منه، فطلقها وعرفت بالجونية. وقيل: قال لها: «هبى لى نفسك» فكانت حديثة عهد بكفر فقالت: وهل تهب الملكة نفسها لسوقة، واستعاذت منه، فقال:«عذت بمعاذ» فكساها وألحقها بأهلها.
- **عمرة بنت بنت يزيد الكلابية**، وقيل هي التي استعاذت كانت حديثة عهد بكفر، فلما قدمت على رسول الـلـه صلى الـلـه عليه وسلم ، استعاذت منه، فقال رسول الـلـه صلى الـلـه عليه وسلم : «منيع عائذ الـلـه». فردها إلى أهلها. ويقال: إن رسول الـلـه صلى الـلـه عليه وسلم دعاها، فقالت: إنا قوم نؤتى ولا نأتى، فردها رسول الـلـه صلى الـلـه عليه وسلم إلى أهلها، وقيل إن التى تزوجها فاطمة بنت الضحاك الكلابية بنت عم عمرة فاستعاذت منه، فطلقها، فكانت تقول: أنا الشقية، وقد عقد عليها سنة ثمان وماتت سنة ستين.
- **وأميمة بنت شراحيل**، دخل عليها فبسط يده إليها، فكأنها كرهت ذلك، فجهزها وكساها وبعث بها مع أبى أسيد رضى الـلـه عنه إلى قومها[٥٥].
- **قتيلة بنت قيس ، أخت الأشعث بن قيس** ، زوجها إياه الأشعث ، ثم انصرف إلى حضرموت، فحملها إليه، فبلغه وفاة النبى صلى الـلـه عليه وسلم ، فعاد بها إلى بلاده وارتدا مع الناس، ثم تابا وعادا إلى الإسلام مع الناس، ولا تدخل في زوجاته رضوان الـلـه عليهن؛ لأنه لم يدخل بها.
- **أم شريك الأزدية (غزية بنت جابر بن حكيم)**، وكانت زوجة لأبى بكر بن أبى سلمى، فتزوجها النبى صلى الـلـه عليه وسلم من بعده ، وطلقها ولم يدخل بها، وقيل هى التى وهبت نفسها، وقيل

---

(٥٥) ارجع إلى القرطبى جـ ١٤/ ١٣٦، ١٣٧، والسيرة جـ ٣٢٤/٤: ٣٢٦.

إن التى وهبت نفسها خولة بنت حكيم رضى الـلـه عنها.

- **خولة بنت الهذيل بن هبيرة**، تزوجها، وقد ماتت قبل أن تصل إليه.
- **شراف بنت خليفة، أخت دحية** رضى الـلـه عنه، تزوجها ولم يدخل بها.

وخطب النبى صلى الـلـه عليه وسلم نساء فلم يتم نكاحة، ومنهن:

- **أم هانى بنت أبي طالب**، واسمها فاختة، خطبها النبى صلى الـلـه عليه وسلم إنى امرأة مصبية واعتـذرت إليه فعذرها.
- **صفية بنت بشامة بن نضلة**، سباها المسلمون، وخطبها النبى، وقال لها: إن شئت أنا وإن شئت زوجك؟ قالت زوجى. فأرسلها، فلعنها بنو تميم.
- **ليلى بنت الخطيم أخت الشاعر قيس بن الخطيم.**
- **خولة بنت حكيم بن أمية رضى الـلـه عنها**، وهبت نفسها للنبى صـلى الـلـه عليـه وسـلم ، فأرجأهـا ، فتزوجها عثمان بن مظعون رضى الـلـه عنه.
- **جمرة بنت الحارث بن عوف المرى** خطبها النبى صلى الـلـه عليه وسلم فقال أبوهـا: إن بهـا سـوء، ولم يكن بها، فرجع إليها أبوها، وقد برصت (وهى أم شبيب بن البرصاء الشاعر).
- **سودة القريشية**، خطبها رسول الـلـه صلى الـلـه عليه وسلم ، وكانت مصبية (ذات عيال)، فقالت: أخاف أن يضغو صبيتى عند رأسك، فحمدها ودعا لها.

وكان له من السرارى: مارية القبطية أم إبراهيم رضى الـلـه عنـه، وريحانـة – عنـد بعـض العلـماء – وقيل وجارية وهبتها له زينب جحش رضى الـلـه عنها[٥٦].

وقد اختص اله تعالي نبيه صلى الـلـه عليه وسلم بأحكام في الزواج تجوز له دون المسلمين، ومن ذلك:

- **الزيادة على أربع نسوة:** والشرع فيها أربع للرجـل المسـلم، ولايزيـد، واخـنص الـلـه تعـالى نبيـه بالزيـادة توسعة عليه فى تطبيق أحكام الشرع، ليكون قدوة فى العمل بالحكم الشرعى، وزواج الأرامـل وذوات الأولاد، والصغيرة والمسنة، وليكون مثالا عاليا فى العدل بين أزواجه على كثرة مسئولياته واشتغاله بالعبادة والـدعوة، وهو فى ذلك متبع لمن سبقه من الأنبياء.

- **زواج الوهب:** وهو للنبى صلى الـلـه عليه وسلم خاصة وليس لأحـد مـن المسـلمين، وهـو أن تهـب امـرأة نفسها زوجة له صلى الـلـه عليه وسلم من غير مهر، قـال تعـالى: **﴿...وامـرأة مؤمنـة إن وهبـت نفسـها للنبي إن أراد النبي أن يستنكحها خالصة لك من دون المؤمنين﴾** [الأحزاب: ٥٠]. أحللنا لك

(٥٦) ارجع إلى القرطبى جـ ١٣٧/١٤، ١٣٨.

امرأة تهب نفسها من غير صداق، هذا مباح له من من دون المسلمين.

وجاء في الحديث عن عائشة رضى اللـه عنها: «كنت أغار على اللائى وهبن أنفسهن لرسول اللـه صلى اللـه عليه وسلم ، وأقول: أما تستحى امرأة تهب نفسها لرجل ! حتى أنزل اللـه تعالى: ﴿**ترجي من تشاء منهن وتؤوي إليك من تشاء**﴾ [الأحزاب: ٥١] فقلت: و اللـه ما أرى ربك إلا يسارع في هواك[٥٧]». وروت عائشة: «كانت خولة بنت حكيم من اللائى وهبن أنفسهن لرسول اللـه صلى اللـه عليه وسلم [٥٨]». وذكر العلماء أن اللائى وهبن أنفسهن أربع: «ميمونة بنت الحارث، وزينب بنت خزيمة أم السماكين الأنصارية، وأم شريك بنت جابر، وخولة بنت حكيم[٥٩]». وكان للنبى صلى اللـه عليه وسلم أن يقبل أو يرفض ﴿**إن أراد النبي أن يستنكحها**﴾ [الأحزاب: ٥٠] وصح ذلك في السنة[٦٠].

وقد أحل اللـه تعالى له المرأة؛ بلفظ الهبة خالصة له؛ بغير صداق ؛ وبغير ولى من دون المسلمين[٦١]. ﴿**قد علمنا ما فرضنا عليهم في أزواجهم**﴾ [الأحزاب: ٥٠] أي ما أوجبنا على المؤمنين، وهو ألا يتزوجوا إلا أربع نسوة بمهر وإعلان وولى[٦٢].

---

(٥٧) رواه البخارى : كتاب التفسير، ٤٧٨٨. ورواه مسلم: كتاب الرضاع: ١٤٦٤٠، والنسائى، كتاب النكاح، ٥٤١٦.

(٥٨) رواه البخارى في النكاح: ٥١١٣.

(٥٩) القرطبى ١٦٨/١٤.

(٦٠) جاء في الصحيح: أن امرأة قالت لرسول اللـه صلى اللـه عليه وسلم : «جئت أهب لك نفسى، فسكت حتى قام رجل فقال: زوجنيها إن لم يكن لك بها حاجة» . صحيح البخارى، كتاب النكاح.

(٦١) وقد أحل اللـه تعالى للنبى صلى اللـه عليه وسلم : صفى المغنم، وخمس الغنيمة، ووصال الصوم، والزيادة على أربع نسوة، ونكاح الهبة والنكاح بغير ولى والنكاح بغير صداق، ونكاحه وهو محرم، والقتال في مكة، وأنه لا يورث، ولا يجوز لزوجاته أن يتزوجن من بعده لبقاء زوجيته من بعد الموت، وإن طلق إحداهن فلا يجوز لها أن تنكح غيره، و(النبى أولى بالمؤمنين من أنفسهن) فيجب على كل واحد منهم أن يقى النبى صلى اللـه عليه وسلم بنفسه، وأبيح له أن يتخذ حمى فلا يقربه أحد، وأن يصطفى من النساء من شاء، وأحل اللـه تعالى له الغنائم ولم تحل لنبى قبله، وجعل اللـه الأرض له ولأمته مسجدا وطهورا، وكان صلاة الأنبياء في مواضع جعلت للعبادة. ونصرة اللـه تعالى بالرعب مسيرة شهر، وبعث إلى الخلق كافة، وبعث الأنبياء لأقوامهم. والنبى لا يورث فما تركه لبيت مال المسلمين صدقة وحرمت عليه الصدقة هو وأهل بيته.

(٦٢) القرطبى: ١٧٢/١٤.

- **التخيير في القسم لهن:** كان النبي صلى الله عليه وسلم مخيرا من دون المسلمين في أن يقسم لهن في القسم أو الفراش، فإن قسم لهن، وإن شاء ترك القسم توسعة عليه، لما خصه الله تعالى به، وما يتحمل من أعباء دينية ومسئولية الناس والرياسة فيهم. قال تعالى: ﴿**ترجي من تشاء منهن وتؤوي إليك من تشاء ومن ابتغيت ممن عزلت فلا جناح عليك ذلك أدنى أن تقر أعينهن ولا يحزن ويرضين بما آتيتهن كلهن و الله يعلم ما في قلوبكم وكان الله عليما حليما**﴾ [الأحزاب: ٥١].

وقد ترك النبي صلى الله عليه وسلم التخيير وقسم لهن تطيبا لنفوسهن وصونا لهن عن أقوال الغيرة التى تؤدى إلى ما لا ينبغى، ولا بأس إن عزل إحداهن فلم يقسم لها ثم عاد إليها، وهذه توسعة عليه ورحمة، ولا لوم عليك في ذلك، وهذا التخيير لك أقرب إلى رضاهن إذا كان من عند الله، لأنه لو كان من عندك طلبن منك القسم، واشتدت غيرتهن، وقد روى عنه أنه قال: «اللهم هذه قدرتى فيما أملك فلا تلمن فيما تملك ولا أملك»[٦٣]. يعنى إيثاره حب عائشة رضى الله عنها دون أن يجور في فعله معهن، فكان يعدل في المبيت أو في مرضه الذى توفى فيه، فكان يطاف به محمولا على بيوت أزواجه إلى أن اشتد به المرض وشق عليه القسم في المبيت، فاستأذنهن أن يمرض في بيت عائشة رضى الله عنها، فأذن له طوعا، قالت عائشة رضى الله عنها: «أول ما اشتكى رسول الله صلى الله عليه وسلم في بيت ميمونة، فاستأذن أزواجه أن يمرض في بيتها - يعنى عائشة - فأذن له »[٦٤]، وكان يستعجل ذلك، عن عائشة رضى الله عنها: «إن كان رسول الله صلى الله عليه وسلم يتفقد»، يقول: «أين أنا اليوم أين أنا غدا»[٦٥]، استبطاء ليوم عائشة رضى الله عنها، وقد مات عندها صلى الله عليه وسلم ، وقد أشار الله تعالى إلى ما في القلب من حب يكنه المرء لإحدى زوجاته: ﴿**...و الله يعلم ما في قلوبكم ...**﴾ **[الأحزاب:٥١]**، وقد ذكر حبه صراحة لعائشة رضى الله عنها، ليعلم الرجال أنه لا حرج عليهم أن يعربوا عن حبهن ، سأل عمرو بن العاص رضى الله عنه :أي الناس أحب إليك ؟ فقال : «عائشة» فقلت من الرجال ؟ : قال : « أبوها ». قلت ثم من ؟ قال : « عمر بن الخطاب » ، فعد

([٦٣]) ضعفه الألبانى فى ضعيف الترمذى ١٩٣، وقد رواه أبو داود، والترمذى، والنسائى، وابن ماجة.

([٦٤]) رواه مسلم: كتاب الصلاة: ٤١٨.

([٦٥]) رواه البخارى: كتاب المغازى، باب: مرض النبى صلى الله عليه وسلم ووفاته: ٤٤٥٠. ومسلم: فضائل الصحابة، باب فضل عائشة رضى الله عنها: ٢٤٤٣.

رجالا»[٦٦].

وهناك أسباب لتعدد زوجات النبي صلى الله عليه وسلم وذكر العلماء منها :

- العمل بالتشريع وتطبيق الأحكام: اتخذ الله تعالى من نبيه صلى الله عليه وسلم مثالا عظيما يستجيب لله تعالى ويعمل بحكمه، فقد أبطل الله تعالى التبنى وكان متمكنا من العرب ويعدونه كالنسب، فكان أو من عمل ببطلانه النبى صلى الله عليه وسلم فنسب زيد بن حارثة إلى أبيه، وكان من قبل يدعى زيد بن محمد، وتزوج مطلقته زينب من بعده تأكيدا على بطلان التبنى وأنه ليس نسبا وليس فيه ميراث.
- الاقتداء به في حسن معاملة الزوجات وفي العدل بينهن على كثرتهن: فقد تزوج أم حبيبة رملة بنت أبي سفيان رضى عنهما التى خذلها زوجها في أرض الحبشة، فتنصر هناك، وقد خرجت مهاجرة بدينها وفرت من أبيها ورءوس الكفر، فأحسن النبى صلى الله عليه وسلم إليها وتزوجها، وكان أبوها يقود المشركين وينكل بمن في يده من المسلمين، ولم يفسد ذلك بينه وبين زوجته. ولم يحمل عليها وزر أبيها وسوء فعله، وتزوج صفية بنت حيى بن أخطب اليهودى بعد أن قتل المسلمون أباها وعمها وزوجها في خيبر، وكانت له محبة ولم تبغضه لما أصاب ذويها، ولو كان فظا غليظا متكبرا لنفرت منه.
- تحسين أوضاع الأرامل والمطلقات وأمهات الأولاد وبنات أهل الكتاب: فقد تزوج النبى صلى الله عليه وسلم الأرملة وضم أولادها إليه، وأحسن إليهم وشكروا له حسن خلقه، ومنهن أم سلمة، واولادها سلمة وعملا وزينب، وضم إليه ابنى زوجته خديجة رضى الله عنها عبد مناف بن عتيق بن عائذ، وهند بن أبي هالة ...، وتزوج النبى صلى الله عليه وسلم مطلقة مولاة زيد بن حارثة، وكان عبدا فلما طلقها تزوجها النبى صلى الله عليه وسلم ولم ير في ذلك عيبا. وتزوج صفية بنت حيى بن أخطب، وكانت يهودية بنت يهودى فأسلمت وحسن إسلامها، فأعتقها وجعل عتقها صداقها، فأكرمها الله تعالى فجعلها من أمهات المؤمنين، وتزوج جويرية بنت الحارث المصطلقية، وقد أسلم معها أبوها وبعض قومها، وتزوج الرسول صلى الله عليه وسلم المسنة مثل خديجة وسودة رضى الله عنهما، وتزوج المتواضعة في الجمال مثل حفصة بنت عمر رضى الله عنها، وكانت مطلقة.
- التكثر بالأصهار، والأعوان، وتأليف القبائل : كانت العرب ترى في كثرة الزيجات فضلا

---

(٦٦) رواه البخاري: كتاب فضائل الصحابة: ٣٦٦٢. والترمذى، المناقب: ٣٨٨٥.، والنسائى: ٨١١٧، وأحمد ٢٠٣١٤. وابن حبان: ٤٥٤٠، ٦٩٠٠. والحاكم: ٦٧٤١.

وشرفا وتمتدح بكثرة النكاح لدلالته على الرجولية، فكان العرب يتكثرون به في النسل، فيزداد عددهم، ويزيدون به القرابة، فكانوا يصاهرون غيرهم، فيجعلون لهم فيه قرابة بالمصاهرة ويتعززون بكثرة أولادهم وأنسابهم وأصهارهم في الناس، وكانت المصاهرة سبيلا إلى التحزب والوحدة، فكان السادة يتزوجون إلى القبائل الكبرى ليدخلوهم في حلف معهم، وكان النبى صلى الله عليه وسلم يتعزز في المدينة المنورة بأخواله لأبيه بنى النجار وبأخواله لأمه في مكة بنى زهرة، وكان يتزوج إلى العرب فيزوجوه ليجعل بينه وبينهم مصاهرة، فيدخلون في دينه وحلفه، وكانت القبائل تقبل على مصاهرته لتتشرف به قبائل العرب وبمصاهرته فيهم، وكان يصاهرهم ليتألفهم، ولتكثر أصهاره من جهة نسائة فيزداد أعوانه على من يحاربه، وطعن المشركون فى نبوته فقالوا: هو شاعر وكاهن وكذاب ومجنون وبه جنة أو جان، بيد أنهم لم يطعنوا فى تكثيره الزوجات أو تعددهن عنده؛ لأن ذلك دليل على القوة والرجولة والفحولة ومن مناقب السيادة، وليس بخروج على تقاليد المجتمع، بل من مفاخر السادة، فلم يذموا مايمدحونه فى أنفسهم من كثرة الأزواج والأولاد، وقد ذمه بعض المشركين فقالوا: أبتر مقطوع ليس له ذكور يحفظون ذكره، فرفع الله تعالى ذكره، وأعلى شأنه صلى الله عليه وسلم .

- التأكيد على بشرية الرسول صلى الله عليه وسلم : فإنه بشر- رسول يتزوج النساء وله ذرية، لئلا يزعمون أنه ملك أو أنه فوق البشر أو فيه من الألوهية ما ادعاه النصارى في المسيح مغالاة. والحكمة من ذلك أن يكون الاقتداء به عدلا، وتقليده ممكنا والعمل بسنته واجب أو مستحب أو جائز .... فلا ينكر الناس شيئا على أنه فوق طاقتهم.
- وزواج الرسول من النساء عمل بسنن الأنبياء والرسل: فقد اقتدى بهم وجاء على نهجهم ولم يخرج عليهم ليكون حجة على اليهود والنصارى، وعدد في زوجاته اقتداء ببعض الأنبياء، كإبراهيم عليه السلام ويعقوب وداود وسليمان وغيرهم، ورزقه الله تعالى أولادا مثلما رزقهم فأبطل الرهبنة وترك الزواج.
- الارتفاع بالنبى صلى الله عليه وسلم إلى أعلى درجات العدل والمساواة بين النساء في كل شئ: فقد سوى بينهن على اختلاف أنسابهم وطبقاتهم وأصل مللهم، وعدل بينهن في الفراش علي كثرتهن، ولم يك مكثرا من طعام أو شراب أو يرفل في نعمه بل كان فقيرا وكان يصيبهن في ليلة خرقا للعادة ، ليعفهن ويستوفى حقوقهن في الفراش ، وكان صواما بالنهار قواما بالليل.

وليس زواج النبى صلى الله عليه وسلم من اثنتى عشرة امرأة بدعة في الأنبياء، فالإكثار من الزوجات من سنن بعض الأنبياء، فقد تزوج إبراهيم عليه السلام زوجتين سارة (ساراى) وهاجر

المصرية عليها السلام، وقد أكثر سليمان عليه السلام من الزوجات، عن أبي هريرة رضى الـلـه عنه عن النبى صلى الـلـه عليه وسلم قال: «قال سليمان بن داود: لأطوفن الليلة على سبعين امرأة تحمل كل امرأة فارسا يجاهد فى سبيل الـلـه. فقال له صاحبه: إن شاء الـلـه. فلم يقل، ولم تحمل شيئا إلا واحدا ساقطا أحد شقيه. فقال النبى صلى الـلـه عليه وسلم : لو قالها لجاهدوا فى سبيل الـلـه». قال شعيب وابن أبى الزناد [الراويان] «تسعين»، وهو أصح. يريد تسعين امرأة.

وقرأ ابن عباس رضى الـلـه عنه: **﴿ومن ذريته داوود وسليمان﴾** [فاطر:٨٤] حتى أتى: **﴿فبهداهم اقتده﴾** [الأنعام:٩٠] فقال ابن عباس رضى الـلـه عنهما: «نبيكم صلى الـلـه عليه وسلم ممن أمر أن يقتدى بهم»(٦٧). وقد جاء فى رواية «سبعين امرأة» وجاء فى رواية شعيب «تسعين»، وفى أخرى «مائة»، وقيل: «ستون امرأة»، وقيل: «مائة امرأة أو تسع وتسعون»، وقيل غير ذلك، وقال العلماء: الاختلاف بينهم فى عـدد الحرائر والسرارى، فكان عدد الحرائر ستين امرأة وما زاد عليهن كن سرارى أو بالعكس.

وقد طاف عليهن فى ليلة واحدة، ولا يقدر على هذا غير نبى، فقد جامعهن أجمعهن وهذا ما يستفاد من الحديث، لأنه لم يرزق إلا بواحد معاق، والهدف من الطواف لم يك للشهوة بل المقصد مصلحة دينية، فقصد الخير بالطواف لا لغرض الدنيا، وفى الحديث فضل فعل الخير وتعاطى أسبابه، وأن كثيرا من المباح والملاذ يصير مستحبا بالنية والقصد(٦٨).

وقد خص الـلـه تعالى الأنبياء ببعض الخوارق للعادات التى تجاوزوا فيها طاقة البشر العاديين، ومن ذلك الصبر على الجوع وعدم النوم وكثرة العبادة، وقوة الجماع الدال على صحة البنية وقوة الفحولية وكمال الرجولية مع ما هم فيه من الاشتغال بالعبادة والعلوم وحوائج الناس وأعباء الدعوة، وقد كان النبى صلى الـلـه عليه وسلم متقللا من المآكل والمشارب التى تقتضى بضعف البدن على كثرة الجماع، ومع ذلك كان يطوف على نسائه فيجامعهن فى ليلة واحدة، وهن إحدى عشرة أو اثنتى عشرة عند بعض العلماء، وقد أمر الـلـه تعالى نبيه محمد صلى الـلـه عليه وسلم أن يقتدى بهدى النبيين السابقين(٦٩): **﴿فبهداهم اقتده﴾** [الأنعام:٩٠]. وفى الحديث فوائد عظيمة أن إكثار الأنبياء من النساء، لمقصد شرعى، وهو إكثار النسل المؤمن ليحملوا راية الجهاد فى سبيل الـلـه تعالى، وهذا شأن المجتمعات التى بها حروب وفتن واستعمار، وقد زاد الـلـه عز وجل شعب فلسطين كثرة، ببركته فى نسائهم، فالمرأة الفلسطينية ولادة، وهذا ما

---

(٦٧) البخارى، أحاديث الأنبياء، (فتح ٥١١/٦).

(٦٨) فتح البارى ٥١٥/٦.

(٦٩) ارجع إلى فتح البارى ٥١٧/٦، ٥١٨.

يـزعج اليهـود الـذين يقلـون ويكـثر المسـلمون ويتخوفـون عـلى مسـتقبلهم السـكانى (الـديموجرافى) فالجغرافية السكانية لعرب فلسطين داخل الحدود التى وضعها اليهود لدولتهم (عام ٤٨) تزداد لصالح العرب، فيجلب اليهود مهاجرين من الخارج ليواجهوا خطر الزيادة السكانية.

وسليمان عليه السلام من أنبياء بنى إسرائيل ويعترفون به ويعترف به النصارى، ويعترفون بالعدد الذى تزوجه، وهو حجة عليهم في جواز تعدد الزوجات، وقد طعنوا في الإسلام الذى جوز أربعا للضرورة، ولا ينبغى الطعن في التوسيع على الناس للضرورة، بل يطعن فيمن ضيق وحرج على الناس في التوسعة. وروى عن سعيد بن جبير قال: قال لى ابن عباس، هل تزوجت؟ قلت: لا. قال: «فتزوج، فإن خير هذه الأمة أكثرها نساء»[٧٠]. يريد أمة النبى صلى الله عليه وسلم ، فخرج سليمان عليه السلام، فكان أكثر نساء، وكذلك أبوه داود عليه السلام، ويريد بخير الأمة محمد صلى الله عليه وسلم ، جاء في رواية: «تزوجوا فإن خيرنا كان أكثرنا نساء». وهذا من باب الترغيب في الزواج، فقد جاء في رواية أخرى أن سعيد بن جبير كان صغيرا لم تخرج لحيته، فنصحه عبد الله بن عباس رضى الله عنه به.

وقد مدح ابن عباس رضى الله عنهما النبى صلى الله عليه وسلم وذكر من صفاته أنه كان أكثر نساء، فكثرة النساء لا تضر بالخلق ولا يعد عيبا أو مذمة على ما يظن جهال الناس وضعاف الدين والرأى، والمذموم حقيقة الزناة المعتدون.

وقد كان النبى صلى الله عليه وسلم أخشى الناس لله تعالى وأعبدهم وأعلمهم بالدين، وقد تزوج بأمر من الوحى لا عن رغبة منه فكل زوجة من زوجاته لها حكم (أو أحكام) من الشرع نزل فيها إباحة أمر أو تحريمه أو لتشريع جديد أو ليكون سنة يقتدى الناس به فيها، فقد أكثر من التزويج لمصلحة تبليغ الأحكام فيعمل بها على نفسه ويقتدى به الناس فيها، أو ليكون مثالا عظيما في العدل بين النساء على كثرتهن ويستحيل هذا على بشر غير نبى، فكثرة تزويجه عدت معجزة في خرق العادة فقد كان صواما قواما مقلا للطعام والشراب ويواصل الصيام ولا يجد في بيته ما يأكله ويمر الشهر ولا توقد له نار فيأكل التمر ويكتفى بما وجد، ويصوم إن لم يجد طعاما، وهو على ما كان عليه من عبادة وصوم وعمل دائم يعدل بين زوجاته في المبيت، ويقسم بينهن في الجماع، فقد روى عنه أنه طاف على نسائه في ليلة فجامعهن، دون استعمال المقويات من مأكول أو مشروب، ولم تشغله نساؤه عن عبادة ربه والقيام بالدعوة، وقضاء حوائج الناس، وإدارة أمر الدولة الإسلامية في بدء نشأتها، وهي في

---

(٧٠) رواه البخارى في كتاب النكاح، باب كثرة النساء.

حاجة إلى مجهود كبير ورعاية تامة، فأقامها على وجهها الصحيح، وقام بأمر أهله وبيته وعدل بينهن، وحفظ ما كان في حجرة من أولادهم. فرباهم على ما يربى به الرجل ولده وزيادة.

وكان النبى صلى الله عليه وسلم ينصف بين زوجاته في الخلاف، روى أن زينب رضى الله عنها أسمعت عائشة (أي قالت لها كلاما شديدا بحضرة النبى صلى الله عليه وسلم) فكان ينهاها فلا تنتهى، فقال لعائشة: «دونك فانتصرى(٧١)». وذلك عندما أوفدنها زوجات النبى صلى الله عليه وسلم يطلبن منه التسوية بينهن في محبة القلب فيحبهن مثل عائشة رضى الله عنها، وكانت صفية رضي الله عنها تغار من عائشة رضي الله عنها، وكانت تعادلها وتضاهيها في الحظوة والمنزلة والرفعة عند النبى صلى الله عليه وسلم ، فوقعت في عائشة، ونالت منها بالقول، ولم تجبها عائشة حتى يأذن لها النبى صلى الله عليه وسلم ، حتى عرفت أنه لا يكره أن تنتصر لنفسها، فقمعتها وقهرتها غلبة، فتبسم النبى صلى الله عليه وسلم وقال: «إنها ابنة أبي بكر(٧٢)».

وعن أنس بن مالك رضى الله عنه قال: «كان النبى صلى الله عليه وسلم عند بعض نسائه، فأرسلت إحدى أمهات المؤمنين بصحفة فيها طعام، فضربت - التى النبى صلى الله عليه وسلم في بيتها - يد الخادم، فسقطت الصحفة، فانفلقت، فجمع النبى صلى الله عليه وسلم فلق الصحفة، ثم جعل يجمع فيها الطعام الذى كان في الصفحة، ويقول: «غارت أمكم»، ثم حبس الخادم حتى أتى بصحفة من عند التى هو في بيتها، فدفع الصحفة الصحيحة إلى التى كسرت صفحتها وأمسك المكسورة في بيت التى كسرت(٧٣)»، وهذا منتهى العدل والحكمة فى معالجة غيرة النساء من غير ضرر. وقد طعن الملاحدة وبعض ضعاف العقل والدين ممن على رأيهم من المسلمين في زواج النبى صلى الله عليه وسلم من السيدة عائشة بنت أبي بكر رضى الله عنها، وقالوا حديثة السن فقد جاء في الحديث أنه تزوجها وهي بنت تسع سنين(٧٤)، وقد ولدت قبل الهجرة بثماني سنين أو نحوها. لقد عرضتها عليه خولة بنت حكيم زوجة عثمان بن مظعون رضى الله عنهما، وكانت عنده سودة بنت زمعة رضى الله عنها زوجة، وكان الزيادة في النساء عرفا في العرب لا يرى فيه الرجال أو النساء عيبا فكان الرجل يزوج ابنته لرجل عنده زوجات ولا يرى في ذلك غضاضة، ولا تمتنع المرأة عن ذلك، وقد قبل النبى صلى الله عليه وسلم عرض خولة، فأخبرت بذلك أم رومان أم عائشة رضى الله عنها، فأخبرت أبا بكر رضى الله عنه، فقال أبو بكر: «يارسول

---

(٧١) صحيح مسلم: كتاب فضائل الصحابة، باب: في فضل عائشة رضى الله عنها رقم: ٢٤٤٢.

(٧٢) رواه مسلم.

(٧٣) رواه البخارى، كتاب النكاح، باب الغيرة.

(٧٤) رواه البخارى فى كتاب النكاح، والفضائل.

الـلـه قد كنت وعدت بها أو ذكرتها لمطعم بن عدي لابنه جبير»، فذهب أبـو بكـر لمطعـم يسـألة في أمر تزويج ابنه من ابنته، فقالت أم جبير لأبي بكر: لعلنا إن نكحنا إليك تصيبه وتدخله دينك الذى أنت عليه، وأقر مطعم قول زوجته، ومنعا الخطبة، فأذن أبو بكـر رضى الـلـه عنـه للنبـى صلى الـلـه عليـه وسـلم في الخطبة، فأصدقها أربعمائة درهم، وهى بنت سبع سنين، وذلك قبـل الهجـرة بمـا يزيـد عـن عـامين. فتزوجهـا النبى صلى الـلـه عليه وسلم بعد الهجرة بعد أن طلب منه أبو بكر رضى الـلـه عنـه أن يـدخل بهـا، وكـان يقسم لها ولزوجته سودة بنت زمعة رضى الـلـه عنها. وكانت عائشة رضى الـلـه عنها الزوجـة الثالثـة في حيـاة النبى صلى الـلـه عليه وسلم ، وتبعتها زوجات ثمان وملك يمين، فكانت أحب زوجات النبى صلى الـلـه عليه وسلم إليه، قال لعمر بن العاص رضى الـلـه عنه عنـدما سـأله عـن أحـب النـاس إليـه: عائشـة . قـال مـن الرجال؟ قال: «أبو بكر[٧٥]».

وجاء في الصحيح أنه قال لفاطمة رضى الـلـه عنها عندما أوفدتها نساءه إليه يطلبن منه المساواة بهـا في الحب. وقد أخذتهن الغيرة، وهو في بيتها: «أي بنية ألسـت تحبـين مـا أحـب؟» قالـت بـلى: قـال: «فـأحبى هذه[٧٦]».

وظل يحبها حتى الممات، فقد كان يطاف به وهو في مرض المـوت عـلى زوجاتـه، فكـان يسـتعجل أن يذهب عندها يقول: «أين أنا غدا استبطاء ليوم عائشة[٧٧]»، فمات عندها صلى الـلـه عليـه وسـلم وكانـت السيدة عائشة رضى الـلـه عنها تحبه حبا جما، خالصا لا ريـاء فيـه، ولم تضـجر منـه، ولم تتحسر عـلى شـبابها وجمالها على ما تتأسف عليه الصغيرة التى تتزوج الشيخ لماله، ولم يك النبى صلى الـلـه عليه وسلم صـاحب مال ولا سلطان ولا سيادة بل كان مضطهدا مضيقا عليه مستهدفا بالإيذاء والقتل، وقـد حـرص الصـديق رضى الـلـه عنه أن يصاهر أحب الناس إليه في ظروف حالكة ضيق عليه فيها، وعاش النبى بعد موت عمه وزوجته خديجة أشد الظروف والمحن وهى الفترة التى خطب فيها عائشة رضى الـلـه عنها، والمستقبل مازال مجهولا !

وقد ذكرت السيدة عائشة رضى الـلـه عنهـا مقـدار محبتهـا أنهـا تمنـت المـوت غـيرة عنـدما جعلـت السيدة حفصة رضى الـلـه عنها على جملها في سفر فأخذها النبى صلى الـلـه عليه وسلم ، فقـد أقـرع النبـى صلى الـلـه عليه وسلم بين زوجاته في سفر فوقعت القرعة على عائشة وحفصة، فخرجتا معه، وكـان إذا كـان بالليل سار مع عائشة يتحدث معها، فعرضت عليها حفصة رضى الـلـه عنها حيلة وقالت:

---

(٧٥) رواه البخارى.

(٧٦) رواه مسلم.

(٧٧) رواه مسلم.

ألا تركبين بعيرى وأركب بعيرك، فتنظرين ماذا يفعل رسول الـلـه صلى الـلـه عليه وسلم وأنظر، وكانت عائشة حديثة السن، فجاء رسول الـلـه صلى الـلـه عليه وسلم إلى جمل عائشة وعليه حفصة، فسلم وسار معها. فافتقدته عائشة، فغارت عندما نزلا، وجعلت عائشة تجعل رجلها بين نبات الإذخر، وتقول غيرة: «يارب سلط على عقربا أوحية تلدغنى رسولك ولا أستطيع أن أقول له شيئا[٧٨]». لقد بلغ حبها له مبلغا عظيما، وهي حديثة السن، وكان هذا شعور كل زوجاته كن يغارن عليه عندما يكون عندها، فروى مسلم: أنهن أوفدن إليه فاطمة، وهو عندها يطلبن منه أن يصيبهن من الحب ما يصيبها، ثم أوفدن إليه صفية رضى الـلـه عنها، وهى إلى جوار النبى صلى الـلـه عليه وسلم فنالت منها، وهى لا تتكلم تلتمس الإذن من الرسول صلى الـلـه عليه وسلم ، وكانت صفية رضى الـلـه عنها تعادلها وتضاهيها في المنزلة عند رسول الـلـه صلى الـلـه عليه وسلم ، فتركها النبى صلى الـلـه عليه وسلم تنتصر لنفسها وتبسم[٧٩].

وروى عن عائشة رضى الـلـه عنها أن الناس كانوا يتحرون بهداياهم يوم عائشة يبتغون بذلك مرضاة رسول الـلـه صلى الـلـه عليه وسلم ، فكان الصحابة رضوان الـلـه عليهم يكثرون الهدية إليه، وهو عند عائشة رضى الـلـه عنها، لعلمهم بحبه لها، وقد أثار هذه غيرة نسائه، فأردن الهدية مثلها، وأردن أن يحصلن على مثل محبتها! وكانت كل واحدة تسابق الأخرى في ذلك، وكان يسر إلى كل واحدة بما تحبه فلا تخبر به الأخرى، لتشعر في نفسها أنها مثل الأخرى بيد أنه كان يعتبر بحداثة سن عائشة رضى الـلـه عنها، فيقدر حاجتها في اللعب والترويح، وهذا من حسن خلقه وعمق بصيرته، وعن عائشة رضى الـلـه عنها قالت: «سابقنى رسول الـلـه صلى الـلـه عليه وسلم ، فبسقته، ثم سابقنى مرة أخرى فسبقني»، وقال: «ياعائشة هذه بتلك[٨٠]»، وكان يخرج معها فى الليل ويحادثها، ويسمع إليها. وهذا ما لا يعتد به بعض الرجال في مؤانسة النساء والترويح عليهن وقد يهملون ذلك مع أولادهم، وقد أشارت عائشة رضى الـلـه عنها إلى تقصير الرجال في ذلك وعدم اعتبارهم برغبة الإناث في اللهو واللعب، والغض من ذلك بزعم أنه عيب أو حرام، ويمتنع الرجال عن اللهو مع نسائهم لما يتوهمونه أنه يذهب وقارهم وليس من اللهو المحرم «ملاعبة الرجل أهله[٨١]». وجاء في الحديث عن جابر: «فهلا جارية تلاعبها وتلاعبك[٨٢]».

([٧٨]) رواه مسلم في فضائل عائشة رضى الـلـه عنها، ورواه البخارى فى النكاح.

([٧٩]) ارجع إلى صحيح مسلم، مناقب عائشة رضى الـلـه عنها.

([٨٠]) رواه أحمد عن أبي هريرة رضى الـلـه عنه ١٢٩/١٤، ورواه النسائى، وابن ماجة والحاكم وصححه الذهبى.

([٨١]) رواه البخارى ومسلم وأحمد ١٤٦/١٦.

([٨٢]) رواه البخاري في كتاب النكاح، والترمذي.

وكانت السيدة عائشة رضى الله عنها تتخذ بناتا (لعبا) تلعب بها، ويراها النبى صلى الله عليه وسلم ولا ينهاها، قالت: «كنت ألعب بالنبات عند النبى صلى الله عليه وسلم وكان لي صواحب يلعبن معى، فكان رسول صلى الله عليه وسلم إذا دخل ينقمعن منه فيسربهن إلى فيلعبن معى[٨٣]»، وكان أحيانا يستدعى صواحبها، ليلعبن معها.

وروى عنها إنها كانت تلعب ببنات، ورأى النبى صلى الله عليه وسلم بينهن فرسا له جناحان من رقاع، فقال: «ما هذا الذى أرى؟» قالت: فرس. قال: وما هذا الذى عليه؟ قالت جناحان قال: «فرس له جناحان؟» قالت: أما سمعت أن لسليمان خيلا لها أجنحة؟ قالت فضحك رسول الله صلى الله عليه وسلم حتى رأيت نواجذه[٨٤].

ولم يسخر النبى صلى الله عليه وسلم ولم يستخف بها، ولم ينهرها بل كان يعتبر بحداثة سنها واتساع خيالها البريء.

وكان النبى صلى الله عليه وسلم يحرص على إشباع رغبتها في الترويح، قالت عائشة رضى الله عنها: لقد رأيت رسول الله صلى الله عليه وسلم يقوم على باب حجرتى والحبشة يلعبون بحرابهم في مسجد رسول الله صلى الله عليه وسلم ، يسترنى بردائه لكي أنظر إلى لعبهم ثم يقوم من أجلى حتى أكون أنا التى أنصرف، فاقدروا قدر الجارية الحديثة السن حريصة على اللهو[٨٥].

هذا نموذج رائع في حسن معاملة النساء ومدارتهن ومعاشرتهن بالمعروف، ليكون حجة على هؤلاء الذين طعنوا فيه وزعموا أنه نزاع للنساء ومكثار منهن، نعم كان مكثارا من النساء بيد أنه كان أعدل منكم في عدلكم مع واحدة وأحسن خلقا! ولم يك الرسول صلى الله عليه وسلم عنيفا معها ولا غليظا بل كان رءوفا رحيما ليينا، قالت عائشة رضى الله عنها، قال لى رسول الله صلى الله عليه وسلم : «إنى لأعلم إذا كنت عنى راضية وإذا كنت على غضبى». قالت: وقلت: ومن أين تعرف ذلك؟ قال: «أما إذا كنت عنى راضية فإنك تقولين: لا ورب محمد، وإذا كنت غضبى قلت: لا ورب إبراهيم». قالت: «قلت أجل، و الله يارسول الله، ما أهجر إلا اسمك[٨٦]»، وهذا من عظم حبها له صلى الله عليه وسلم . وقد احتكمت يوما إلى أبيها أبى بكر فى شيئ بينها وبين رسول الله صلى الله عليه وسلم ،فقالت قولا أغضب أباها،فضربها،فاستجارت بالنبى صلى الله عليه وسلم وجلست خلفه، فقال النبى صلى الله عليه وسلم لأبى بكر:«مادعوناك لهذا!»إشفاقا عليها وحنانا، وهى التى قالت عنه: «وما ضرب أحدا من نسائه قط» وهىالتى قالت: «كان خلقه القرآن»:وطلبت من السائل

---

(٨٣) رواه البخارى، الفتح ٥٢٦/١٠، وأحمد ٥٧١٦، ومسلم (النووى ٢٠٣/١٥).

(٨٤) رواه أبو داود ٥٨٠/٢. والبيهقى ٢١٩/١٠.

(٨٥) رواه مسلم، والبخارى، والنسائى وأحمد في مسنده ٨٥١٦.

(٨٦) رواه مسلم في المناقب.

أن يقرأ صدر سورة المؤمنون وقالت: كان كذلك **﴿قد أفلح المؤمنون(١) الذين هم في صلاتهم خاشعون(٢) والذين هم عن اللغو معرضون(٣) والذين هم للزكاة فاعلون(٤) والذين هم لفروجهم حافظون(٥) إلا على أزواجهم أو ما ملكت أيمانهم فإنهم غير ملومين(٦) فمن ابتغى وراء ذلك فأولئك هم العادون(٧) والذين هم لأماناتهم وعهدهم راعون(٨) والذين هم على صلواتهم يحافظون(٩) أولئك هم الوارثون (١٠)﴾**[المؤمنون].

وماذا يضير هؤلاء الطاعنين من نبى له زوجات يحببنه ويغرن عليه غير الحقد والحسد الذى ملأ قلوبهم! ومن الذى أعطاهم حق الطعن في الإكثار من الزوجات، وأنه تزوج عائشة الصغيرة وقد بلغ الخمسين، وقد بقيت تسع زوجات من بعده، ومنهن عائشة فلم يتظلمن منه ولم تدع إحداهن عليه سوءا بل التزمن عهده وأدبه حتى مماتهن، وقد توفى النبى صلى الله عليه وسلم ، عن عائشة وهي بنت ثمانى عشر، ومارست الدعوة من بعده، وحدثت عنه وأفتت وعلمت وأكثرت من الحديث عن حسن خلقه وكرمه وعدله، وقد عاشت بعده نحو أربعين سنة، (توفيت في ١٧ رمضان سنة ثمان وخمسين وعمرها سبع وخمسون، ودفنت بالبقيع)، ولقد روى عنها البخارى ومسلم نحو مائة وأربعة وسبعين حديثا عن النبى صلى الله عليه وسلم اتفقا عليها (دون ما انفرد به كل منهما، وغيرهما من رواة الحديث)، وليس فيهم حديث واحد يذكر أنها ظلمت أو كرهت عشرته أو نفرت منه، فما الذى يتحدث به هؤلاء، ومن الذى خول لهم الدفاع عنها، وما دليل الطعن والقضية باطلة، فليست هنالك مخاصمة أو نزاع وليس هناك طرفا نزاع، وعائشة رضى الله عنها لم توكلهم للدفاع عنها، فقد رضيت وسعدت بما أكرمها الله تعالى به وبالمنزلة التى صارت إليها. ولم تذكر كتب الحديث أو الأخبار أو السير شيئا عن المشركين يطعنون فى تعدد زوجاته أو فى زواجه من عائشة، ولم يرد شيئ عن اليهود يذمون فيه ذلك، وذلك أنه لم يخرج عن عرف العرف فى الزواج وعمل بسنن الأنبياء فتزوج، وقد أمره الله تعالى بالاقتداء بهم فقال: **﴿فبهداهم اقتده﴾** [الأنعام:٩٠]، وهؤلاء الذين يطعنون فيه على غير هدى من الدين.

حق المرأة في النكاح

النكاح: الوطء أو المباشرة أو المعاشرة الجنسية، والجنس غريزة في البشر للحفاظ على النسل، وقد شرعها الله تعالى بوجه شرعى موثق وفيه عهد بين الطرفين.

ولكلا الزوجين حق على الآخر في النكاح، فاللمرأة مثل الرجل منه، وتفسد الحياة بينهما بعدم وفاء أحدهما لصاحبة بحقه منه.

ولم يضيق الإسلام على الزوجين في مباشرة حقهما في المتعة واللذة، بل رغب في كل ما يحقق التئاما بينهما، جاء في الحديث الشريف، لما تزوج جابر بن عبد الله قال له صلى الله عليه وسلم :«هلا بكرا تلاعبها وتلاعبك[٨٧]»وفي رواية «تضحكها وتضاحك»، وارتفع الإسلام عن الوحشية والعنف في اللذة، قال الله تعالى: **﴿هن لباس لكم وأنتم لباس لهن﴾** [البقرة: ١٨٧]. أصل اللباس: الثياب، فسمى الله تعالى امتزاج كل واحد من الزوجين بصاحبه لباسا الانضمام الجسدين وامتزاجهما وتلازمهما تشبيها بالثوب، فكل واحد منهما ستر للآخر ووقاء له، فالمرأة للرجل لباس، وفراش وإزار ولحاف وسكن، وهو لها غطاء وظل يقيها السوء والمخاطر ويحميها من قساوة الحياة، وقد صور القرآن الكريم اللقاء بينهما في رفق ولين بالمظلة التى يتقى بها المرء مخاطر الحرارة والمطر والرياح والتراب: **﴿هو الذي خلقكم من نفس واحدة وجعل منها زوجها ليسكن إليها فلما تغشاها حملت حملا خفيفا فمرت به ...﴾ [الأعراف: ١٨٩]**. فالرجل يسكن إلى زوجته ليأنس بها ويطمئن، فواقعها، وكنى عنه بالتغشية، وهى من الغشاء بمعنى الغطاء للشئ يستره من فوقه، فالزوج إن خالط زوجته وخالطته أصبح كل واحد منهما ستر الآخر، لقد تحول الجماع من فعل فاضح في الحرام إلى ستر وغطاء في الحلال لما فيه من سكينة وراحة النفس وشعور باللذة خلافا للحرام الذى يكون خوفا وقلقا وألما نفسيا وندما. ومن ثم أوجب الله تعالى على الزوجة أن تطيع زوجها في الفراش ولا ترده لما يترتب على المخالفة من المعصية، فالطاعة في الحلال واجب، جاء في الحديث: «إذا دعا الرجل امرأته إلى فراشه، فأبت، فبات غضبان عليها، لعنتها الملائكة حتى تصبح»، وجاء في آخر أن الله تعالى لا يقبل صلاتها[٨٨]. وقد وجه النبى صلى الله عليه وسلم المسلم إذا رأى امرأة، إلى أن يجامع زوجته، ليصرف عن نفسه ما وقع منها من الشهوة إحصانا وتعففا. قال النبى صلى الله عليه وسلم : «إن المرأة تقبل في صورة شيطان وتدبر في صورة شيطان، فإذا أبصرها أحدكم امرأة فليأت أهله، فإن ذلك يرد ما في نفسه[٨٩]». ومن ثم لا يجب على المرأة أن ترد زوجها، لئلا ينفر منها، وتستبد به الشهوة، ويجب على الرجل كذلك أن يعف زوجته ولا يتجاهلها، فلها حق على زوجها، وجعل الله تعالى للزوج الذى يعف زوجته أجرا. وقد روى أن عمر رضى الله عنه جعل مدة غزو الرجل فى الجهاد أربعة أشهر وفاء لحقوق النساء فى المعاشرة ؛ بعد أن سأل النساء، واعتبر مدة العدة التى تتربصها

(٨٧) رواه البخاري في النكاح، ومسلم ١٠٧٨/٢.

(٨٨) رواه ابن حبان بسند لا بأس به، عن ابن عباس رضى الله عنهما.

(٨٩) رواه مسلم وأبو داود.

فى تقدير صبرها على الجماع.

وهنالك آداب إسلامية في الدخول بالزوجة يجب أن يعمل بها المسلم، والمداومة على هذه الآداب تحفظ الحب وتديم العشرة.

ومن آداب النبوة في الدخول بالزوجة، أن يجلس إلى جوارها ويتلطف إليها، ويعطيها شرابا أو شيئا يتألفها به ويصرف وحشتها ويستأنسها، ويذهب عنها الرهبة، عن أسماء بنت يزيد رضى الله عنها - قالت: «إنى قينت عائشة لرسول الله صلى الله عليه وسلم ، ثم جئته فدعوته لجلوتها، فجاء فجلس إلى جنبها، فأتى بعس لبن، فشرب، ثم ناولها النبى صلى الله عليه وسلم فخفضت رأسها واستحت، قالت أسماء: فانتهرتها، وقلت لها: خذى من يد النبى صلى الله عليه وسلم ، قالت: فأخذت فشربت شيئا». ويجب أن يبدأها الرجل بخير يعملانه فيصلى بها، جاء رجل إلى عبد الله بن مسعود، فقال: «إنى قد خشيت أن تفركنى [تبغضنى] فقال: عبد الله: إن الإلف من الله، وإن الفرك من الشيطان، ليكره إليه من أحل الله له، فإذا دخلت عليها، فمرها فلتصل خلفك ركعتين[٩٠]». ثم ليأخذ بناصيتها، ويسأل الله خيرها، ويتعوذ من شرها.

قال رسول الله صلى الله عليه وسلم : «إذا تزوج أحدكم امرأة أو اشترى خادما، فليقل: اللهم إنى أسألك خيرها وخير ما جبلتها عليه، وأعوذ بك من شرها وشر ما جلبتها عليه، وإذا اشترى بعيرا، فليأخذ بذروة سنامه وليقل مثل ذلك[٩١]». وفي رواية: «ثم ليأخذ بناصيتها وليدع بالبركة»، ويسمى الله تعالى ويدعوه أن يجنبها الشيطان وولدهما.

وكان النبى صلى الله عليه وسلم يبدأ الوقاع بالمسح على الرأس والجبين والناصة وبرسول فيقبل ويلاعب، واستنكر أن يضرب الرجل زوجته ثم يواقعها لتنافى القسوة مع أحوال الجماع التى تستحسن بالمودة والسكن واللين والمداعبة، وحرم إتيان الرجل زوجته في دبرها شذوذا، وتعلقا بفعل قوم لوط الذين أهلكم الله تعالى بفاحشتهم التى استحدثوها ولم يسبقهم إليها أحد من العالمين، فالحرث (قبل المرأة: فرجها) موضع الجماع، قال الله تعالى: ﴿**نسآؤكم حرث لكم فأتوا حرثكم أنى شئتم**﴾[البقرة: ٢٢٣]. وجاء في الحديث: «إن شاء مجبية وإن شاء غير مجبيه غير أن ذلك في صمام واحد[٩٢]». ولعن النبى صلى الله عليه وسلم من أتى زوجته في دبرها: «ملعون من أتى المرأة في دبرها[٩٣]». وفي الحديث: «لا ينظر الله إلى

([٩٠]) رواه عبد الرزاق: ١٠٤٠٦، بسند صحيح، العس: القدح الكبير.

([٩١]) رواه أبو داود: ٢١٦٠، والنسائى: ٣٤١، ٢٦٤.

([٩٢]) رواه مسلم: ١٤٣٥، والبخارى: ٤٢٥٤. واللفظ لمسلم.

([٩٣]) رواه أحمد ٤٤٤/٢، والنسائى ٣٢٣/٥، وأبو داود: ٢١٦٢.

رجل جامع امرأته في دبرها[٩٤]». وفي آخر: «لا تأتوا النساء في أعجازهن[٩٥]»،وسمى هذا باللوطية الصغرى[٩٦]، ورويت أحاديث كثيرة تحرم ذلك بعضها صحيح، وبعضها مرسل وبعضها ضعفها العلماء، وأجمعوا على تحريم ذلك مطلقا، وهو الوجه الذى استشرى بين الشواذ وراغبى المتعة ومن يقلدون غير المسلمين، ويقتدون بهم قدما بقدم، فيلوثون أنفسهم ولا يتطهرون ويعصون ربهم مع حلائلهم اللائى أحل الله لهم بمخالفة أمره وأمر نبيه صلى الله عليه وسلم . قال تعالى: **﴿فأتوهن من حيث أمركم الله﴾** [البقرة: ٢٢٢]. من حيث تحيض، إن تطهرت من حيضتها، يعنى الفرج.

ونهى الله تعالى الرجال عن أن يأتوا نساءهم في المحيض، قال تعالى: **﴿ويسألونك عن المحيض قل هو أذى فاعتزلوا النساء في المحيض ولا تقربوهن حتى يطهرن فإذا تطهرن فأتوهن من حيث أمركم الله إن الله يحب التوابين ويحب المتطهرين﴾** [البقرة: ٢٢٢]، كان اليهود يجتنبون النساء في الحيض، فلا يؤاكل الرجل زوجته ولا يجالسها ولا يساكنها في مكان، ويزعمون أنها نجسة وتصيب نجاستها كل شئ مسته أو مسها، وتنجس زوجها أيضا [٩٧]، فأبطل الله تعالى ذلك، وأجاز كل شئ معها غير الجماع، وقيل كانت بعض الأمم تجيز للرجل أن يجامع زوجته وهى حائض، ولا يعتبرون بما ينزل من المرأة في أيام الحيض، وهذا من أمور الجاهلية التى أبطلها الإسلام.

والمحيض والحيض: الدم الذى ينزل من فرج المرأة في أوقات معلومة، وهو دم أسود خاثر تعلوه حمرة، فإن أصابها تركت الصلاة والصوم، وتقضى ما عليها من صوم دون الصلاة، وقد ينقطع وقد يتصل، فإن اتصل فالحكم ثابت له، وإن انقطع فرأت الدم يوما والطهر يوما أو رأت الدم يومين والطهر يومين أو يوما تترك الصلاة في أيام الدم وتغتسل وتصلى عند انقطاعه، وتلفق أيام الدم أي تشد فرجها بخرقة غليظة تمنع سيل الدم لئلا يصيب شيئا، لأنه نجس فاسد بيد أن المرأة ليست نجسة، بل الدم والموضع الذى يصيبه يصير نجسا، ويطهر بغسله أو إزالته، ولا تصلى المرأة إن نزل عليها الدم، فتترك الصلاة، وهذا نقصان الدين، عن أبى سعيد الخدرى رضى الله عنه قال: خرج رسول الله صلى الله عليه وسلم في أضحى أو

---

(٩٤) رواه أحمد ٢٧٢/٢، ٣٤٤. وابن ماجة: ١٩٢٣.

(٩٥) النسائى ٣١٦/٥.

(٩٦) رواه أحمد ٢١٠/٢، والنسائى ٣١٩/٥، وجاء تحريم ذلك فى العهد القديم، فى سفر اللاويين.

(٩٧) ارجع إلى العهد القديم، سفر اللاويين، الإصحاح ١٢ ، و١٥.

فطر إلى المصلى على النساء، فقال: «يا معشر النساء تصدقن، فإني رأيتكن أكثر أهل النار، فقلـن وبـم يا رسول اللـه؟ قال: تكثرن اللعن وتكفرن العشير، ما رأيت من ناقصات عقل ودين أذهب للب الرجل الحازم من إحداكن . قلن : وما نقصان عقلنا وديننا يا رسول اللـه؟ قـال : ألـيس شـهادة المـرأة مثـل نصـف شـهادة الرجل ؟ قلن : بلى، قال: فذلك من نقصان عقلها أليس إذا حاضت لم تصل، ولم تصم؟قلن: بلى يارسول اللـه. قال: فذلك من نقصان دينها[98]».

وقضاء الصوم وعدم قضاء الصلاة حكم شرعى أمر اللـه تعالى به ، ولا يخضع للرأى مثل مسح أعلى الخف لا أسفله في المسح على الخفين، وقد أجمع العلماء عـلى أن الحـائض تقضى الصـوم ولا تقضى الصلاة، واستدلوا بالحديث الذي روته معاذه قالـت: «سـألت عائشـة، فقلـت: مـا بـال الحـائض تقضى الصوم ولا تقضى الصلاة؟ قالت: أحرورية أنت؟ قلت: لست بحرورية، ولكنى أسأل. قالت: كـان يصـيبنا ذلـك، فنؤمر بقضاء الصوم، ولا نؤمر بقضاء الصلاة[99]».

وأقل الحيض يوم وليلة وأكثرة خمسة عشر يوما أو يزيد قليلا عند بعض العلـماء، وللمـرأة أن تصـلى إن انقطع الدم يوما أو يومين، وهذا مردود إلى عرف النساء في الطهر، وذلك فيما طال والعلماء على خـلاف في قضاء الصلاة، فبعضهم يراها تقضى إن طال الحيض، فتقضى ما زاد عن الأيام المألوفة وبعضهم قال: ليس عليها قضاء وإن طال، والأحوط لها أن تقضى إن طال بها الحيض و اللـه أعلم[100].

ويجب على المرأة أن تغتسل من الحيض، فيحل للزوج أن يطأها، ويجب عليها أن تغتسل إن انقطـع عنها الدم في أيام الحيض لتصح صلاتها، في زمن الانقطاع، و اللـه أعلم.

وقد نهى اللـه تعالى عن عدم معاشرة المرأة (الوطء) في الحيض، لأن الدم الذى ينزل منها غير طاهر، وله رائحة كريهة، وقيل حديثا يصيب الرجال ببعض الأمراض، والعمل بأمر اللـه واجـب، ولا حـرج في الأخـذ بالعلل الصحية الأخرى لتكون ردعا ونهيا وتأكيد على عدم الفعل.

---

(98) ارجع إلى القرطبى جـ ٧٢/٣.
صحيح البخارى، كتاب الحيض، باب: ترك الحائض الصوم: ٣٠٤.

(99) رواه البخارى في كتاب الحيض، باب لا تقضى الحائض الصلاة: ٣٢١. ومسلم في كتاب الحيض، باب: وجوب قضاء الصـوم عـلى الحائض دون الصلاة: ٣٣٥. وأبو داود في الطهارة: ١٣٠ والنسائى في الصيام ١٩١/٤. وابن ماجة: في الطهارة: ٩٣١.

(100) ارجع إلى القرطبى جـ ٧٣/٣: ٧٤، ٧٥.

ولم يحرم النبى صلى الـلـه عليه وسلم على الرجـل أن يقـرب زوجتـه مطلقـا عـلى مـا يزعمـه أهـل الكتاب من اليهود، بل له أن يستمتع بكل شئ منها غير الجماع، كالتقبيل، ومباشرة الجسد، وتشد على منطقة الجماع شيئا غليظا يمتص الدم لئلا يصيب الدم زوجها أو فراشها أو المكان الذى تشمى فيه، وللـزوج مـا فـوق الغطاء الذى تحصن به عورتها المغلظة، ويحتاط لنفسه لـئلا يجامعهـا، سـأل رجـل النبـى صلى الـلـه عليـه وسلم : ما يحل لى من امرأتى، وهي حائض؟ فقال: «لتشد عليها إزارها ثم شأنك بأعلاها[١٠١]».

وقال لعائشة رضى الـلـه عنها حين حاضت: «شدى على نفسـك إزارك ثـم عـودى إلى مضـجعك[١٠٢]». وروى في الحديث : «اصنعوا كل شيء إلا النكاح». وقـد خـالف الإسـلام في ذلـك اليهـود الـذين اعتزلـوا المـرأة وزعموا أنها نجسة، وأن النجاسة في الجسد، وليست فيما ينزل منها، وهذا باطـل، فـالمؤمن لـيس بـنجس وإن كان جنبا أو كانت امرأة حائضا. وقد كان دم الحيض يصيب النبى صلى الـلـه عليـه وسـلم فيغسـل الموضـع الذى أصابه فقط، ويبيت معها في فراش واحد.

وقد جعل الـلـه تعالى أجرا لمن ترك النكاح الحرام وفعله في الحـلال، فواقـع أهلـه قـال النبـى صـلى الـلـه عليه وسلم : «وفي بضع أحدكم صدقة»، قالوا: يا رسول الـلـه، أيأتى أحدنا شهوته ويكون له فيهـا أجـرا؟ قال: «أرأيتم لو وضعها في حرام أكان عليه فيها وزر؟ فكذلك إذا وضعها فى الحلال كان له أجرا[١٠٣]»،وهذا من جمال هذا الدين وحسن العمل به، فقد هذب سلوك الإنسان، ووضع أسسا ومبـادئ لكـل مـا يحفـظ حياتـه وحقوق الآخرين.

ورأى العلماء أنه لا بأس إن رأى أحدهما عورة الآخـر، وأن يتجـردا مـن الثيـاب، فينظـر أحـدهما إلى عورة صاحبه، فلا إثم عليه، لما روى عن معاوية بن حيدة رضى عنه، قلت: يا رسول الـلـه، عورتنا ما نأتى منهـا وما نذر؟ قال: «احفظ عورتك إلا من زوجتك أو ما ملكت يمينك[١٠٤]».

وعن عائشة رضى الـلـه عنها ، قالت : «كنت أغتسل أنا والنبى صلى الـلـه عليه وسلم من إناء واحـد من

([١٠١]) رواه البيهقى ١٩١/٧ مرسلا.

([١٠٢]) رواه أحمد ٦٥/٦، ١٨٤. والبيهقى ٣١١/١.

([١٠٣]) رواه أحمد ٣/٥، وأبو داود ٤٠/٧، والترمذى ٢٧٦٩. والنسائى: عشرة النساء: ٨٦. وابن ماجـة: ١٩٢، والحـاكم والبيهقـى ٩٤/٧. وسنده حسن، والبضع: الفرج، والزواج.

([١٠٤]) رواه البخارى ٦٤/١، وأحمد ٢١٠/٦، والنسائى ١٢٩/١، ورواه مسلم في الحيض ٢٥٦/١.

جنابة». وبه استدل عطاء على جواز أن يرى أحد الزوجين عورة الآخر، واستدل بهذا الحديث، وقد سأل عائشة رضى الله عنها، فقالت له ذلك، وأوجب الإسلام على الرجل وعلى المرأة ألا يتحدثا بما وقع بينهما من المباشرة؛ لأنه فضح لهما وهتك لسترهما، قال رسول الله صلى الله عليه وسلم «إن من أشر الناس عند الله منزلة يوم القيامة، الرجل يفضى إلى امرأته وتفضى إليه، ثم ينشر سرها[١٠٥]».

وذكر الرجال ذلك عن نسائهم للرجال أشد حرمة، وإن كان في دعابة، لأنه يعرى زوجته للأجانب ويفضح ما اختصه الله به وجعله حقا له دون غيره، وله أن يذكر ذلك لمن يستفتيه في هذا الأمر أو لمن يعالجه للضرورة، فرخص للرجل، وللمرأة أن يذكرا ذلك أيضا لمن يختصما إليه.

وقدر العلماء مرات مكث الرجل مع امرأته في المبيت. ولكنهم لم يقدروا عدد مرات الجماع، لأن العدد لا يكون في طاقة كل الرجال ولا يكون في كل الأحوال. غير أنهم أوجبوا على الرجل أن يعف امرأته ما استطاع، وألا يترك ذلك، وأن الجماع حق للمرأة الحرة فلا يتركه.

ويستفاد ذلك من حديث: «وإن لزوجك عليك حقا» و«.... وإن لنفسك عليك حقا ولأهلك عليك حقا »، وفي رواية «حظا»، ويراد به الجماع. جاء في الحديث عن عبد الله بن عمرو بن العاص رضى الله عنهما، قال: «أنكحنى أبى امرأة ذات حسب، وكان يتعاهدها، فسألها عن بعلها، فقالت: نعم الرجل من رجل، لم يطأ لنا فراشا ولم يفتش لنا كنفا منذ أتيناه، فذكر ذلك للنبى صلى الله عليه وسلم فقال لى: القنى، فلقيتة بعد، فقال لى: «يا عبد الله: ألم أخبر أنك تصوم النهار وتقوم الليل؟» فقلت: بلى يا رسول الله. قال: «فلا تفعل، صم وأفطر، وقم ونم، فإن لجسدك عليك حقا، وإن لعينك عليك حقا، وإن لزوجك عليك حقا، وإن لزوارك عليك حقا، وإن بحسبك أن تصوم كل شهر ثلاثة أيام ..[١٠٦]».

وجاء في رواية أن عمر، رضى الله عنه لامه، وقال: «... فوقع على أبى، فقال: زوجتك امرأة فعضلتها وفعلت وفعلت، قال: فلم ألتفت إلى ذلك لما كانت لى من القوة، فذكر ذلك للنبى صلى الله عليه وسلم »، وقد طلب النبى عليه السلام منه أن يلقاه بعيدا عن الناس، ليوجهه إلى الصواب وينصحه سرا بعد أن شكاه أبوه إليه، فذكر عبد الله أن به قوة على

---

(١٠٥) رواه مسلم ١٠٦٠/٢. وأبو داود: ٤٨٧.

(١٠٦) البخارى، كتاب الصوم.

الصوم، ويطيق، فكان يصوم يوما ويفطر يوما، فقال عندما كبر وعجز عن كثرة الصوم: «ياليتني قبلت رخصة رسول الله صلى الله عليه وسلم »، وهو أن يصوم ثلاثة أيام من الشهر(١٠٧).

والمرأة إن لم تجد من زوجها إقبالا قد تهمل نفسها، روى أن زوجة عثمان بن مظعون كانت تتخضب وتحسن هيئتها، ثم تركت ذلك، فدخلت على عائشة رضى الله عنها يوما متبذلة، وكان زوجها من الأغنياء، فعجبت عائشة من ذلك، فسألتها: ما حملك على ذلك؟ فقالت يا أم المؤمنين إن عثمان لا يريد الدنيا ولا يريد النساء، فدخل رسول الله صلى الله عليه وسلم ، فأخبرته عائشة بذلك، فدعا رسول الله صلى الله عليه وسلم عثمان فقال: «يا عثمان! أتؤمن بما نؤمن به؟» فقال: نعم. فقال صلى الله عليه وسلم : «فأسوة لك بنا(١٠٨)». وروى أنها أتت عائشة حسنة الهيئة، فسألتها، قالت: «أصابنا ما أصاب الناس».

وروى عكرمة عن عائشة رضى الله عنها: «أن رفاعة طلق امرأته، فتزوجها عبد الرحمن بن الزبير القرظى، قالت عائشة: وعليها خمار أخضر، فشكت إليها، وأرتها خضرة بجلدها، فلما جاء رسول الله صلى الله عليه وسلم - والنساء ينصر بعضهن بعضا – قالت عائشة: ما رأيت مثل ما يلقى المؤمنات لجلدها أشد خضرة من ثوبها. قال: وسمع أنها قد أتت رسول الله صلى الله عليه وسلم ، فجاء ومعه ابنان له من غيرها. قالت: و الله مالى إليه من ذنب، إلا أن ما معه ليس بأغنى عنى من هذه – وأخذت هدبة من ثوبها – فقال: كذبت – و الله - يا رسول الله، إنى لأنفضها نفض الأديم ، ولكنها ناشز تريد رفاعة»، فقال رسول الله صلى الله عليه وسلم : «فإن كان ذلك لم تحلى له أو لم تصلحى له حتى يذوق من عسيلتك» ، قال : وأبصر معه ابنين له فقال: «بنوك هؤلاء؟» قال: نعم. قال: «هذا الذى تزعمين؟ فوالله لهم أشبه به من الغراب بالغراب(١٠٩)».

لقد كنت المرأة عن ضعفه بالشعر الذى في طرف الثوب، فرد عليها زعمها، وكنى عن قوته الجنسية بأنه ينفضها مثل نفض الجلد لما يحتاجه من قوة، وهى كناية بليغة في الغاية عن قوته، وهى أوقع في النفس من التصريح. وقد تأكد من ذلك رسول الله صلى الله عليه وسلم عندما رأى ولديه اللذين يشبهانه، فأنكر اتهامها له بالضعف.

---

(١٠٧) فتح البارى ٢٧٧/٤، ٢٧٨.

(١٠٨) رواه أحمد فى مسنده.

(١٠٩) البخارى، كتاب اللباس، باب الثياب الخضر، عسيلة تصغير عسلة مؤنث عسل، وكنى به عن الجماع، والأديم: الجلد الذى يتخذ فراشا، وكنى به عن قوة الجماع.

وقال العلماء: ولهذا يستحب نكاح البكر، لأنها تظن الرجال سواء، بخلاف الثيب التى تقارن بين الرجال[110].

والمرأة العفيفة التى لم يسبق أن عرفت غير زوجها تراه أفضلهم وأحسنهم، فإن كانت لها صحبة فيهم لم تك راضية به أو قانعة؛ لأنها تستذكر عهدها بهم فيما قصر عنه.

وتحن المرأة لمن أحبته قبل زوجها، إن وجدت من زوجها جفاء أو قسوة، وتزعم أن الأول كان خيرا لها منه، وقد عرفته في الرخاء ولم تعرفه في الشدة، ولو كان خيرا لها لما تركها ولو كان لها محبا لتزوجها، وإنما هو سخط على الحلال ورغبة في غير ما قدر الله تعالى للمرء من خير حفظه به، ولو أطلعها الله على ما ستكون عليه معه لرضيت بما هي فيه وشكرت.

وكان النبى صلى الله عليه وسلم يعدل بين زوجاته في الفراش، وقد رفع الله تعالى عنه الحرج في ذلك، وهو خاص به من دون الناس: ﴿**ترجي من تشاء منهن وتؤوي إليك من تشاء ومن ابتغيت ممن عزلت فلا جناح عليك ذلك أدنى أن تقر أعينهن ولا يحزن ويرضين بما آتيتهن كلهن و الله يعلم ما في قلوبكم وكان الله عليما حليما**﴾ [الأحزاب: ٥١]. وسع الله تعالى على نبيه في ترك القسم، فلا يجب عليه القسم بين زوجاته، فكان يقسم بينهن من قبل نفسه دون فرض ذلك عليه تطوعا، وتطيبا لنفوسهن، وصونا لهن عن أقوال الغيرة التى تؤدى إلى ما لا ينبغى[111].

وللزوج أن يدخل على زوجته في غير يومها ويجلس إليها ويقبلها، فإن واقعها قسم لزوجاته مثلها، عن عائشة رضى الله عنها قالت: «كان رسول الله صلى الله عليه وسلم إذا انصرف من العصر دخل على نسائه، فيدنوا من إحداهن[112]». وفي رواية «كان كل يوم إلا وهو يطوف علينا جميعا، فيدنوا من كل امرأة من غير مسيس» وفي رواية «من غير وقاع - حتى يبلغ إلى التى هو يومها فيبيت عندها[113]». فإن واقع إحداهن طاف عليهن.

وإذا تزوج الرجل بكرا ولديه زوجات أقام عندها بعد الدخول سبع ليال، ثم قسم بينها وبين بقية الزوجات يبيت عند كل واحدة مثل الأخرى، وإن كانت ثيبا أقام عندها ثلاثا، فإن أحبت أن يقيم عندها سبعا فعل وقضاهن للبواقى.

---

(١١٠) ابن حجر، فتح البارى ٣٢١/٦.

(١١١) القرطبى ١٧٣/١٤.

(١١٢) رواه البخارى، في النكاح، ومسلم ١١٠٢/٢.

(١١٣) رواه أبو داود.

روى أبو قلابة عن أنس بن مالك رضى اللـه عنه: «من السنة إذا تزوج الرجل البكر على الثيب أقام عندها سبعا، وقسم، وإذا تزوج الثيب أقام عندها ثلاثا ثم قسم». قال أبو قلابة: لو شئت لقلت: إن أنسا رفعه إلى النبى صلى اللـه عليه وسلم [١١٤].

وعن أم سلمة رضى اللـه عنها: أن النبى صلى اللـه عليه وسلم لما تزوجها أقام عندها ثلاثا، وقال: «إنه ليس بك هوان على أهلك، فإن شئت سبعت لك، وإن سبعت لك سبعت لنسائى[١١٥]».

ولا يعد دخول الزوج على زوجته التى لا يبيت عندها قسما لها، وله أن يجلس عندها، ولا يبيت عندها، وللمرأة الحائض مثل غيرها، ولكن النفساء ليس لها قسم لجريان العادة بذلك ورضاها بترك القسم، وإن كانت رغبة في القسم فلها ذلك، و اللـه أعلم.

وللمرأة أن تسقط حقها من القسم وتهبه لغيرها، ودليل ذلك أن السيدة أم سودة رضى اللـه عنها لما أسنت قالت للنبى صلى اللـه عليه وسلم : «لا تطلقنى وأمسكنى، واجعل يومى منك لعائشة ففعل[١١٦]».

ويجوز للمرأة أن تصالح غيرها من الزوجات بشئ تعطيها عند بعض العلماء، ومن هؤلاء ابن خويز منداد، واستدل بحديث عائشة رضى اللـه عنها: «وجد رسول اللـه صلى اللـه عليه وسلم على صفية في شئ، فقالت لى صفية، هل لك أن ترضين رسول اللـه صلى اللـه عليه وسلم عنى ولك يومى؟ قالت: فلبست خمارا كان عندى مصبوغا بزعفران ونضحته، ثم جئت، فجلست إلى جنب رسول اللـه صلى اللـه عليه وسلم ، فقال: «إليك عنى فإنه ليس بيومك». فقلت: ذلك فضل اللـه يؤتيه من يشاء وأخبرته الخبر، فرضى عنها[١١٧]. وروى: «أصلحى بينى وبين رسول اللـه صلى اللـه عليه وسلم ، وقد وهبت يومى لك».

وتعد المتعة الجنسية شرطا أساسا في استقرار الزواج ودوامه، فبها يأتى الولد أو الذرية، وقد أعطى الإسلام للمرأة حق الخلع من الرحل العنين أو المجبوب (المقطوع) إن تبين لها ذلك في دخوله بها، وإن وقع له حادث وهما زوجان لها هذا الحق أيضا خشية الضرر والحرام، فقد جعل الإسلام الرجل صاحب حق فى أن يطلق المرأة العقور إن شاء طلبا للولد، وله أن يتزوج عليها وهذا حقه، ومن ثم للمرأة أن تختلع نفسها منه إن كان ما يمنعه عن مواقعها ليعفها، ولها أن تختلع منه نفسها أيضا إن كان لا ينجب، وإن كان له قدرة

---

(١١٤) متفق عليه، واللفظ للبخارى.

(١١٥) رواه مسلم.

(١١٥) رواه الترمذى في كتاب التفسير: ٣٠٤٠. وصححه الألبانى في صحيح الترمذى.

(١١٧) رواه النسائى في السنن الكبرى: ٨٩٣٣، وأحمد ١٤٥/٦. والطبرانى ٧٠/٢٤ بسند صحيح.

على الجماع، فلها حق إنجاب الأولاد مثله تماما. فإن رضيت به، و الله أعلم [118] دون ولد فلها ذلك. و الله تعالى يقول: ﴿..ولا تنسوا الفضل بينكم﴾ [البقرة: ٢٣٧]

******

---

[118] للعلماء في ذلك اجتهادات يحسن الرجوع إليها، ولا يعتد بما ذكرت إن صح غيره أو أجمع عليه العلماء لمصلحة، وأستغفر الله مما خالف الصواب.

الطـلاق

الطلاق حل رابطة الزوج، أو فسخ عقد الزواج وإنهاء العلاقة الزوجية وهو لمن بيده عقدة النكاح، وهو للزوج العاقل، وهو من حق الرجل وحده دون المرأة، لأنه أملك لرأية وحكمه من المرأة، وأحرص علي بقاء الزوجية، وأصر علي ما يكره، فلا يسارع في الغضب بطلاق زوجته، ويشترط أن يكون عاقلا، رشيدا ومسئولا عن فعله، ولا طلاق علي مكره، ويسمي حل العقد من قبل الرجل طلاقا ومن قبل المرأة خلعا.

والطلاق جائز شرعا ومباح إن وقع عن أسباب توجبه ويخشي إن لم يعمل به من الوقوع في الفواحش والمعصية.

والطلاق أبغض الحلال إلى الله تعالي، لأنه حل رابطة الزوجية التي تعاهد فيها الزوجان علي البر والتقوي والعمل بكتاب الله تعالي وسنة نبيه صلى الله عليه وسلم قال تعالي: **﴿...وأخذن منكم ميثاقا غليظا﴾**[النساء: ٢١] أي عهدا موثقا، وليس مستحبا، عن ابن عمر رضي الله عنه قال رسول الله صلى الله عليه وسلم : «أبغض الحلال إلي الله عز وجل الطلاق[1]» ومن أدب الإسلام في معاملة الزوجة، أن يحسن الرجل الظن بها، ويتحسس عيوبها، ولا يرتاب فيها؛ لئلا يواقع شكه شيئا، فيظنه هو، فيؤذيها ويفسد ما بينهما، فلا يتتبع الرجل عثرات زوجته، ولا يدخل عليها دون استئذان لئلا يراها علي غير ما يحب ولا يروعها، والسلام والاستئذان من فضائل هذا الدين، ويجب عليه أن يرسل إليها إن كان في سفر بعودته أو يهاتفها بالهاتف أو المحمول يخبرها بزمن قدومه عليها.

وكان النبى صلى الله عليه وسلم يستأذن على زوجاته ويأمر أصحابه بذلك، عن جابر بن عبد الله رضي الله عنه قال: «نهي رسول الله صلى الله عليه وسلم أن يطرق الرجل أهله ليلا، وأن يتخونها، أو يلتمس عثراتها[2]»، ويجب علي الرجل الغائب أن يمهل زوجته فتحسن من نفسها وتتزين له قال صلى الله عليه وسلم «أمهلوا حتي ندخل ليلا، فتمتشط الشعثة، وتستحد المغيبة[3]»، لأن هذا يوقع النفور والبغض، وأولي له أن يراها علي أحسن حال تحقيقا للمودة والرحمة والسكن.

---

(1) رواه أبو داود والحاكم.

(2) رواه البخاري ٣٠٩/١، ومسلم ١٥٢٧/٣، وأبو داود ٢٧٧٦، والنسائي: عشرة النساء٢٥٩.

(3) رواه البخاري في النكاح، والفتح ٢٥٤/٩. وأبو داود:٢٧٧٦. والنسائي: العشرة ٢٦٢، وتستحد: تزيل شعر العانة.

وأوجب الإسلام للمرأة مثل ذلك، فالمرأة تحب الرجل اللين، حسن المنظر والهيئة وتبغض الغليظ الجلف القبيح، وقسوة الرجال وبخلهم وعدم اعتباطهم بزوجاتهم ورعاية حقوقهن، وعدم وفائهم بحاجاتهم النفسية والجسدية تفسد بينهم وبين نسائهم، ويرغبن في مفارقتهم، ولقد أمر الله تعالي بحسن المعاشرة **﴿وعاشروهن بالمعروف﴾[النساء: ١٩]**، وأمر الله تعالي الرجال بالوفاء بحقوق النساء من المهر والنفقة وحسن المعاشرة، فإن كرهها لقبح أو سوء خلق من غير ارتياب فاحشة أو نشوز، فلا يعجل أحدكم بالطلاق، فعسي أن يرزقك الله تعالي منها أولادا صالحين.

وقد نهي النبي صلى الله عليه وسلم عن تسرع الرجل في افتعال ما يتسبب عنه الفراق، فيتكلف الكره والنفور عن غير مذمة فيها أو أن يتحسس عيوبها ولا يري غيرها عن أبي هريرة رضي الله عنه قال: قال رسول الله صلى الله عليه وسلم : «لا يفرك مؤمن مؤمنة إن كره منها خلقا رضي منها آخر»أي لا يبغضها كرها يحمله علي فراقها، بل يحمل سيئتها لحسنتها ويتغاضي عما يكره إلي ما يجب . ولعن النبي صلى الله عليه وسلم كل رجل يطلق عن غير سبب شرعي؛ غير الرغبة في استبدال النساء «لعن الله كل ذواق مطلاق».

وقال في المرأة التي تطلب الطلاق عن غير سبب يوجبه «أيما امرأة سألت زوجها طلاقا من غير بأس، فحرام عليها رائحة الجنة[٤]». وليس من المسلمين من يفسد بين زوجين، فيفرق بينهما: «ليس منا من خبب امرأة علي زوجها[٥]»، وليس من الدين أن تشترط امرأة مسلمة طلاق أختها المسلمة من زوجها، لتتزوجه: «لا تسأل المرأة طلاق أختها لتستفرغ صحفتها وتنكح، فإنما لها ما قدر لها» أي ليكون الزوج بلا زوجة، فتتزوجه، وسوف يأتيها رزقها بوجه شرعي، فلا تستعجله بالمعصية. وليس لأحد أن يطلق غير الزوج، فلا طلاق لمن لم يكونوا أزواجا لنساء أجنبيات: «إنما الطلاق لمن أخذ بالساق»، وجاء في الحديث: «لا نذر لابن آدم فيما لا يملك، ولا عتق له فيما لا يملك، ولا طلاق له فيما لا يملك[٦]»، وإن كان الوالد عدلا صالحا وجبت طاعته فيما يتعلق بحق الابن في الفعل نحو الإمساك أو الطلاق بيد أنه لا يملك الطلاق بل ابنه، عن عبد الله بن عمر رضي الله عنهما قال: «كانت تحتي امرأة، وكنت أحبها، وكان عمر يكرهها فأبيت، فأتي عمر رضي الله عنه النبي صلى الله عليه وسلم فذكر ذلك له، فقال النبي صلى الله عليه وسلم : طلقها[٧]».

---

(٤) رواه أصحاب السنن وحسنه الترمذي.

(٥) رواه أبو داود والنسائي خبب: أفسد.

(٦) رواه الترمذي وحسنه.

(٧) رواه أبو داود ٥١٣٨/٤، والترمذي ١١٨٩/٣، وابن ماجة ١٦٩٨،وحسنه الألباني، وروى مثل هذا عن إبراهيم عليه السلام، قال لزوجة ولده بعد أن سألها عن معيشتها مع زوجها فشكت وتبرمت ولم تحسن ضيافته: إذا أتاك فقولى له: إن أباك يأمرك أن تغير عتبة بيتك، فقال: هذا أبي يأمرني بطلاقك، فطلقها.

وهذا الحكم ليس مطلقا، فليس لكل أب ذلك وإنما هو لكل من كان في عدالة عمر رضي الله عنه وتقواه وصلاح سريرته، فقد أمر النبي صلى الله عليه وسلم عبد الله بطلاقها لما علمه من خلق عمر رضي الله عنه أنه رأي فيها ما يوجب طلاقها ولم يطلب منه صلى الله عليه وسلم كشف السبب لئلا يكشف في الناس سترا للمرأة.

وعن أبي الدرداء رضي الله عنه أن رجلا أتاه فقال: «إن لي امرأة وإن أمي تأمرني بطلاقها»، فقال: سمعت رسول الله صلى الله عليه وسلم يقول: «الوالد أوسط أبواب الجنة، فإن شئت فأضع ذلك الباب أو احفظه[8]» فإن كانت الأم صالحة بارة تقية، وعلي علم بالدين وتتحفظ فيما تعلمه عنها مما لا يجوز نشره لئلا يكون قذفا دون شهود، فنصحت ولدها بالطلاق، فليس عليه شئ إن أجابها فطلق زوجته عملا بنصيحتها دون أن تخبره بما يؤذيه في نفسه، ولا يسأل عما يؤذيه ويسوءه، و الله أعلم.

والطلاق مباح لرفع الضرر عن أحد الزوجين بقوله تعالي: **﴿الطلاق مرتان فإمساك بمعروف أو تسريح بإحسان...﴾** [البقرة: ٢٢٩]، وقوله تعالي: **﴿يا أيها النبي إذا طلقتم النساء فطلقوهن لعدتهن﴾** [الطلاق: ١].

والطلاق الواجب ، وهو طلاق الحكمين في الشقاق بين الزوجين ، إن رأيا أن الطلاق هو آخر ما توصلا إليه ، لقطع الشقاق بعد استحالة الإصلاح : **﴿وإن خفتم شقاق بينهما فابعثوا حكما من أهله وحكما من أهلها إن يريدا إصلاحا يوفق الله بينهما﴾** [النساء: ٣٥].

وطلاق المؤلي: الذى أقسم ألا يجامع روجته بعد التربص أربعة أشهر، قال تعالي: **﴿للذين يؤلون من نسائهم تربص أربعة أشهر فإن فآؤوا فإن الله غفور رحيم ﴾ (٢٢٦)، ﴿وإن عزموا الطلاق فإن الله سميع عليم﴾ (٢٢٧)[البقرة]**.

وهذا الطلاق يكون عن نفور وبغض ونشوز ومخالفة وتقصير في الدين، أو أن تأتي بفاحشة أو تكون علي سوء خلق، أو يخشي الضرر في حق أحدهما بالمخالفة والإهمال وعدم الطاعة.

والطلاق المحرم الذي يكون عن غير سبب يوجبه، ويقع به الظلم علي المرأة، ويعد بغيا عليها بغير ما كتسبت من الإثم، ولم تأت بفاحشة وليست بناشز تأبي الطاعة، فالطلاق هنا ظلم ويبغضه الله عز وجل، لأنه يجلب ضررا ولا يرد مفسدة.

---

(٨) رواه الترمذي ١٩٠٠/٤وقال حديث حسن صحيح، وابن ماجة ١٦٩٩، وصححه الألباني.

وأمرهم الـلـه تعالي أن يعاشروهن بالمعروف، وألا يكره الرجل زوجته تعسفا وظلما لها، فلا يعلم ما وراء ذلك أهو خير أم شر له، فقد يكون في بقائها معه زوجة خير عظيم لا يعلمه إلا بعد فراقها فيندم.

وإن عزم الرجل علي الطلاق، فيجب عليه أن يرد إليها مالها ولا يأخذ شيئا مما أعطاه لها علي ما كانوا عليه في الجاهلية: **﴿وإن أردتم استبدال زوج مكان زوج وآتيتم إحداهن قنطارا فلا تأخذوا منه شيئا أتأخذونه بهتانا وإثما مبينا(٢٠) وكيف تأخذونه وقد أفضى بعضكم إلى بعض وأخذن منكم ميثاقا غليظا(٢١)﴾** [النساء].

وفراق المستمتع بها غير محدود بعدد ولكن طلاق الزوجة محدود بعدد وهو ثلاث طلقات، قال تعالي: **﴿الطلاق مرتان فإمساك بمعروف أو تسريح بإحسان...﴾** [البقرة: ٢٢٩]، فإن طلقها الزوج طلقة ثالثة بانت منه بينونة كبرى، ولا يحل له ردها حتي تتزوج من آخر، فإن فارقها الثاني حل لها زواجها بعقد ومهر جديدين.

ولكن يجوز للمتمتع أن يستمتع بالمرأة وعلي الأجل الذي حدده لها في العقد، ثم يفارقها، وله أن يعقد عليها مرات دون تحديد العدد مثل طلاق الزوجة، وليس لها نفقة علي من تمتع بها أو مسكن في مدة العدة (وهي خمسة وأربعون يوما لغير الحامل).

والناشز لا نفقة لها حتي تعود إلي طاعة زوجها وبيته، ونشوزها لا يسقط عنها النفقة نهائيا، بل في حال حدوثه فقط، فهو سبب عارض يوقف النفقة بينما المتمتع بها لا نفقة لها مطلقا، لأن عقدها لا يعد في حكم الزواج الشرعي، وليس فيه سوي حق نسب الولد لأبيه وإن ترتب عليه حمل، وقد ثبت النهى عن المتعة وتحريمها بعد النهى عنها.

ولقد أمرت الشريعة الإسلامية الزوجين أن يؤدي كل واحد منهما ما يجب عليه نحو الآخر من حقوق وتكاليف، ونهت عن كل ما يفسد الحياة الزوجية، قال تعالي: **﴿...وعاشروهن بالمعروف فإن كرهتموهن فعسى أن تكرهوا شيئا ويجعل الـلـه فيه خيرا﴾**[النساء: ١٩]، فإن وقع بينهما الشقاق الذي لا يرجي التئامه، فتنافرا تنافرا لا علاج له، أخذا بالرحضة المباحة، قال تعالي: **﴿وإن يتفرقا يغن الـلـه كلا من سعته وكان الـلـه واسعا حكيما﴾** [النساء:١٣٠] وذلك في حالة امتناع الصلح بينهما، واختار الفراق تخوفا من ترك الحقوق التي أوجبها الـلـه تعالي كل واحد منها عن الآخر، باستقامتها وصلاحهما وفراقهما بالمعروف دون أن يظلم أحدهما الآخر، أو يسيء إليه بعد تركه، فيخوض في عرضه ويأكل لحمه، فيجب علي كل واحد منهما أن يتعفف عن الطعن في الآخر؛لئلا تشيع

الفاحشة.

والطلاق هو أبغض الحلال إلي الـلـه وقد يكون الحل، والعلاج الفريد للنفـور والـبغض، وهـذا يتنـافي مع الأسس التي قام عليها الزواج وهو المودة والرحمة والسكن وإقامة حدود الـلـه تعالي.

وقد تتمرد الزوجة علي زوجها وتعصيه ولا تجيبـه في طاعـة وتـأبي فراشـه، ولا تسـتجيب لنصـيحة أو وعظ، ولا تستجيب لتأديب أو توبيخ وتقريع، وعجز الحكمان عن الإصلاح بينهما، فلهما أن يفترقا بـالمعروف دون قهر الزوجة التي نفرت وتعالت علي زوجها.

قال تعالي: **﴿واللاتي تخـافون نشـوزهن فعظـوهن واهجـروهن في المضـاجع واضربـوهن فـإن أطعنكم فلا تبغوا عليهن سبيلا إن الـلـه كان عليا كبيرا(٣٤)وإن خفتم شـقاق بيـنهما فـابعثوا حكـما من أهله وحكما من أهلها إن يريـدا إصـلاحا يوفـق الـلــه بيـنهما إن الـلــه كـان علـيما خبـيرا(٣٥) ﴾[النساء]**، فالطلاق حل إن لم يريدا الإصلاح، وإن كان الزوج يرغب في الفراق الزوجة، وهي متمسكة به فلها أن ترضاه فتتنازل عما يستثقله أو ما يوصل إلي الفراق، كأن تتنازل عن النفقة أو الكسوة أو غيره ذلـك رغبـة في الإصلاح قال تعـالي: **﴿وإن امرأة خافت من بعلها نشوزا أو إعراضا فلا جناح عليهما أن يصلحا بينهما صـلحا والصـلح خـير وأحضرت الأنفـس الشـح وإن تحسـنوا وتتقـوا فـإن الـلــه كـان بمـا تعملـون خبيرا﴾[النساء: ١٢٨]** فلزوجة أن تصالح زوجها، فتعقد معه صلحا يحفظ زواجهـما، وهـذا أهـون عليهـا مـن الفراق إن كانت مريضة أو مسنة تعجز عن أداء حقوق زوجها، وهذا وجه من وجوه تعدد الزوجات، فـالمرأة قد تكون عقيما ولا تريد المفارقة، فلها أن تبقي ثانية، وإن أبي الزوج الذي تزوج بأخرى خشـية أعبـاء النفقـه، فلها أن تتنازل عما يخشاه، وهذا توسعة علي النساء بيـد أن ضـعاف العقـل لا يعقلـون، فيقولـون في الإسـلام منكرا من القول وزورا. فالزوج قد يكون بخيلا يخشي النفقـة، فيـأبي الصـلح، فتتألفـه الزوجـة بشيـء لتصـلح نفسه، وهذا علاج للنفوس المريضة وحل ملائم للمرض والعجائز من النسـاء الـلاتي يـردن أزواجهـن، ويـرفض فراقهم.

فإن وقع الطلاق بين الزوجين بعد الدخول، وجبت عليها العدة، فإن وقع قبل الدخول بها فليس لغير المدخول بها عدة، قال تعالي: **﴿يا أيها الذين آمنـوا إذا نكحـتم المؤمنـات ثـم طلقتمـوهن مـن قبـل أن تمسوهن فما لكم عليهن من عدة تعتدونها..﴾**

[الأحزاب: ٤٩]، ولهذا يجب علي المخطوبة المعقود عليها ألا تسمح لخطيبها بالجماع، لأن الزواج لم يكتمل بالدخول، ولا عدة لها إن فارقها، فإن دخل بها وشهد الناس بذلك وجبت عليها العدة بالطلاق قال تعالي: ﴿**يا أيها النبي إذا طلقتم النساء فطلقوهن لعدتهن وأحصوا العدة واتقوا الله ربكم...**﴾[الطلاق:١] يجب عليهم أن يعرفوا عدد الأيام، ويجب عليهم أن يطلقوا أزواجهم في طهر لم يجامعوهن فيه، ثم يطلقها، ويجب عليه ألا يخرجها حتي تنقضي عدتها، فله أن يراجعها في ذلك، وهو أحق بردها إليه فالطلاق الصحيح أن يطلقها في طهر لم يجامعها فيه، وقد جعل الله تعالي هذه المدة واشترط هذا الشرط ليطيل مكثها عنده لعله يرجع عن الطلاق ويصطلحا، ولا يصح الطلاق في الحيض أو النفاس، لأنه طلاق بدعي مخالف للسنة.

ولا يجب علي الرجل أن يخرجها من بيته قبل انقضاء عدتها، وتجب عليه نفقتها ويجب عليه المسكن: ﴿**...لا تخرجوهن من بيوتهن ولا يخرجن إلا أن يأتين بفاحشة مبينة...**﴾[الطلاق: ١] فالرجل لا يخرجها، ولا يجب عليها أن تخرج أيضا إلا في حالة ارتكابها فاحشة ثبتت عليها، فهي صاحبة حق في المكث إن لم ترتكب فاحشة، وقد أجمع العلماء علي وجوب عدم إخراجها قبل انتهاء عدتها، ولهذا الحكم فوائد عظيمة، فقد يراجعها بعد صلح، وقد يظن الناس بها سوءا إن خرجت، وليس لها أن تتزوج، فوجبت نفقة مطلقها عليها أيام العدة.

يطلق الرجل زوجته طلقة واحدة فقط ولا يزيد، فإن زاد فقد تعدي حدود الله تعالي: ﴿**...ومن يتعد حدود الله فقد ظلم نفسه لا تدري لعل الله يحدث بعد ذلك أمرا**﴾ [الطلاق: ١] فطول الفترة والمكث عنده يفتحان بابا للمصالحة بين الرجل والمرأة، وهذه معالجة رشيدة للخلافات بين الزوجين.

وقد أمر النبي صلى الله عليه وسلم بأن يطلق الرجل طلقة واحدة رجعية ولا يطلق ثلاثا في طلاق واحد كأن يقول: أنت طالق ثلاثا، أو أنت طالق، طالق، طالق.

وقد أخبر النبي صلى الله عليه وسلم أن رجلا طلق زوجته ثلاثا فقال غاضبا: «أيلعب بكتاب الله وأنا بين أظهركم[٩]». وللزوج أن يراجع زوجته مرتين رجعيتين، والطلاق البائن أن يطلقها ولا يراجعها في العدة حتى تنقضي عدتها، فتبين عنه بمجرد انقضاء عدتها، أو تخلع نفسها بمال تدفعه مخالعه، أو أن يطلقها الحكمان طلاقا نهائيا أصلح من الإبقاء علي الزواج، أو أن يطلقها ثلاثا في كلمة واحدة أو متفرقات في المجلس أو يطلقها ثالثة بعد اثنتين قبلها، فتبين

---

(٩) رواه النسائي، وإسناده جيد.

منه بينونة كبري، فلا تحل له حتى تنكح زوجا غيره زواجا شرعيا، وليس ما يعرف بالمحلل؛ لأنه زواج فاسد لا تحل به لزوجها الأول[10]. وللزوج أن يراجع زوجته في الطلاق الرجعي، وهو ما دون الثلاث في الدخول بها، فله أن يراجعها دون مهر، ولو بدون رضاها، وهو أحق بردها من زواجها من غيره قبل أن تنقضي عدتها التي تبين لها بينونة صغرى قال تعالي:﴿ **...وبعولتهن أحق بردهن في ذلك إن أرادوا إصلاحا**﴾[**البقرة: ٢٢٨**] وللمطلقة طلاقا رجعيا النفقة والسكني كحكم الزوجة.

ويقول المطلق لها إن أراد مراجعتها في فترة العدة: لقد راجعتك، ويشهد علي ذلك شاهدي عدل، والطلاق من ناحية التلفظ به طلاق صريح يقول فيه: أنت طالق، أو طلقتك.ولا يحتاج إلي نية لأنه يقع باللفظ الصريح. وطلاق الكتابة، ويحتاج إلي نية الطلاق أو القصد به، لأن المطلق يكني عن الطلاق، فيقول: الحقي بأهلك، اخرجي من بيتي، ارجعي إلي أهلك، أو غير ذلك من الألفاظ التي يكني بها عن مقصده بالطلاق.

وهناك طلاق معلق يقع بما علق به أو ما اشترطه الزوج لحدوث الطلاق، كأن يقول إن أنجبت بنتا فأنت طالق، أو إن خرجت من البيت فأنت طالق، أو إن فعل أبوك كذا فأنت طالق، أو غير ذلك من الألفاظ التي يشترط فيها الطلاق بشرط أو يربطه بشيء، فيقع الطلاق بحدوث ما رهن به أو ما يتعلق بإنجازه، فسمي الطلاق المعلق والمنجز.

وهنالك طلاق التخيير أو التمليك، وهو أن يفوض للزوجة أمر الطلاق تخييرا بين أن تبقي معه أو تختار الطلاق، فيقول لها: خيرتك في مفارقتي أو البقاء معي أو خيرتك بين الطلاق أو البقاء معي، وقد خير النبي صلى الله عليه وسلم أزواجه بين البقاء معه علي ما هو عليه من تواضع في العيش وبين مفارقته، قال تعالي:﴿**يا أيها النبي قل لأزواجك إن كنتن تردن الحياة الدنيا وزينتها فتعالين أمتعكن وأسرحكن سراحا جميلا** ﴾ [**الأحزاب:٢٨**]. أو يقول الزوج لزوجته: ملكتك أمر نفسك أو أمرك بيدك فاختاري بيني وبين مفارقتي، فإن قالت: طلقت نفسي منك أو اخترت الطلاق، فهي طالق طلقة رجعية، وإن قالت: أنا طالق منك ثلاثا، فهي بائن منه لا يملك رجعتها ولا نكاحها إلا بعد زواجها من آخر.

وهناك الطلاق بالوكالة، وهو أن يوكل الرجل من ينوب عنه في طلاق زوجته، أو يكتب إليها بذلك إن تعذر حضوره، وقد أجاز العلماء ذلك فالطلاق يجوز فيه ما يجوز في الوكالات، وهذا تيسير علي الناس، والكتابة تقوم مقام النطق عند تعذر حضور الزوج أو

---

(10) البينونة الصغري هي التي تكون بانقضاء العدة قبل الطلقة الثالثة التي لا تحل له حتي تنكح زوجا غيره.

لمرض يعجزه عن الكلام، فيكتب ويبين رغبته في الطلاق صراحة باللفظ الصريح: طلقت أو بما في معناه من ألفاظ الطلاق.

واختلف العلماء في الظهار هل هو طلاق أم تحريم للوطء فقط، وهو أن يقول الرجل لزوجته أنت علي حرام أو تحرمين علي أو أنت محرمة علي مثل أمي أو أختي أو غيرهما من المحارم التي لا يجوز له الزواج منهن مطلقا، وقد قال بعض العلماء: إن نوي به الطلاق فهو طلاق، وإن نوي به الظهار فهو ظهار، وإن أراد به الحلف فهو حلف، كأن يقول: أنت حرام إن فعلت كذا أو إن خرجت، فتجب عليه كفارة (اليمين لا غير) قال ابن عباس رضي الله عنه: «إذا حرم الرجل امرأته فهي يمين يكفرها، ثم قال: لقد كان لكم في رسول الله أسوة حسنة». يريد بذلك النبي صلى الله عليه وسلم عند ما حرم مارية أم ولده إبراهيم رضي الله عنه، وكانت سرية، فتظاهرت عليه زوجاته، فحرمها علي نفسه استجابة لهن، فعاتبه ربه في ذلك: **﴿يا أيها النبي لم تحرم ما أحل الله لك تبتغي مرضات أزواجك و الله غفور رحيم﴾** [التحريم: ١] وقد جعل له كفارة: **﴿قد فرض الله لكم تحلة أيمانكم و الله مولاكم وهو العليم الحكيم﴾** [التحريم:٢].

وكفارة اليمين في قوله تعالي: **﴿فكفارته إطعام عشرة مساكين..﴾** [المائدة:٨٩][11]

الظهار:

قول الرجل لزوجته: أنت علي حرام كظهر أمي، أو ما في معناه يريد به تحريم زوجته علي نفسه مثل محارمه اللائي لا يجوز زواجهن مطلقا كالأم والأخت والعمة والخالة. وليست زوجته كأمه في التحريم، وعاتب الله تعالي المظاهرين من نسائهم: **﴿الذين يظاهرون منكم من نسائهم ما هن أمهاتهم إن أمهاتهم إلا اللائي ولدنهم وإنهم ليقولون منكرا من القول وزورا وإن الله لعفو غفور﴾** [المجادلة: ٢] وقد نزلت كفارة الظهار في شأن امرأة مسلمة (خولة بنت ثعلبة رضي الله عنها) طلبها زوجها أوس بن الصامت فأبت عليه ، فغضب عليها ، وكان سريع الغضب ، فقال : أنت علي كظهر أمي .

---

(11) إن طلق الرجل زوجته ثلاثا في يمين واحد يسمي يمينا حراما، ولا تحل له حتي تنكح زوجا غيره، لأنها بانت منه بينونة كبري، واختلف العلماء فيمن أقسم ثلاثا متواليات، فرأي بعضهم أنها ثلاث طلقات، ورأي بعضهم طلقة واحدة، واشترطوا فيها التتابع والتلاحق دون انقطاع طويل في موقف واحد.

وكان الإيلاء والظهار من الطلاق في الجاهلية.[١٢]

ونزل حكم الكفارة قال تعالى: **﴿والذين يظاهرون من نسائهم ثم يعودون لما قالوا فتحرير رقبة من قبل أن يتماسا ذلكم توعظون به و الله بما تعملون خبير(٣) فمن لم يجد فصيام شهرين متتابعين من قبل أن يتماسا فمن لم يستطع فإطعام ستين مسكينا ذلك لتؤمنوا بالله ورسوله وتلك حدود الله وللكافرين عذاب أليم(٤)﴾ [المجادلة: ٤].**

ويقول الرجل لزوجته ينوي اليمين (القسم): أنت علي حرام إن فعلت كذا أو مثل ذلك ينوي القسم.

فذهب بعض العلماء إلي أنه ليس بطلاق ولا بظهار بل هو تحريم شئ مباح قال تعالي: **﴿يا أيها الذين آمنوا لا تحرموا طيبات ما أحل الله لكم﴾[المائدة: ٨٧].**

والزوجة من الطيبات ومما أحل الله وقال تعالي: **﴿ولا تقولوا لما تصف ألسنتكم الكذب هذا حلال وهذا حرام﴾[النحل: ١١٦]** وروي أن النبي صلى الله عليه وسلم دخل بأم ولده مارية القبطية في بيت حفصة، فوجدته حفصة وكانت حفصة غابت إلي بيت أبيها فقالت له: «تدخلها بيتي! ما صنعت بي هذا من بين نسائك إلا من هواني عليك. فقال لها: لا تذكري هذا لعائشة فهي علي حرام إن قربتها»، قالت حفصة: وكيف تحرم عليك وهي جاريتك؟ فحلف ألا يقربها. فقال النبي صلى الله عليه وسلم : «لا تذكريه لأحد» فذكرته لعائشة، فآلي لا يدخل علي نسائه شهرا فاعتزلهن تسعا وعشرين ليلة، فأنزل الله تعالي: **﴿...لم تحرم ما أحل الله لك ....﴾ [التحريم: ١]**[١٣] وفي هذا الحديث عبد الله بن شعيب؛ ورأي بعض العلماء أنه واهي الحديث، وروي الحديث مرسلا: حرم رسول الله صلى الله عليه وسلم أم إبراهيم فقال: أنت علي حرام الله لآتينك فأنزل الله تعالي في ذلك: **﴿يا أيها النبي لم تحرم ما أحل الله لك﴾ [التحريم: ١]**[١٤] وكان هذا التحريم استجابة لغيرة زوجاته وإرضاء لهن رضوان الله عليهن، ولا يعد هذا يمين طلاق بل تلزمه كفارة اليمين (القسم)، قال تعالي: **﴿قد قد فرض الله لكم تحلة أيمانكم﴾ [التحريم:٢]** وليس إلا تحريم الطيبات التي أحلها الله تعالي، قال تعالي: **﴿قل أرأيتم ما أنزل الله لكم من رزق فجعلتم منه حراما وحلالا قل الله**

---

(١٢) القرطبي جـ ٢٠٥/١٧.

(١٣) أخرجه الدار قطني ٤١،٤٢/٤، وقد ضعف العلماء عبد الله بن شعيب، وقالوا فيه عبد الله من شعيب هو أبو سعيد إخباري علامة، لكنه واه قال أبو أحمد الحاكم ذاهب الحديث.

(١٤) أخرجه ابن سعد في طبقاته ١٥٠/٨ وهو حديث مرسل عن مالك عن فريد بن أسلم.

أذن لكم أم على الـلـه تفترون﴾ [يونس: ٥٩].

هذا لا يعد طلاقا، ما لم ينو الحالف طلاقا ولا ظهارا، وهذا اللفظ يوجب كفارة اليمين، وحلفه علي امرأة واحدة كحلفه علي جميع زوجاته وإمائه ويلزمه في ذلك كفارة واحدة، والزوجة التي طلقت ثلاثا متفرقات لا يجوز لها أن ترجع إلي زوجها إلا بعد أن تتزوج بآخر وتتحقق العشرة بينهما، فإن طلقها جاز لها أن تتزوج الرجل الأول الذي تزوجته من قبل وذلك بعد انقضاء عدتها، فتتزوج منه بمهر وعقد جديدين، ويسقط عنه الطلاق السابق لأنه زواج جديد لا يقوم علي الزواج السابق، قال تعالي: **﴿...الطلاق مرتان فإمساك بمعروف أو تسريح بإحسان...﴾** [البقرة: ٢٢٩].

وللزوج أن يراجعها في الأولي والثانية قبل أن تعالي: **﴿...بعولتهن أحق بردهن في ذلك...﴾** [البقرة: ٢٢٨] أي بمراجعتهن، وتكون في العدة: **﴿والمطلقات يتربصن بأنفسهن ثلاثة قروء﴾** [البقرة: ٢٢٨] أي ثلاثة حيضات أو تطهر ثلاثة أطهار من الحيضات، وهي عدة عامة في المطلقات غير الحوامل أو الأرامل.

وأزواج المطلقات دون الثلاث أحق بمراجعتهن مالم تنته عدتهن، فإن لم يراجعها في العدة، فهي أحق بنفسها وتصير أجنبية لا تحل له إلا بخطبة ونكاح بمهر وولي وشهود، فإن راجعها في العدة فلا يلزمه شئ من أحكام النكاح غير الإشهاد علي المراجعة فقط بإجماع العلماء. والمرأة تكون في العدة في بيته وتمنعه من نكاحها حتي يشهد الناس علي مراجعتها، قال تعالي: **﴿فإذا بلغن أجلهن فأمسكوهن بمعروف أو فارقوهن بمعروف وأشهدوا ذوي عدل منكم﴾** [الطلاق:٢] أي أشهدوا شاهدين علي المراجعة قبل أن تنتهي العدة، فإن طلاقها ثالثة فلا تحل له حتي تتزوج بآخر عقابا له فيحرمه الـلـه تعالي منها، فإن فارقها الآخر حل له زوجها كأول مرة قال تعالي: **﴿فإن طلقها فلا تحل له من بعد حتى تنكح زوجا غيره﴾** [البقرة: ٢٣٠] لأنها حرمت عليه وبانت منه بينونة كبري. ولا يجوز للناس أن يحتالوا علي حدود الـلـه تعالي ويخادعون الـلـه تعالي لسوء اعتقادهم وجهلهم بالدين، فيعقدون زواجا صوريا، ويتوهمون أنهم زوجوها من ثان، ثم يفك عقدها في الحال وتعود لزوجها، ويزعمون أنها حلت له، ولم تحل له؛ لأن زواج المحلل فاسد، ولا يعد زواجا شرعيا، فالزواج الصحيح يقوم علي نية صادقة ورغبة في النكاح لا التحليل فلا يعد زواجا، وليست فيه عدة، وهذا ما يبطله، وقد أوجب العلماء الدخول بها، واختلف العلماء فيمن يعقد عليها بنية الدخول بها ثم يفترقا لسبب آخر غير التحليل للزوج الأول كالاختلاف أو النزاع أو التغرير، وجمهور العلماء يشترطون الدخول بها الذي يوجب الغسل، فلا تحل للأول حتي يجامعها الثاني بعقد صحيح ، وجاء في الحديث: «لعن رسول الـلـه صلى الـلـه عليه وسلم الواشمة

والمستوشمة والواصلة والمستوصلة وآكل الربا والمحلل والمحلل له[١٥]». وجاء عن عبد الله بن مسعود رضي الله عنه قال: «لعن رسول الله صلى الله عليه وسلم المحلل والمحلل له[١٦]»، قال الترمذي: هذا حديث حسن صحيح. وزواج المحلل فاسد، ولا يجوز لمن فعله أن يعقد عليه زواجا مع المرأة، فيجب عليه أن يعقد عليها عقدا صحيحا، وقال سفيان الثوري: إذا تزوج الرجل المرأة ليحلها ثم بداله أن يمسكها فلا تحل له حتي يتزوجها بنكاح جديد، وهذا رأي مالك، وقال: إنها لا تحل لزوجها الأول بهذا النكاح ويجب أن يفسح هذا العقد لعدم صحته، وذهب إلي هذا الشافعي، وهذا هو المعمول به في عهد النبي صلى الله عليه وسلم وعهد الخلفاء الراشدين[١٧].

قالت عائشة رضي الله عنها جاءت امرأة رفاعة القرظي رسول الله صلى الله عليه وسلم ، وأنا جالسة وعنده أبو بكر، فقالت: يا رسول الله، إني كنت تحت رفاعة، فطلقني فبت طلاقي، فتزوجت بعده عبد الرحمن بن الزبير، وإنه و الله ما معه يا رسول الله إلا مثل الهدبة، وأخذت هدبة من جلبا بها، فسمع خالد بن سعيد قولها، وهو بالباب لم يؤذن له، قالت: فقال خالد: يا أبا بكر ألا تنهي هذه عما تجهر به عند رسول الله صلى الله عليه وسلم ؟ فلا و الله ما يزيد رسول الله صلى الله عليه وسلم علي التبسم، فقال لها رسول الله صلى الله عليه وسلم : «لعلك تريدين أن ترجعي إلي رفاعة ؟ لا حتي يذوق عسيلتك، وتذوقي عسيلته، فصار سنه بعد[١٨]»، أي يدخل بها، ويتحقق النكاح، فإن طلقها حلت لزوجها الأول بعد العدة.

الإيلاء:

وهو أن يحلف الرجل بالله تعالي أن يجامع زوجته مدة تزيد عن أربعة أشهر وهو جائز شرعا لتأديب الزوجة إذا كان أقل من أربعة أشهر، قال تعالي: **﴿للذين يؤلون من نسآئهم تربص أربعة أشهر فإن فآؤوا فإن الله غفور رحيم﴾**[البقرة: ٢٢٦][١٩].

وقد آلي رسول الله صلى الله عليه وسلم من نسائه شهرا كاملا، فهجر نساءه واعتزلهن، فصعد إلي حجرة أعلي حجراتهن وأقام بها شهرا، وكان هجره لهن تأديبا، ويحرم الإيلاء أن يكون لغير التأديب، كأن يكون بقصد الإضرار، وقد كان الإيلاء في الجاهلية، قال عبد الله بن عباس

([١٥]) رواه النسائي، كتاب الطلاق ١٤٩/٦، وأحمد ٤٤٨/١، وصححه الألباني.

([١٦]) رواه الترمذي، كتاب النكاح، وأحمد ٤٥٠/١، وصححه الألباني في صحيح الترمذي.

([١٧]) ارجع إلي القرطبي ١٣٠/٣.

([١٨]) رواه البخاري في كتاب الطلاق، وكتاب اللباس.

([١٩]) الإيلاء من آلي يؤلي والمصدر إيلاء، وألية وألوة وإلوة ومعني: يؤلون : يحلفون.

رضي اللـه عنه : «كان إيلاء الجاهلية السنة والسنتين ، وأكثر من ذلك يقصد مـن ذلـك إيـذاء المـرأة عند المساءة ، فوقعت لهم أربعة أشهر ، فمن آلي بأقل من ذلك ، فليس بإيلاء حكمي[٢٠]».

وقد آلي النبي صلى اللـه عليه وسلم وطلق، فقـد سـألته نسـاؤه النفقـة مـا لـيس عنـده، مسـاواة بالناس وكان النبي صلى اللـه عليه وسلم يعيش علي القليل، وقيل إن زينب بنت جحـش رضي اللــه عنهـا ردت عليه هديته، فغضب فآلي منهن.[٢١] ويشترط في الإيلاء ما يشـترط في الطـلاق، فيصـح عـن العاقـل والحـر والعبد والسكران والمداعب في الهزر، والشيخ الكبير، ويلزم الأخرس الذي يفهم بالإشارة، ويصح الإيلاء بالحلف بالله تعالي، أي يكون اليمين صحيحا حديث النبي صـلي اللــه صـلى اللــه عليـه وسـلم : «مـن كـان حالفـا، فليحلف بالله أو ليصمت[٢٢]». فيقول أقسم بالله أو أحلف أو يمين اللـه، أن لا أجامعك أو أن لا أطأك أولا أنام معك أو غير ذلك، يريد تحريم جماعها، فهو إيلاء.

وبعض العلماء قالوا: إن قال أي يمين ينوي بها عدم جماعها فهو إيلاء، قال الإمام مالك: كل كلام نـوي به الطلاق فهو طلاق، وهذا (الإيلاء) والطلاق سواء[٢٣].

وإن قاطع الزوج بالإيلاء زوجته فلم يواقعها ومر أربعة أشهر بانت منه بالإيلاء، فإن أقسم ألا يطأها مكثت المرأة أربعة أشهر، وتعد عدة، فإن لم يجامعها قبل نهاية الأربعـة أشـهر، وتـم الأجـل فلـه أن يراجعهـا بالوطء ويكفر عن يمينه أو يطلق.والإيلاء يكون من الزوجة وملـك اليمـين والذميـة ولـه أن يـؤلي مـن جميـع زوجاته، فقد فعل ذلك النبي صلي اللـه صلى اللـه عليه وسلم . وتنتظر المرأة من زمن الإيلاء أربعـة أشـهر، والهدف التأديب لا إضرار بعدم الجماع، ويهجرها الزوج في مكان النوم، ولا يترك المنـزل، وقيـل يـترك الفـراش فقط، وقيل يوليها ظهره فلا يقبل عليها بوجهه. وقد استدل العلماء بهذه الآية أن أقصي ما تصبر عليه الزوجة من الجماع أربعة أشهر، فلا تصبر ذات الزوج أكثر منها، هـي العـدة التـي مـات عنهـا زوجهـا (أربعـة أشـهر وعشرا).

روي أن عمر بن الخطاب رضي اللـه عنه كان يطوف ليلة بالمدينة فسمع امرأة تنشد:

ألا طال هذا الليل واسود جانبه ∴ وأرقني أن لا حبيب ألاعبه
فو اللـه لولا اللـه لا شئ غيره ∴ لزعزع من هذا السرير جوانبه
مخالفة ربي والحياء يكفني ∴ وكرام بعلي أن تنال مراكبه
∴

([٢٠]) القرطبي ٩٢/٣.
([٢١]) صحيح مسلم، كتاب الطلاق، وابن ماجة.
([٢٢]) رواه البخاري، في كتاب الشهادات، وأحمد ١١،١٧/٢.
([٢٣]) القرطبي ٩٣/٣.

فلما أصبح استدعي تلك المرأة وسألها عن زوجها؟ فقالت: بعثت به إلي العراق فاستدعي نساء، فسألهن عن المرأة: كم مقدار ما تصبر عن زوجها؟ فقلن: شهرين، ويقل صبرها في ثلاثة، وينفد صبرها في أربعة أشهر، فجعل عمر رضي الله مدة غزو الرجل أربعة أشهر فإذا مضت أربعة أشهر استرد الغازيين ووجه بقوم آخرين.[٢٤]

ويراد بذلك أن هذه المدة لتأديب المرأة، فإن رجعت وتابت عن مشاكسة الزوج وأطاعته أو إن تصالحا فجامعها قبل الأربعة فلا طلاق عليه، وإن انتهت الأربعة أشهر دون صلح أو جماع فيها فهي بائن منه، وفرق بينهما واختلف العلماء في عودته إليها قبل المدة أتكون بالجماع أم بالقول، وانتهي بعضهم إلي أنه يكفي أن يقول لها إنه قد تراجع عن يمينه، لأنه قد يتعذر عليه جماعها كأن يكون في سجن أو في سفر، فيخبرها بذلك، وقال بعضهم لا شئ عليه من الكفارة لقوله تعالي: **﴿ فإن فآؤوا فإن الله غفور رحيم﴾ [البقرة: ٢٢٦]**، وقالوا بعضهم هو يمين حنث فيه ويكفر عنه، والأحوط أن يكفر لشبهة الخلاف، **﴿وإن عزموا الطلاق فإن الله سميع عليم﴾[البقرة: ٢٢٧]** أي انتهت مدة الإيلاء وعقدت نيتهما علي الطلاق، أوحل عقدة النكاح، وذلك بعد أربعة أشهر من عدم الجماع والمراجعة فيها، صارت المرأة طالق، وليس علي الرجل طلاق قبل انقضاء المدة[٢٥].

فإذا مضت مدة الإيلاء ولم يجامع، طالبته الزوجة لدي القاضي إما أن يفيء أو يطلق أي يراجعها أو يطلقها، قال تعالي: **﴿فإن فآؤوا فإن الله غفور رحيم (٢٢٦) وإن عزموا الطلاق فإن الله سميع عليم(٢٢٧)﴾ [البقرة]**، وقال ابن عمر رضي الله عنهما: إذا مضت أربعة أشهر يوقف حتي يطلق [٢٦].

فإن طلق تطليقة واحدة فهي رجعية، وإن أبنها فهي بائنة صغري لا يملك الرجعة منها إلا بعقد جديد. ويجب عليها بعد الإيلاء أن تعتد عدة طلاقها، ولا يكفيها الاستبراء بحيضة،فإن عدل الرجل عن يمينه، وأراد العودة إليها قبل انتهاء الأربعة أشهر عاد إليها وكفر عن يمينه لقول النبي صلى الله عليه وسلم : «إذا حلفت علي يمين فرأيت غيرها خيرا منها فأت الذي هو خير منها وكفر عن يمينك».

وإن عزم علي فراقها دون إصلاح ما بينهما، فيجب عليه أن لا يأخذ مما أتاها شيئا ولا من مالها، فليس له أن يأخذ منها شيئا من غير نشوز منها وسوء عشرة.

قال تعالي: **﴿وإن أردتم استبدال زوج مكان زوج وآتيتم إحداهن قنطارا فلا**

---

(٢٤) القرطبي ٩٦/٣.
(٢٥) القرطبي ٩٨،٩٧/٣.
(٢٦) رواه البخاري.

تأخذوا منه شيئا أتأخذونه بهتانا وإثما مبينا(٢٠) وكيف تأخذونه وقد أفضى بعضكم إلى بعض وأخذن منكم ميثاقا غليظا(٢١)﴾ [النساء]. لا يأخذ المطلق الذي فارق زوجته مهرها ولا مالها عن غير نشوز أو فجور منها.

طلاق اللعان :

اللعان أن يرمي الرجل زوجته بالزني وليس معه أربعة شهود، فيتلاعن الزوجان ويفرق بينهما ولا يقام حد الزني علي المرأة لعدم وجود أربعة شهود، والتفريق بينهما حل وحيد لمن أتهم زوجته بالزني، لاستحالة العشرة بينهما، وقد ارتاب في خلقها وطعن في عرضها، وتأبي الزوجة أن تبقي في ذمة رجل طعن فيها، وهتك أعز ما لديها في الحياة، وقد يكون طعنه فيها حقا أو باطلا، ولا دليل علي هذا أو ذاك غير قوله كل واحد منها عن نفسه بالنفي من قبل الزوجة والإثبات من جانب الزوج، ولا شهود لأحدهما علي الآخر، فالرجل ليس له من يشهد أنه رآها تزني، وليس لها من ينفي ذلك فيقول لم أر ذلك أو كانت في غير المكان أو أن من اتهمه فيها كان بعيدا عن موضع الاتهام.

وقد أحكم الله تعالي الفصل في هذه القضية بين الناس في الدنيا، فوضع لها حلا يحفظ الطرفين، وسيردان إليه يوم القيامة فيقتص من العاصي للآخر، ويقتص لحقه من عباده لمخالفتهم أمره قال تعالي: **﴿والذين يرمون أزواجهم ولم يكن لهم شهداء إلا أنفسهم فشهادة أحدهم أربع شهادات بالله إنه لمن الصادقين(٦)والخامسة أن لعنت الله عليه إن كان من الكاذبين ويدرأ(٧)ويدرؤا عنها العذاب أن تشهد أربع شهادات بالله إنه لمن الكاذبين(٨)والخامسة أن غضب الله عليها إن كان من الصادقين(٩)لولا فضل الله عليكم ورحمته وأن الله تواب حكيم(١٠)﴾** [النور].

يتهم الرجل زوجته بالزني فيقول: رأيتها تزني مع فلان أو يقول يا زانية أو هذا الولد ليس مني، فلا يلحقه بنسبه، وليس معه أربعة شهداء غيره، لأنه طرف في المخاصمة فلا تؤخذ بشهادته رابعا، جاء رجل إلي النبي صلى الله عليه وسلم فقال: «جئت أهلي عشاء فوجدت عندهم رجلا، فرأيت بعيني وسمعت بأذني فكره ذلك النبي صلى الله عليه وسلم »، فنزلت الآيات بالحكم[٢٧].

ويشهد الرجل علي نفسه أربع شهادات أنه رآها تزني أو أن الولد ليس ابنه بل ابن زني، والشهادة الخامسة أن تصيبه لعنة الله إن كان كاذبا، إن أنكرت المرأة اتهامه لها بالزني، تشهد أربع شهادات أنه كاذب، وأن عليها لعنة الله إن كان صادقا وهي كاذبة.

ويسقط عنها حد الزني ويفرق بينهما ، ويعد هذا طلاقا بائنا ليس له أن يراجعها أو

---

[٢٧] جاء فيه روايات ذكرها البخارى فى كتاب التفسير.

يتزوجها ثانية جاء في الحديث: «المتلاعنان إذا تفرقا لا يجتمعان أبدا[٢٨]»والرجل والمرأة يتعادلان في اللعان، واللعان يوجب فسخ النكاح فأشبه الطلاق، واللعان يمين وليس شهادة جاء في الحديث: «لولا الأيمان لكان لي ولها شأن» أي لولا أنها أقسمت، لعاقبتها، لوجود شبهة الحد، وتأكيد الزوج علي إتيانها الزني. فالرجل يحلف أنه رأها تزني أو أن الولد ليس ابنه، ويتبرأ منه والرجل يبدأ اللعان، وهو الذي ابتدأت به الآية في اللعان، ثم الزوجة، ويقول في اللعان: أشهد بالله لرأيتها تزني ورأيت الفعل بينهما وما وطئتها بعد رؤيتي، أو يقول ما معناه أربع مرات، ويقول وإني لمن الصادقين، ثم يقول في الخامسة علي لعنة الله إن كنت من الكاذبين.

فيسقط عنه حد القذف بالزني فلا يجلد ثمانين جلدة، ثم تقول الزوجة حالفة: أشهد بالله إنه لكاذب أو أنه لمن الكاذبين فيما ادعاه علي وذكره عني، وإن كانت حاملا وأنكره عليها، تقول في القسم: أشهد بالله إنه كاذب وأن حملي هذا منه، وتقول في الخامسة: وعلي غضب الله إن كان صادقا أو إن كان من الصادقين في قوله هذا، أو تقول ما في معني ذلك.

وإن ذكر الزوج رجلا اتهمها فيه وقال: رأيته يزني بها، لا حد علي الزوج للرجل الذي اتهمها فيه، لأن النبي صلى الله عليه وسلم لم يحد الزوج الذي اتهم زوجته في رجل وسماه واكتفي بالملاعنة، ويفرق بين الزوجين بعد الملاعنة، واستحب العلماء أن تكون الملاعنة في المسجد بعد العصر وأن تختار الزوجة النصرانية الموضع الذي تعظمه اقتداء بالمسلمة في المسجد، فيكون اللعان في الكنيسة إن شاءت[٢٩]. والطلاق يتحقق بعد التلاعن مباشرة قال النبي صلى الله عليه وسلم بعد انتهاء اللعان: «لا سبيل لك عليها[٣٠]».

ويشترط للعان أربعة شروط:

١- أربع شهادات علي ما تقدم وخامسة، يحلف الزوج ثم الزوجة.

٢- أن يكون في أشرف مكان ليعظمه المتلاعنان ويهابان ما يقدمان عليه من الملاعنة، فيكون في المسجد عند المنبر في بلاد المسلمين، فإن كان بمكة ففي المسجد الحرام عند الركن أو المقام ، وإن كان بالمدينة فعند المنبر ، وإن كان بالقدس فعند الصخرة ، وإن

---

[٢٨] ولد اللعان لا ينسب إلي الزوج الملاعن إن قال ليس بابني بل ولد زني، فلا ينسب إليه، والحديث رواه الدارقطني٢/٢٧٦.

[٢٩] ارجع إلي القرطبي ١٢/١٥٩،١٥٨.

[٣٠] رواه البخاري في كتاب الطلاق، والنسائي في الطلاق وأحمد ٢/١١ عن ابن عمر.

كانت الزوجة كتابية ففي الكنيسة أو المعبد.

٣- أن يكون بعد العصر اقتداء بالنبي صلى الله عليه وسلم .

٤- أن يشهد الملاعنة جمهور الناس.

٥- أن يكون بالصيغة المذكورة في الآية وعلي العدد الذي جاء فيها.

٦- أن يصرح الرجل في اللعان ويقر أنه رآها تزني حقيقة ليس ظنا[٣١].

٧- أن يعظ الحاكم أو الإمام الزوج وينصحه، فيذكره بالله تعالي ويأمره بالتقوي وتبعات ما يتهم به زوجته، ويذكر له قوله تعالي: **(يا أيها الذين آمنوا اجتنبوا كثيرا من الظن إن بعض الظن إثم) (الحجرات: ١٢).** وقول الرسول صلى الله عليه وسلم : «إياكم والظن» وقوله: «أيما رجل جحد ولده، وهو ينظر إليه احتجب الله منه وفضحه علي رؤوس الأولين والآخرين» وأن يعظ الزوجة ويخوفها الله تعالي وعذابه، وعقوبة الزني، ويقول لها حديث رسول الله صلى الله عليه وسلم : «أيما امرأة أدخلت علي قوم من ليس منهم، فليست من الله في شيء، ولن يدخلها الجنة».

وليس للمجتمع أن يخوض في عرضيهما، أو أن يقضي فيهما بشيء، لأن أمرهما إلي الله تعالي بعد أن أقيم عليهما اللعان وفرق بينهما، وليس للرجل أن يخوض في عرضها، لأنها صارت أجنبية عنه بعد المفارقة، لئلا يستحق العقاب، وهذا من فضل الله تعالي ورحمته بالناس فيما اختلفوا فيه وتنازعوا عليه وسيقضي بينهم يوم القيامة بعدله.

حق المرأة فى طلب الإنفصال عن زوجها:

هنالك وجوه شرعية تجيز للمرأة أن تطلب فسخ العقد أو التفريق بين الزوجين لوقوع الضرر علي المرأة.

ومن وجوه فسخ العقد أو جواز التطليق: أن تقهر المرأة علي الزواج ولا تستأذن أو تستشار فيه، عن خنساء بنت خذام رضي الله عنها: «أن أباها زوجها وهي ثيب دون إذنها فأتت رسول الله صلى الله عليه وسلم ، فرد زواجها» وفى رواية: أن أباها زوجها وهى ثيب فكرهت ذلك، فأتت رسول الله صلى الله عليه وسلم فرد نكاحها.[٣٢]

أو يزوج الرجل ابنته لمصلحة ، أو منفعة أو شيء يراه ، ولا تراه المرأة لزاما عليها

---

(٣١) القرطبي ١٦١/١٢

(٣٢) رواه البخارى فى النكاح، باب لاينكح الأب وغيره البكر والثيب إلا برضاها.

، عن عبد الله بن بريدة رضي الله عنه عن أبيه قال: «جاءت فتاة إلي رسول الله صلى الله عليه وسلم ، فقالت يا رسول الله، إن أبي زوجني من ابن أخيه ليرفع بي خسيسته. فجعل الرسول صلى الله عليه وسلم الأمر إليها، فقالت: قد أجزت ما صنع أبي، ولكني أردت أن أعلم النساء أن ليس إلي الآباء من الأمر شئ».

وقد يكون الطلاق عن علة شرعية كأن تصبح الأمة حرة وزوجها عبد، فتخير أن تبقي زوجة أو تطلق، عن ابن عباس رضي الله عنهما: أن زوج «بريرة» التي أعتقتها عائشة رضي الله عنها كان عبدا، يقال له مغيث – كأني أنظر إليه يطوف خلفها يبكي ودموعه تسيل علي لحيته، فقال النبي صلى الله عليه وسلم لعمة العباس: «يا عباس، ألا تعجب من حب مغيث لبريرة، ومن بغض بريرة لمغيث» ؟ فقال النبي صلى الله عليه وسلم : «لبريرة لو راجعته؟» فقالت يا رسول الله أتأمرني، فقال صلى الله عليه وسلم : «إنما أشفع» فقالت: «فلا حاجة لي فيه».

وللمرأة أن تطلق إن وقع عليها ضرر يعرضها للمعصية، كأن يعجز الزوج عن جماعها أو يصاب بمرض لا يشفي منه يمنعه من الجماع وتضررت المرأة من ذلك فلها أن تطلق، أو إن امتنع عن جماعها وأهملها ولا يأتيها، أو ترك نفقتها أو أن تخشي علي نفسها الفتنة لتقصيره في المعاشرة، أو يصاب بمرض عقلي يفسد عليها حياتها ويضربها وبولدها أو يدمن مخدرا يفسد عقله ويبدد ماله، فلها الطلاق ولها أن تختلع نفسها إن نفرت منه وتمكن بغضه من قلبها، وهو عند العلماء (الخلع).

الخلــــع :

فراق الزوجة علي مال، وسمي خلعا من خلع الثوب، لأن المرأة لباس الرجل، وقد ضم أوله ليفرق بين الخلع الحسي، والخلع المعنوي. ويسمي الخلع فدية وافتداء، ومعناه شرعا: فراق الرجل زوجته ببذل قابل للعوض يحصل به لجهة الزوج.

إن فارق الرجل زوجته، وكان الفراق منه وعن أمره سمي طلاقا، وإن طلبت المرأة مفارقة زوجها فطلقها عن عطية أو فدية أو تنازلت له عن شيء سمي خلعا.

وقيل أول من أحدثه في العرب عامر بن الظرب في الجاهلية، نفرت ابنته من زوجها، وكان ابن أخيه، فشكاها إلي أبيها عامر، وكان حكيما، فقال أبوها عامر: لا أجمع عليك فراق أهلك ومالك، وقد خلعتها منك بما أعطيتها.

وقد وقع أول خلع في الإسلام في عصر النبوة واستدل العلماء علي جوازه وقبول الفدية فيه من قوله تعالي: ﴿...فلا جناح عليهما فيما افتدت به...﴾ [البقرة: ٢٢٩].

وقال الله تعالي: ﴿...ولا يحل لكم أن تأخذوا مما آتيتموهن شيئا إلا أن يخافا

ألا يقيما حدود الله...﴾ [البقرة: ٢٢٩].

قال طاووس: فيما افترض لكل واحد منهما علي صاحبه من العشرة والصحبة[٣٣]. فتفدي المرأة نفسها (فلا جناح عليها فيما افتدت به) يصح الخلع خشية وقوع الضرر علي الزوجة التي نفرت من عشرة زوجها، وتخشي علي نفسها الفتنة والخروج عن الدين وارتكاب الفواحش.

ويقبل الخلع عن كره إن عصت المرأة زوجها فيما يرومه منها، فلا تطيع له أمرا، ولا تبرله قسما، ولا تجبه إلي فراش، وذلك إن نفرت منه وكرهته، فليأخذ منها ما اشترط عليها ويفارقها، وهو المفهوم من قوله تعالي: **(إلا أن يخافا ألا يقيما حدود الله)** قال العلماء: فيما افترض عليهما من العشرة والصحبة فلا يحل الخلع إلا عند وقوع الفساد من قبلها[٣٤]. روي البخاري عن ابن عباس رضي الله عنها: أن امرأة ثابت بن قيس أتت النبي صلى الله عليه وسلم فقالت: يا رسول الله، ثابت بن قيس بن ثابت ما أعتب عليه في خلق ولا دين، ولكني أكره الكفر في الإسلام ، فقال رسول الله صلى الله عليه وسلم : «أتردين عليه حديقته ؟ » قالت: نعم. قال رسول الله صلى الله عليه وسلم : «اقبل الحديقة وطلقها تطليقة».

قال أبو عبد الله لا يتابع فيه عن ابن عباس[٣٥]، وجاء في رواية أخري عن عكرمة أن أخت عبد الله بن أبي وذكر الحديث وجاء في رواية أخري عن عكرمة، جاء فيها اسم جميلة[٣٦]، وجاء في ترجمة ابن سعد لجميلة بنت عبد الله بن أبي أنها أسلمت وبايعت، وتزوجت ثابت بن قيس رضي الله عنه. وهذا رأي البصريين.

وجاء في رواية الربيع بنت معوذ أن ثابت بن قيس بن شماس ضرب امرأته فكسر يدها، وهي جميلة بنت عبد الله بن أبي، فأتي أخوها يشتكي إلي رسول الله صلى الله عليه وسلم ، الحديث،[٣٧] وكانت زوجة لحنظلة بن أبي عامر، غسيل الملائكة الذي قتل يوم أحد، وهي حامل في ابنه عبد الله بن حنظلة، فتزوجها ثابت بن قيس رضي الله عنه، وهو خطيب الأنصار وولدت له محمد بن ثابت، ثم اختلعت منه، فتزوجها مالك بن الدخشم، ثم خبيب بن أساف، ولم يكن في هذا التعدد عيب تعاب به المرأة في مجتمع مسلم واع.

---

(٣٣) صحيح البخاري، كتاب الطلاق.

(٣٤) فتح الباري ٣٥٦/٩.

(٣٥) البخاري، كتاب الطلاق، باب الخلع وكيف الطلاق فيه.

(٣٦) صحيح البخاري، كتاب الطلاق.

(٣٧) رواه النسائي والطبراني.

وروي حديث آخر عن حبيبة بنت سهل الأنصاري، أنها كانت تحت ثابت بن قيس بن شماس وأن رسول الله صلى الله عليه وسلم خرج إلي الصبح، فوجد حبيبة بنت سهل عند بابه في الغلس، فقال لها رسول الله صلى الله عليه وسلم : «من هذه؟ » فقالت: أنا حبيبة بنت سهل يا رسول الله قال: «ما شأنك؟» قالت: لا أنا ولا ثابت بن قيس، لزوجها، فلما جاء زوجها ثابت بن قيس. قال له رسول الله صلى الله عليه وسلم : «هذه حبيبة بنت سهل قد ذكرت ما شاء الله تذكر»، فقالت حبيبة: يا رسول الله كل ما أعطاني عندي. فقال رسول الله صلى الله عليه وسلم لثابت بن قيس: «خذ منها» فأخذ منها وجلست في بيت أهلها[٣٨]، وجاء في سبب نفورها أنها كرهته: ولكني لا أطيقه و لا أطيقه و لا أطيقه بغضا، وجاء في رواية أنه كسر يدها، تريد أنه شديد يقسوا عليها، وأنه ضربها فكسر بعضها، ولكنها لم تشك شيئا من ذلك، وقد وقع التصريح أنه كان دميم الخلقة. وأنها نفرت منه، وأن قومها زوجوها منه، وكانت تتحفظ عليه.

وفي رواية بن ماجة: «كانت حبيبة بنت سهل عند ثابت بن قيس وكان رجلا دميما» ، وفي أخري قالت: «يا رسول الله بي من الجمال ما تري، وثابت رجل دميم».

وفي رواية عن ابن عباس: أول خلع كان في الإسلام امرأة ثابت بن قيس، أتت النبي صلى الله عليه وسلم ، فقالت: يا رسول الله لا يجتمع رأسي ورأس ثابت أبدا، إني رفعت جانب الخباء فرأيته أقبل في عدة، فإذا هو أشدهم سوادا وأقصرهم قامة وأقبحهم وجها. فقال: «أتردين عليه حديقته؟» قالت: نعم، وإن شاء زدته ففرق بينهما[٣٩].

وقد خشيت علي دينها إن بقيت معه علي كره فتعصي الله تعالي فيحملها بغضها له علي الكفر وهو أن يشتد غضبها أو أن تكفر بالعشير، فتقصر في حقه، فخافت علي نفسها من النشوز وفرك وغيره مما يوقع في الإثم، وما يلزم الكره من المعاداة والشقاق والخصومة.

وجاء في الرواية أنه كان أصدقها حديقة، جاء في رواية: «وكان تزوجها علي حديقة نخل»، وكان قيس قد سألها أن ترد عليه حديقته (في رواية) فوافقت علي ذلك، وزاد في رواية عمر رضي الله عنه: فقال: «ثابت أيطيب ذلك يا رسول الله ؟ قال: نعم، فقال له النبي صلى الله عليه وسلم : اقبل الحديقة وطلاقها». أي: لك أن تطلقها. وهو أمر إرشاد وإصلاح لا إيجاب وجاء في رواية «فردت عليه وأمره بفراقها».

أجمع العلماء علي مشروعيته وأخذ الفدية أو الافتداء واستدلوا بقوله تعالي: **(فلا جناح عليها فيما افتدت به)** وهو مكروه عند العلماء إلا في حالة مخافة أن لا يقيما أو واحد

---

(٣٨) رواه مالك، في كتاب النكاح،باب ما جاء في الخلع. والنسائي، كتاب الطلاق،باب ما جاء في الخلع، وابن ماجة كتاب باب المختلعة تأخذ ما أعطاها.ومعني الغلس: بقية الظلام.

(٣٩) فتح الباري ٣٥٨/٩.

منها ما أمر به، وقد يكره ذلك عن كراهة العشرة إما لسوء خلقة أو خلق ورأي العلماء أن الكراهة ترفع إذا احتاجا إلي الخلع خشية حنث يئول إلي البينونة الكبري التي تستوجب زواج آخر غير الزوج.

وقال العلماء يقع الطلاق به،فقد عد الإمام الشافعي الخلع طلاقا، وهو رأي الجمهور، وبعضهم رأوا أنه فسخ لأن لفظ الطلاق يكون من الزوج وبعضهم سماه طلاقا، لأنه بمنزلة من جعل أمر المرأة بيدها ونوي الطلاق فطلقت نفسها، فتقول مجازا طلقت فلانا علي أن تكون نية الزوج معقودة علي الطلاق منها، فجاء التصريح به منها، واتفق العلماء علي أن نية الطلاق عند الزوج تكفي في الخلع عند قبوله الفديه فيقع الطلاق ولم يصرح به لفظا لا يقع الطلاق مع عدم قبوله الفدية، فلا تكفي رغبة المرأة في الخلع بل يجب قبول الزوج به[٤٠]. وذهب جمهور العلماء إلي أن الخلع جائز دون إذن ولي الأمر، فأجاز بعض العلماء أن تخلع المرأة نفسها من زوجها دون إذن ولي الأمر (السلطان) روي البخاري البخاري: «وأجاز عمر الخلع دون السلطان[٤١]»، أي بغير إذنه عن خيثمة بن عبد الرحمن قال : أتي بشر بن مروان في خلع كان بين رجل وامرأة فلم يجزه ، فقال له عبد الله بن شهاب الخولاني: «قد أتي عمر في خلع فأجازه[٤٢]»، وهو المشهور، والمعمول به.

ولم يجز الحسن البصري الخلع دون إذن السلطان قال: «لا يجوز الخلع دون السلطان»، وذكر محمد بن سيرين مثله، واختاره أبو عبيد، واستدل بقوله الله تعالي: **(فإن خفتم ألا يقيما حدود الله)** وبقوله: **(وإن خفتم شقاق بينهما فابعثوا حكما من أهله وحكما من أهلها)** فجعل الخطاب موجها لغير الزوجين، ولم يقل فإن خافا، وجاءت قراءة حمزة بضم الياء في «يخافا» علي البناء للمجهول، موافقة لهذا المعني، والسلطان ولاة الأمر، فجعلوا الخطاب لولاة الأمر، وقد أنكر أهل اللغة هذا الوجه، لأنه قول لا يساعده الإعراب ولا اللفظ ولا المعني، قال الطحاوي: شاذ مخالف لما عليه الجمع الغفير، ومن حيث النظر إن الطلاق جائز دون الحاكم فكذلك الخلع، وقال قتادة: ما أخذ الحسن هذا إلا عن زياد يعني حيث كان أمير العراق لمعاوية، وقال ابن حجر: وزيادة ليس أهلا أن يقتدي به[٤٣]. واختلفوا فيما يأخذه منها، فقال بعضهم له ما اشترط عليها في الخلع ومن أصحاب هذا الرأي عثمان رضي الله عنه روي البخاري: «وأجاز عثمان الخلع دون عقاص رأسها[٤٤]»،

---

(٤٠) ارجع إلي فتح الباري ٣٥٣،٢٥٤/٩.
(٤١) كتاب الطلاق. باب الخلع.
(٤٢) فتح الباري جـ٣٥٤/٩.
(٤٣) فتح الباري جـ٣٥٥/٩
(٤٤) البخاري الطلاق، باب الخلع.

روي عن الربيع بنت معوذ قالت: اختلعت من زوجي بما دون عقاص رأسي، فأجاز ذلك عثمان: وجاء في رواية: «فدفعت إليه كل شئ حتي أجفت الباب بيني وبينه» أي أجاز للرجل أن يأخذ منها أكثر مما أعطاها، لترضيه، واستدلوا بقوله تعالي: **(فلا جناح عليهما فيما افتدت به)** وأخرج بن سعد في ترجمة الربيع بنت معوذ رضي عنها: «كان بيني وبين ابن عمي كلام، وكان زوجها، قالت فقلت: له لك كل شئ وفارقني. قال قد فعلت، فأخذ - و الله - كل شيء حتي فراشي، فجئت إلي عثمان، وهو محصور، فقال الشرط أملك، خذ كل شئ حتي عقاص رأسها» وعقاص الرأس: ما تربط به شعرها، عملا بالشرط الذي اشترطته علي نفسها.

وجمهور العلماء يجوزون للرجل أن يأخذ في الخلع أكثر مما أعطاه ، وقال الإمام مالك : لم أر أحدا ممن يقتدي يمنع ذلك، ولكنه ليس من مكارم الأخلاق[٤٥]، وخلاصة ما عليه العلماء أن الخلع يكون في الأحوال الآتية:

- أن تنفر الزوجة من زوجها وتبغضه وتأبي السكن والبقاء معه، فترد عليه ما أخذته منه أو توفي له بما اشترطه لطلاقها، فإن كان الزوج هو الكاره، فليس له أن يأخذ منها شيئا ولها المهر ولا يأخذ منها فدية، ويحرم عليه أن يضيق عليها لتفتدي نفسها بمال أو تتنازل له عما اشترطته عليه في الزواج، وهو الذي يريد طلاقها.
- أن لا تسأل المرأة زوجها الخلع عن غير ضرر، وألا تتعجل في الخلع قبل أن تستوفي كل وسائل الإصلاح والتقرب إلي الزوج، وأن تكاشفة بما تكرهه فيه وتطلب منه أن يعدل عما لا يرضيها فإن استجاب، فليس لها أن تختلع نفسها، وإن كانت أسباب الخلع واهية أو غير أساسية في الحياة الزوجية تكون المختلعة آثمة؛ لأنها خربت بيتها، وأضرت بالرجل الذي أمهرها وأنفق عليها، وأخذت عليه ميثاقا قويا ألا يضيعها.
- أن تخشي المرأة علي نفسها المعصية وأن لا تقوم بحقوق زوجها فتغضب ربها، أو يزداد نفورها فتبغي عليه وألا تقيم حدود الله تعالي.
- أن يكون الزوج فظا غليظا ولا يقيم حدود الله تعالي، ولا ينفق عليها ولا يرعاها ولا يصونها، ويعمد إلي أذيتها، وليس فيه أخلاق الصالحين ولا يعتد بهم في شئ، ويضيق عليها لتفتدي نفسها، فلها أن تخلع نفسها ويأثم بذلك، وطلاقها منه بائن وليس له أن يراجعها في العدة.

ويجب علي القاضي أن ينظر في أمر الزوجين وظروف بدء زواجهما ، فإن كان هذا

---

[٤٥] فتح الباري ٣٥٥/٩.

الزواج عن توافق واختيار وتعارف بينهما، علي ما هو حال الناس في عصرنا وكان لهما أولاد، فعلي القاضي أن يضيق عليها في الخلع، لمصلحة الأولاد، وأن تتحمل هي وزوجها من أجل ولدها، لأنها هي التي اختارت زوجها وأقرت به، ولا يتحمل الأولاد خطأها في الاختيار أو تبعات تغير هواها ومزاجها نحو الزوج، لأن الأولاد في عصرنا لا يستقيمون ولا يربون تربية صحيحة وسوية إلا في كنف زوجين، وعليها أن تبحث لنفسها عن حل آخر يحفظ الأسرة، ولا تكابر وتغتر بنفوذها وتبحث عما يرضي نفسها ويحفظ كرامتها ورغبتها ويتحمل الأولاد تبعات ذلك، وهي أم وينبغي عليها أن تتحمل ما تبغضه من أجل أولادها، فهذا حقهم عليها، فإن نظرت حالها وتجاهلت أولادها فهي ليست بأم رحيم تخشي- علي أولادها، ولا تستحق أن تكون زوجا أو أما فتتجاهل حقوق أولادها بدعوي كراهية الزوج وتعسفه، فلها أن تتظلم قبل أن تنجبهم وفي ظروف تأمن فيها علي أولادها فلا تضيعهم بترك الزوج، لأن الأولاد إن صاروا إليها دون أبيهم ضاعوا، وإن صاروا إليه دون أمهم ضاعوا أيضا، وإن استطاعت أن تطعمهم وأن تكسوهم، فالطعام والملبس ليس كل ما يحتاجه الأولاد في مراحل التربية الأوليات، وليس ذلك دفاعا عن زوج غشوم جاهل بل دفاعا وخشية علي أطفال ضعاف.

فيجب علي أم الأولاد أن تضحي مثل الأم التي ترملت ووهبت عمرها لأولادها، ولم تدعي حقا لها في الحياة غير تربية الأولاد ولم تر شيئا لنفسها غير هذا.

قال النبي صلى الله عليه وسلم : «أنا وامرأة سفعاء الخدين تأيمت علي ولدها الصغار حتي يبلغوا أو يغنيهم الله من فضله كهاتين في الجنة».

وخطب النبي صلى الله عليه وسلم : «سودة القرشية وكانت ذات عيال، فقالت: أخاف أن يضغوا صبيتي عند رأسك، فحمدها ودعا لها».

وكانت فاختة بنت أبي طالب رضي الله عنها (أم هانئ) قد تزوجت في الجاهلية هبيرة بن أبي وهب، وأنجبت منه أربعة أولاد، وكان مشركا معاندا، فانفصلت عنه بعد إسلامها، فخطبها النبي صلى الله عليه وسلم لنفسه، فقالت: يا رسول الله، و الله لأنت أحب إلي من سمعي ومن بصري، وحق الزوج عظيم، فأخشي إن أقبلت علي زوجي أن أضيع بعض شأني وولدي، وإن أقبلت علي ولدي أن أضيع حق زوجي، فقال رسول الله صلى الله عليه وسلم : «إن خير نساء ركبن الإبل نساء قريش، أحناه علي ولد في صغره، وأرعاه علي زوج في ذات يده[٤٦]».

فيجب علي المرأة التي تريد الخلع ؛ أن تنظر موضع أولادها ، وأثر فراقهم عن أحد

[٤٦] جاء قول النبى صلى الله عليه وسلم فى صحيح البخارى، كتاب النكاح.

أبويهم فيهم، وتبعات هذا الانفصال عليهم، و الـلـه تعالي يهدي إلي الخير.

العـــدة

ويراد بها المدة التي لا يجوز للمرأة أن يعقد عليها لـزوج غـير الـذي فارقهـا فيهـا، وتكـون فيهـا في نفقـة الرجل الذي طلقها أو مات عنها أو اختلعته، فلا تتزوج فيها ولا تتعرض للأزواج، ولا يجوز لأحد أن يحـدثها في الزواج، وهي علي أنواع:

* **عدة المطلقة:** قال تعالي: **﴿والمطلقات يتربصن بأنفسهن ثلاثـة قـروء ولا يحـل لهـن أن يكـتمن مـا خلق الـلـه في أرحامهن إن كن يؤمن بالله واليوم الآخر وبعولتهن أحق بردهن في ذلـك إن أرادوا إصلاحا ولهن مثل الذي عليهن بالمعروف وللرجال عليهن درجة و الـلـه عزيـز حكـيم﴾**[البقـرة: ٢٢٨] والقروء جمع قرء، قيل الحيض، وقيل الطهر، ومدته أن تطلق المرأة في طهر فتحيض ثـم تطهـر ثـم تحيض، ثم تطهر ثم تحيض، فإذا تطهرت من حيضها انقضت عدتها، فإن قيل القرء بمعني الطهر عد مـن الطهر الذي وقع الطلاق، وهذا ليعلم ما في رحمها، فإن كانت لا تحيض لكبر سنها أو صغره، فعدتها ثلاثة أشـهر: **﴿والـلائي يئسـن مـن المحيض مـن نسـائكم إن ارتبـتم فعـدتهن ثلاثـة أشـهر والـلائي لم يحضن﴾**[الطلاق:٤].
* **عدة المطلقة التي تحيض وانقطع حيضها،** ولا يعلم لها حيض لأسباب صحية، يجب عليها أن تعتـد عـدة الحمل، وهي تسعة أشهر، وثلاث للعدة، فتكون سنة ليس لها فيها أن تتزوج.
* **عـــدة الحامـــل:** هـــي أن تضـــع حملها،لقولـــه تعـــالي: **﴿وأولات الأحـــمال أجلهـــن أن يضـــعن حملهن﴾**[الطلاق:٤].
* **عدة المتوفي عنها زوجها،** وهي مدتها أربعة أشهر وعشرا، قال تعالي: **﴿والذين يتوفون مـنكم ويـذرون أزواجا يتربصن بأنفسهن أربعة أشهر وعشرا﴾**[البقرة: ٢٣٤]. وإن كانت حاملا فعدتها أن تضع حملها ولا تنتظر هذه المدة.
* **عدة المستحاضة:** وهي التي لا يفارقها الدم، إن استطاعت أن تميز بين دم الحيض ودم الاستحاضة اعتدت بثلاثة حيضات أو أطهار، وإن لم تستطع أن تميز اعتدت ثلاثة أشهر، كالآيسة والصغيرة.

* **عدة من غاب عنها زوجها ولا يعلم عنه شيء**، وجب عليها أن تنتظره أربع سنوات بدءا من زمن الإعلان عن اختفائه، ثم يطلقها القاضي، وتعتد بأربعة أشهر وعشرا، فإن عاد الزوج الأول قبل أن تتزوج فهـي لـه إن رغب فيها بعد طلاق القاضي، فتعود إليه علي زواجها السابق، وهي راضية لأنه أحق بها، وإن تزوجت ودخل بها الثاني طلقها الثاني، واعتدت وعادت للأول، وإن لم يدخل بها فلا عدة عليها، فإن لم يرغب الأول فيها تركها بقيت مع الثاني علي عقده، وتدفع للأول الصداق الذي أصدقها، وإن عادت للأول وتركت الثاني ردت إليه صداقه أيضا، وللعلماء في ذلك اجتهادات، و اللـه أعلم.

والحكمة من مدة العدة إعطاء الزوجين فرصة كافية للمراجعة والصلح في الطلقتين الأوليين، وزيد عليها في ذلك أن يكون الطلاق في طهر لم يمسها فيه تحقيقا لمقصد المصالحة إن أرادا صلحا والصلح خير. وتتبين الزوجة خلال هذه فترة ما في رحمها، فأدناها ثلاثة أشهر أو ثلاثة حيضات، ومن ثم عدة الحامل أن تضع حملها، وعدة التي توفي عنها زوجها أربعة أشهر وعشر، وهذه المدة تستوفي جانبا إنسانيا، وهو مواساة الزوجة أهل الزوج والوفاء للزوج، فتبقي في بيت زوجها أربعة أشهر وعشرا، فإن كانت حاملا فعدتها أن تضع حملها علي القليل والكثير، لأنها قد حلت للأزواج، وهذا من تشريع رب العالمين وعلمه بخلقه وبمصالحهم وبطبائعهم، و اللـه تعالي أعلي وأعلم.

رأي غير المسلمين في الطلاق: الإسلام في كل الأحوال متهم ومطعون فيه من قبل غير المسلمين، فهو متهم بتعدد الزوجات ومتهم أيضا بأنه يحرض علي هدم الأسرة، لأنه أباح الطلاق والخلع، وهما فصل لجسدين ملتئمين، جمع بينهما عقدة فلا يجب أن نفصل بين جسدين علي ما يقوله النصارى.

وأقول الإسلام لم يفصل بين زوجين متحابين مطلقا، بل أجاز لهما أن يتفرقا إن استحالت جميع وسائل الصلح بينهما وتنافرا، فقد تنافرا قبل الانفصال، ومن الظلم لأحدهما أن يقهر علي سوء خلق الآخر أو يجبر علي الاتصال بجسده وهو ينفر منه، وسوف يترتب علي هذه العلاقة غير المتكافئة وغير السوية مفاسد عظيمة أقلها الخيانة والعنف والظلم، وأعلاها القتل أو الهرب أو الجنون أو الانتحار.

والإسلام لا يرغب في الطلاق ولا يجيزه إلا بعد أن يمنح كلا الزوجين زمنا للمراجعة ويوكل في ذلك مصلحين، فجعل الطلاق ثلاث مرات وجعل لكل مرة عدة

مدتها ثلاث حيضات، وتبقي الزوجة في بيت الزوج وتنفق من ماله مدة العدة ولا يطلقها في غير طهر، وإن طهرت فلا يطلقها فيه وقد جامعها فيه فيعيد طهرا آخر، لقد اشترط الله ذلك ليضيق عليهما ويطيل مدة المراجعة التي جعلها ثلاثا، وهو أحق بردها إليه قبل الثالثة، فالإسلام يعالج التئام الأسرة ويهدم كل ما يفسدها ونفر منه.

والطلاق جائز في شريعة موسي عليه السلام، وكان اليهود علي ذلك زمن بعث المسيح عليه السلام: جاء في إنجيل متي: «وقيل أيضا من طلق زوجته، فليعطها وثيقة طلاق. أما أنا فأقول لكم: كل من طلق زوجته لغير علة الزني، فهو يجعلها ترتكب الزنا ومن تزوج بمطلقة فهو يرتكب الزني[**٣٢:٣١**]».

وجاء في إنجيل مرقس: وتقدم إليه بعض الفريسين: «هل يحل للرجل أن يطلق زوجته؟ فرد عليهم سائلا: بماذا أوصاكم موسي؟ فقالوا سمح موسي بأن تكتب وثيقة طلاق ثم تطلق الزوجة. فأجابهم يسوع بسبب قساوة قلوبكم كتب لكم موسي هذه الوصية. ولكن منذ بدء الخليقة جعل الله الإنسان ذكرا وأنثي. لذلك يترك الرجل أباه وأمه ويتحد بزوجته، فيصير الاثنان جسدا واحدا. فلا يكون بعد اثنين بل جسدا واحدا فما جمعه الله فلا يفرقه إنسان. وفي البيت عاد تلاميذه فسألوه عن الأمر. فقال لهم أي من طلق زوجته وتزوج بأخري يرتكب معها الزني. وإن طلقت الزوجة زوجها وتزوجت من آخر. ترتكب الزني[**٢١:٢**]».

وجاء ذلك في لوقا: «كل من يطلق زوجته ويتزوج بأخري يرتكب الزني. وكل من يتزوج بمطلقة من زوجها يرتكب الزني[**١٨**]».

ولقد منعت المذاهب النصرانية (الكاثوليكي، الأرثوذكسى، والبروتوستنتي، وغيرهم) الطلاق عملا بالنصوص السابقة التي نسبت للمسيح، وخالف في ذلك شريعة موسي في أن للرجل أن يطلق زوجته إن كانت بها عيوب خلقية، كالعمش، والحول والبخر (رائحة الفم المكروهة) والحدب والعرج، والعقم والعناد، والإسراف والنهمة والبطنة، ويعد الزنا من أهم الأسباب التي توجب الطلاق، وإن لم يثبت،فيكفي فيه حديث الناس به، ولا ينظر إن كان إفكا دون بينة أو إن كان صدقا ، وليس للمرأة أن تختلع نفسها أوتطلب الطلاق، وإن توفرت الشروط السابقة في زوجها، فالطلاق للزوج فقط.

ونسب إلي المسيح عليه السلام أنه لم يعمل بذلك، ولم يقبل الطلاق مطلقا، إلا الفراق بين الزوجين في ثبوت الزنا فيفرق بينهما جسديا فقط دون إنهاء العقد، فلا يجوز

لأحدهما الزواج؛ لأن الزواج ما زال قائما، فلا يعقد أحدهما عقدا، لأنه لا يجوز التعدد، وإن أجازه القديس لوثر صاحب المذهب البروتوستنتي، ويجيز هذا المذهب الطلاق في حالة الخيانة الزوجية، ويجيزه لذلك المذهب الأرثوذكسي، ولكنهما يحرمان عليهما الزواج بعد الطلاق.

لقد رفضت المذاهب النصرانية الطلاق أو الخلع، وقد كان مشروعا في شريعة موسي التي كان عليها المسيح عليه السلام بيد أنهم نقضوا جوازه وتعللوا أنه أجازه فيهم لما كانوا عليه من معصية وفساد وعناد، ولكنه كما نسب للسيد المسيح صار غير مباح ومن يفعله يكون مخطئا وإن فعلته المرأة صارت نجسه، وأخذ المذهب الكاثوليكي بالزواج الأبدي الذي لا طلاق فيه، لكن الكنيسة واجهت مشاكل كثيرة عجزت عن حلها فلم تجد بدا من إباحة الطلاق عن كره استجابة لمطالب الزوجات المتضررات من أزواجهن وبعض الأزواج الذين رغبوا في الخلاص من زوجات خائنات ولهن علاقات خفية بآخرين.

وأهل الكتاب يطعنون في الإسلام، لأنه أباح الطلاق، وهذا يعني تفتيت الأسرة وانهيارها، فيجرمون الطلاق، لأنه حسب اعتقادهم الفاسد يسقط بيتا زوجيا، وأقول إن الإسلام لم يسقط بيوتا ناجحة وقائمة وساكنة علي المودة والرحمة وتربي في كنفها ذرية صالحة تحظي بكل أمان وسكينة، ولكن الإسلام عالج عداء قائما وصراعا بين زوجين يوشك أن يقضي علي كل شئ، وسيترتب عليه الإضرار بالأولاد والإضرار بالدين بالوقوع في الحرام ومخالفة الشرع، فقد يؤدي استمرار الزواج دون تفريق إلي وقوع جريمة القتل أو الخيانة أو أن يغدر أحدهما بالآخر، والإسلام لم يطلق الأمر في الطلاق دون قيود فالطلاق في حالة النزاع بين الزوجين آخر الحلول بعد محاولات الإصلاح بين الزوجين والاحتكام إلي حكمين عادلين من أسرتيهما ليصلحا بينهما، فإن استحال الإصلاح وزاد الشقاق، فما يبقي؟ أليس من الظلم أن يقهر الرجل أو المرأة علي حياة يكرهها ويقع عليه الظلم، ألا يكون الزوج غير صالح أو تكون الزوجة كذلك؟ ألا يكون أحدهما عاجزا عن أساس من أسس الزواج؟ ألا يقع نفور بين الزوجين؟.

لقد جعل الله تعالي لنا مخرجا مما نخطئ فيها أو نعجز عنه أو ما لا يتلاءم معنا، فلما نضيق علي أنفسنا؟ وكيف يكون هناك التئام وسكينة وليست هنالك مودة ورحمة بين الزوجين: **﴿وجعل بينكم مودة ورحمة﴾**[الروم:٢١] فإن انتفي الود بينهما ونشب النفور والكره فلا خير يرتجي ولا سكينة بل كفر ومعصية، وقال تعالي: **﴿فإن خفتم ألا يقيما**

حدود الله فلا جناح عليهما﴾[البقرة:٢٢٩] وقال تعالي: **﴿فإمساك بمعروف أو تسريح بإحسان﴾**[البقرة:٢٢٩] فالمعروف يكون عن حب، والطلاق بإحسان بما يعطيه لها عوضا عما لحق بها من أذي عساه يخفف عنها وتقيم به شأنها.

وقد ضيق بعض أهل الكتاب علي أنفسهم، فمنعوا الطلاق، وأثموا من يفعله زعما منهم أنهم بذلك يحافظون علي تماسك الأسرة واستمرارها، وليس المنع حلا، لأن الطلاق قد يكون حلا بين زوجين استحالت الحياة بينهما، فالتفريق بينهما أفضل من أن يخون أحدهما الآخر أو يتخلص منه، والطلاق قد يكون علاجا لقهر نفسي وبغض أحد الطرفين الآخر، فمن الظلم أن يقهر كرها علي الاستمرار مع الآخر، وقد تسبب التضييق علي الناس في الطلاق في لجوء من يريدا الزواج إلي جهات أخري قانونية، فيعقدان عقد زواج مدني به شروط للطرفين مثل العقد المدني، فيشترط كل منهما علي الآخر ما يريده فإن تراضيا علي الشروط دون ذلك في عقد مدني بينهما بعيدا عن رجال الدين، وقد لاتكون هذه العلاقة الموثقة زواجا، ويتخلصون من أعباء لا يستطيعون الفكاك منها إن اختلفا في أمر، ولو كان تضيق الطلاق علي الزوجين صالحا لما لجأ الزوجان إلي العقد المدني بعيدا عن رجال الدين، ولكان حلا للخلافات الزوجية، ولقد ترتب على منع الطلاق وتحريمه علاقات غير شرعية بين الرجال والنساء، فقد ترك بعض المسيحيين الزواج الكنسى وأقاموا علاقات لاتعترف بها الكنيسة!.

إن الغرب الذي يعادي الإسلام ويتخذ من الطلاق مطعنا فيه، لجأ إلي عقد مدني يخول له حق الانفصال بين الزوجين حال وقوع الخلاف وتصبح لدي أحد الأطراف الرغبة في الانفصال، وتنصل بعض رجال الغرب من زواج الكنيسة التي تلزم المرأة والرجل بالبقاء معا، وإن وقع شقاق بينهما يستحيل التئامه وإصلاحه وتلجأ النساء المسيحيات في البلاد الإسلامية إلي الشريعة الإسلامية، فتطلب الاحتكام إليها أمام القضاء، لتنفصل عن زوجها الذي استحالت عشرتها معه.

وأزيد هؤلاء الذين حقدوا علي الإسلام لسماحة شريعته وسعتها في احتواء كل القضايا الإنسانية أن الإسلام لم يبح الطلاق فقط الذي يكون من الزوج بل أباح للمرأة التي نفرت من زوجها واستحالت صحبتها لها أن تخلع نفسها من زوجها نزولا علي رغبة المرأة واحتراما لمشاعرها، ومراعاة لحقها الشرعي في الحياة. فالمعادلة التي تقتضي أن يكون للمرأة مثل الزوج فى حق الانفصال وقد أوجب الشرع الحنيف احترام مشاعرها نحو الزوج، فإن كرهت الزوج ولم تطق العيش زوجة له لها أن تخلع نفسها منه بما يشترط عليها، وهؤلاء الجهال يعيبون علي الإسلام ذلك، وهذا حمق منهم؛ لأن الإسلام لا يأمر بالطلاق مطلقا بل

يستجيب لرغبة الزوجين في ذلك أو أحدهما، ولا يعاب الإسلام علي استجابة للرغبات المسلمين بل يعاب من يقف ضد رغبات الآخرين ولا يحترم حقوقهم، ويزعم في نفسه أنه من رعاة الحرية والعدل.

وهذا الموضوع يحتاج إلي تدبر واع، ثم يقضي الإنسان فيه بعد أن تجتمع إليه أطراف القضية، قال تعالي: **﴿فإن خفتم ألا يقيما حدود الله فلا جناح عليهما فيما افتدت به﴾**[البقرة:٢٢٩]، أي لها أن تخلع نفسها منه بما يشترطه عليها، فإن استجابت طلقها.

وقد وقع هذا الحادث زمن النبي صلى الله عليه وسلم فقد اشتكت المرأة نفورها من زوجها ، وأنهما في بعض الروايات أكرهت علي زواجه الذي وقع في الجاهلية؛ لأنه كان دميما وقصيرا، وروي أنه كان متعسفا معها، وكل الروايات تفيد أنها لم تحبه، وكانت تنفر منه، وترتب علي تمردها عليه ونفور إيذاء لها فجاء في رواية السيدة عائشة رضي الله عنها أنها رأت بجسدها أثر الضرب وفي أخري كسر يدها، وكل هذا وقع من الشجار بينهما بيد أنها لم تذم من الرجل خلقا ولم تطعن في التزامه بالدين، بل جعلت المذمة من قبلها فذكرت أنها كرهته في الشكوي، فسمع النبي صلي الله علية وسلم من زوجها ثم عرض عليها مطلب المفارقة، وهو أن ترد علي الرجل ما أخذته فأجابت طلب الزوج، ففارقها، وليس في هذا إعضال للمرأة أو ظلم بل هذا أفضل ما نالته المرأة من حقوق في الحياة، ولا نظير لهذه الأحكام في القوانين البشرية.

خروج الزوجة من البيت

قال الله تعالى مؤدبا زوجات النبى صلى الله عليه وسلم وكن على خلق ودين وعفة: **﴿وقرن في بيوتكن ولا تبرجن تبرج الجاهلية الأولى ..﴾[الأحزاب: ٣٣]** والقرار السكن، والقرار بالمكان، قال القرطبى: معنى هذه الآية الأمر بلزوم البيت، وإن كان الخطاب لنساء النبى صلى الله عليه وسلم فقد دخل غيرهن فيه بالمعنى .... ورد على الذين يقولون هي خاصة بزوجات النبى صلى الله عليه وسلم فقال: «كيف والشريعة طافحة بلزوم النساء بيوتهن، والانكفاف عن الخروج منها إلا لضرورة[٤٧]»، وفى هذا سلامتها مما قد يصيبها خارج البيت، ولا يراد بلزوم البيت السجن والتضييق وعدم الترويح والتنزه، فقد كان النبى صلى الله عليه وسلم يخرج بعائشة ليلا ويسامرها، ويسابقها ، ويصطحب من وقع عليها القرعة معه فى السفر.

---

(٤٧) القرطبى جـ ١٤/١٤٥، ١٤٦.

وكانت زوجاته رضوان اللـه عليهن يخرجن ليلا ونهارا فى حوائجهن فى السلام والموادعة.

وقد غفر اللـه تعالى لامرأة أمرها زوجها بألا تخرج، وهو في سفر، فمرض أبوها فلم تخرج، ومات فلم تخرج عملا بطاعة زوجها، وشق عليها ذلك، فأخبرها النبى صلى اللـه عليه وسلم أن اللـه قد غفر لأبيها بطاعتها لزوجها. ولا تبتأس المرأة مما وجب عليها من اتخاذ رفيق من المحارم في الخروج، فهذا ليس تضييقا عليها فالمقصد صونها ورعايتها، وقد استحب سفر الرجل في رفقة رجال لئلا يصاب بمكروه، فيجد من يعينه ويتعاون معه على وعثاء السفر، قال رسول اللـه صلى اللـه عليه وسلم : «لو أن الناس يعلمون من الوحدة ما أعلم ما سار راكب بليل وحدة(٤٨)».

وكان يحب البكور ، لأنه أنشط وأدعى ألا يدركه الليل دون أن يقضى عمله ، فقال «اللهم بارك لأمتى في بكورها». وكان إذا بعث جيشا أو سرية بعثهم أول النهار، وكان أصحابه يقتدون به في ذلك فيبعثون تجارتهم أول النهار، ويبكرون في العمل، وخروج المرأة ليلا ليس بأمان لها وحدها، وإن كان معها محرم، فالليل لا تؤمن مخاطره. وأوجب اللـه تعالى على المرأة أن تتخذ معها من أهلها (من المحارم) من يرافقها في خروجها لئلا تؤذى فيه، فالمقصد من عدم سفر المرأة وحدها حفظها وصونها مما قد تتعرض له من مشاكل السفر وأخطار الطريق وألا تؤذى في عرضها وبدنها، وأن يحمل المحرم عنها أعباء السفر. ونهي عن الخلوة بالمرأة، لما يترتب عليها من المفاسد والشبهات وسوء الظن.

قال عبد اللـه بن عباس رضى اللـه عنهما، أنه سمع النبى صلى اللـه عليه وسلم يقول: لا يخلون رجل بامرأة، ولا تسافرن امرأة إلا ومعها محرم، فقام رجل، فقال: يا رسول اللـه، اكتتبت في غزوة كذا وكذا ، وخرجت امرأتى حاجة. قال: «فاحجج مع امرأتك(٤٩)». وجاء في رواية: « اذهب فاحجج مع امرأتك»، وفي رواية: «انطلق فاحجج مع امرأتك».

وقد أمره النبي صلى اللـه عليه وسلم أن يتولى الأولى وأن يعمل به، وهو مرافقة الزوجة في الحج، لئلا تتعرض لسوء واستدل به العلماء على تفضيل الحج الواجب على التطوع في الجهاد، وهذا من تعظيم الإسلام المرأة وعظم شأنها فيه.

وعن أبي هريرة رضى اللـه عنه، قال رسول اللـه صلى اللـه عليه وسلم : «لا يحل لامرأة تؤمن بالله واليوم الآخر تسافر مسيرة يوم وليلة إلا مع ذى محرم عليها(٥٠)».

---

(٤٨) رواه البخارى ١٩٩٨/٦.

(٤٩) البخارى، الجهاد، وكتاب الحج ٣٠٠٦/٦، ومسلم: ٣٤١.

(٥٠) رواه البخارى ١٠٨٨/٢، ومسلم: ١٣٣٩، ٢٤١.

وقد رأى بعض العلماء بمنع سفرها وحدها، لئلا تبتلى بسوء أو تتعرض لفتنة، ولا يعتبرون بالأمن والسلامة، فقد تتعرض، وهي حدها لأذى الرجال، فيخدعها أحدهم بقوله أو يضللها، ورأوا أن الأفضل لها أن تصطحب محرما لها ما استطاعت، وإن أمنت، فإن استحال ذلك في سفر قصير، فيجب عليها أن تتقى الله تعالى ولا تخالط الرجال ولا تخاطبهم حتى تعود، فتحفظ نفسها وتصونها، فتغنى نفسها عن المحرم، وتصحبها السلامة وتترفع عن المراودة والمداعبة والمخادنه، فالمرأة - لا محالة - ستخرج في حاجة نفسها، وقد يشق عليها أن تجد من رجالها من يصحبها إلى موضع الحاجة، كأن تخرج لطلب العلم أو إلى السوق تبتاع حاجة بيتها أو غير ذلك، فلا بأس بذلك تيسيرا، ويجب عليها أن تستأذن وليها وأن تخرج غير متبرجة ولا تضرب بقدمها ولا تبدى زينتها ولا تخاطب رجلا في غير حاجة ولا تخضع بالقول ولا تلين فيه في مخاطبة الرجال، وتعد نفسها في طاعة الله حتى تعود، وندعو الله تعالى أن يحفظنا ويحفظ نساء المسلمين.

والزوجة تستأذن زوجها في الخروج لحاجة، كأن تتلقى أولادها الصغار، وهم عائدون أو تصحبهم إلى أماكن طلب العلم لتؤمنهم وتتحسس سلامتهم، ولها أن تخرج في حاجة بيتها وما يباح لها من العمل بإذن زوجها، فليست عليها نفقة واجبة فتعمل، فإن أذن لها فمن باب الفضل، لا الواجب، وإن أمرها بالخروج للعمل خارج المنزل ابتغاء الأجر، وهي لا تريد الخروج من بيتها، فليس عليها أن تخرج، لعدم وجوب النفقة عليها، وأمره لها بالخروج من البيت لا يعد أمر طاعة، وليس بمندوب، فالواجب عليه النفقة عليها، وهى في بيتها، وألا يعرضها بالخروج إلى ما تخشاه وتمتنع عنه إن شاءت خشية الاختلاط والمفاسد، فإن خرج في صحبتها خرجت معه، وليست بمكلفة بالنفقة على البيت، فإن أذن لها في العمل، فلا تدخر أجرها لنفسها بل يجب عليها أن تجعله في حاجة بيتها وعون زوجها، ولا تقول مالى، لأن الوقت الذى خرجت فيه حق لزوجها، وأذن لها فيه، واستغنى فيه عن قيامها على بيتها، وتنازل عن بعض حقه، فلا تجعل راتبها لنفسها، كالذى لها مالها الخاص، فهى كمن يكون على ذمة عمل، فلا يجوز له أن يمارس آخر في وقت العمل، لأن جهده حق للعمل الأول فإن فرغ من عمله قام بالآخر واقتضى عليه أجرا، وما يأخذه من أجر وهو في العمل الأول يكون حقا لصاحب العمل الذى أجر عليه بوقت محدد، والمرأة منذ زواجها في عهد زوجها، وولايته ويجب عليه أن يقوم عليها قياما كاملا، فتعد في مهنته، فإن مارست عملا ابتغت به أجرا وأذن لها فيه ولم يلزمها بالخروج إليه، فيجب عليها أن لا تختص أجرها فيه لنفسها، لأنها في ذمة الزوج ونفقته، فهو شريك في راتبها، لأنه أذن فيه ويعد زمنا مستقطعا من قيامها على العمل في مهنة زوجها ومصالحه، وإن جعله الزوج

خالصا لها، فله ذلك وإن طلب معونتها وجب عليها أن تعينه بالمال الذى أخذته عن عملها، وهي زوجة له، و الله تعالى يقول: ﴿وتعاونوا على البر والتقوى﴾[المائدة:٣] ويقول: ﴿ولا تنسوا الفضل بينكم﴾ [البقرة: ٢٣٧]، فلا تمتنع المرأة عن معاونة زوجها، فقد جعل الله تعالى كليهما سترا لآخر وغطاءه، وجعل بينهما مودة ورحمة، وكلاهما سكن الآخر، وزوجها أولى بصدقتها ومعروفها، وهذا مما يرغبه فيها ويديم بينهما الود.

ولنا في السيدة خديجة رضى الله عنها أسوة حسنة، فقد واست رسول الله صلى الله عليه وسلم بنفسها وجادت عليه بمالها، وجعلته في يده ينفق منه عليها وعلى بناتها وعلى ما يحتاجه من نفقة في الدعوة. و الله تعالى أعلم.

وعلاقة الرجل بالمرأة تشبه علاقة النهار بالليل فآية النهار مبصرة ليسعى الناس في إقامة حياتهم وأسباب معاشهم، ويجمعون أقواتهم، وجعل آية الليل للسكن والراحة والخلود إلى النوم بعد سعى وكد، فكانت سكنا تحصيلا للطاقة وتجديدا للنشاط، وجمعا للهمم، لئلا تفتر، والمرأة مثل ذلك سكن الرجل وظله الوارف وكنفه الذى يأوى إليه كلا من أعباء نشاط النهار أو الليل تحصيلا للقوت وقضاء للمصالح.

قال تعالى: ﴿ومن آياته أن خلق لكم من أنفسكم أزواجا لتسكنوا إليها وجعل بينكم مودة ورحمة إن في ذلك لآيات لقوم يتفكرون﴾[الروم: ٢١] والرجل يسعى لها وهى آمنة ساكنة قارة في بيتها لا تكلف نفقتها، ولم يأب الرجل ذلك، بل يراه واجبا ورجولة وحقا لها عليه، ومروءة، فالمؤمن لا يبيت بلا عمل، ويأبى أن يأكل من كسب زوجته، وهو كاسد بلا عمل.

وخدع بعض الضلال المرأة عن نفسها، فأغروها بالخروج من بيتها لتزاحم الرجل في الأعمال الشاقة مكابرة، وهي تقتل نفسها كبرا، وتوهم نفسها أنها مثل الرجل في كل شئ، فلم تقنع بمالها في الحياة مما اختصها الله تعالى به دون الرجل، وأبت في أن تعمل في منزلها وأن تعمل فيما يلائم طبيعتها وطاقتها، بل أقدمت على أعمال تتنافى مع أنوثتها معاندة، وتركت بيتها وأولادها وهما في حاجة لها، واستأجرت من تقيمه لها في غيابها تربي ولدها، وهم أولى بها من العمل الذى قدمته عليهم.

لقد ضيعت الأم أولادهم في مقابل عملها، فأودعت أولادها دور الأطفال مثل الأيتام في الملاجئ، وزعمت أن الحضانة تعطيه قسطا من التعليم والتوجيه ينفعانه، وتجاهلت أمومتها وحنانها، وأن الولد يحتاج إلى الترو ي من حنان أمومتها وينال حظه منها ، وهى أفضل معلمة له ، وعندها من الحنان ما يدعمها في تربية ابنها وتعليمه ، وهي رفيقة به ، ولن

تكون المربية في المنزل،والحاضنة والمعلمة في الحضانة أولى بذلك منها، وأعطف وأحسن عليه منها! إنها تترك ولدها دون حضانة وتعطيه المربية وبيوت الأطفال.

وقد نزعه الله تعالى من أبيه وأعطاه لها فلا ينازعها فيه، وهو أبوه، لما علمه الله تعالى من حاجة الطفل وهو في المهد إلى سقاء أمه وحنانها ورعايتها، ولما لأمه من فضل عليه وهى حديثة عهد بجهد عظيم في حمله وولادته فكافأها الله تعالى بحضانته دون أبيه قال تعالى ﴿**والوالدات يرضعن أولادهن حولين كاملين لمن أراد أن يتم الرضاعة...**﴾[**البقرة: ٢٣٣**] فلا ينازعها الأب المفارق لها في رضيعها، فبطنها كانت له وعاء، وثديها له سقاء، وقد حملته، وثقل حملها فأضعفها وتألمت في حملها وفي وضعها وحفظ الله تعالى حقها:﴿ **حملته أمه كرها ووضعته كرها وحمله....**﴾[**الأحقاف: ١٥**] و﴿**حملته أمه وهنا على وهن....**﴾[**لقمان: ١٤**]. وقد أمر الله تعالى أولادها ببرها والإحسان إليها، وقدمها في البر على أبيه، بيدأن الأم قست على ولدها فحرمته من حنانها ورعايتها في طفولته، فأسلمته للحاضنة، فأسلمها ابنها وهي كبيرة إلى دار كبار السن. وكافأها بها جزاء ما فعلته به في طفولته، وهى التى وضعت فيه هذا الفعل، فقد تخلت عنه وانشغلت بالعمل، فلم يجد الابن متسعا يرعى فيه أمه، فوضعها في رعاية الغرباء بدار المسنين.

ويجب مراعاة طاقة المرأة في العمل، فلا تكلف بما يشق عليها ويتنافى مع طبيعتها، ومن سماحة الدين وعدله أنه كلف المرأة من الأعمال ما تطيق ورفع عنها ما لا تطيق، فرفع الله تعالى عنها ما تعجز عنه نفسيا وبدنيا، وكلف الرجل به، فليس على المرأة جهاد ولا نفقة على الأسرة من مالها وكلف الرجال بالجهاد، لأنهم أقدر عليه منهن وأكثر تحملا لتبعاته وأضراره، ورفع عنها النفقة فلا تجب عليها بل تجب على الزوج ومن له الولاية عليها كالأب والأخ والعم، فلا تتحمل من الأعمال ما لا تطيق ولا ترهق نفسها في طلب أقوات أولادها، فهذا واجب الزوج نحوها ونحوهم، فعملها ونفقتها على الأسرة من باب الفضل وليس واجبا.

وفضلت صلاة المرأة في بيتها، لأنه أحفظ لها، ولا صلاة لرجل في بيته وهو مجاور المسجد، ولا يجب عليها الحج إن لم تجد من يصحبها من محارمها وإن لم تأمن على نفسها.

وإن خرجت المرأة للعمل لحاجة بيتها أو إن لم يك لها من يعولها هي ومن في رعايتها، وجب على ولى الأمر أن يوفر لها عملا تطيقه وييسر لها الوصول إليه والعودة منه نهارا، فليس من الدين والمروءة أن يخصص للمرأة أعمال الرجال في وقت متأخر من الليل، وبعض الرجال يستحوذون على بعض أعمال النساء نهارا. و الله تعالي يقول: ﴿**وليس**

الذكر كالأنثى﴾[آل عمران:٣٦] وذلك في الخلق والقدرة وشئون الحياة، فالرجل أقدر على العمل الشاق منها، ولديه من الصبر والمؤنة ما يجعله قائما على خدمتها، وهي في بيتها تقوم عليه أو تجاهد معه في الحياة للإنفاق على الأولاد، وهى في جهادها اليومى تمارس أعمالا تليق بأنوثتها، ولا تتنافى مع تكوينها، ولا تعرضها للمهانة أو الإرهاق وهو ما لا تعتد به المجتمعات الإباحية التى لا ترى للمرأة وقارا ولا تشفق عليها ولا تعتبر بضعفها، وتجعلها نظير الرجل وكفئا له في كل شئ، وتلزمها بالعمل كرجل تماما، وتلزمها بالنفقة على البيت مناصفة معه، وهذا ما يأباه منصف عادل أن يسوى بين قوى وضعيف ومن له قدرة على شيء وجبل عليه ومن لم يجبل عليه، وليس فى طاقته.

ولا مساواة في هذا، بل المساواة في السلوكيات والمعاملات وليست في تكاليف الحياة لأن الذكر ليس كالأنثى، فقد فضل الله الرجل على الأنثى في بعض القدرات والوظائف وفضل المرأة عليه أيضا في وجوه من التكوين والوظائف، وهذا التفضيل ليس معنويا بل تفضيل وظائف جسمانية، وهو على وجه التمييز الوظيفى.

قال تعالى: **﴿الرجال قوامون على النساء بما فضل الله بعضهم على بعض﴾** [النساء:٣٤]يريد سبحانه وتعالى: الرجال أقوى على النساء في العبء والمسئولية، لأن الله تعالى جعل لهم القدرة على المشقة والصبر عليها، وفيهم إرادة وجلد وثبات وقوة، وهى القوامة، وساوى في التفضيل بينهما وجعله متعادلا؛ فالرجل يتميز على المرأة في أشياء والمرأة تتميز عليه في أشياء، وكلاهما يحتاج الآخر ليكمل به ما ليس فيه من الفضل الذى جعله الله تعالى للآخر، وهذه كله يصب في مصلحة الحياة.

ولنا في الصالحات قدوة حسنة، فنتأسى بهن في الحياة، وقد ذكر الله تعالى نماذج نسائية صالحة، وقدوة، ومنهن امرأة عمران وابنتها مريم عليها السلام، فقد نذرت وهى حامل أن تهب وليدها لخدمة بيت المقدس بيد أنها أنجبت أنثى، ولم يك معهودا أن تكون الأنثى في خدمة بيت الله تعالى، فقد كان ذلك للرجال لما فيه من مشقة ومخالطة الرجال والتفرغ للخدمة فترة طويلة، فأنجبت أنثى وقد نذرت أن تهب ما في بطنها لخدمة بيت الله، فأوفت بنذرها وقدمت بنتها ودعت الله تعالى لها بأن يحفظها ويجند لها من يرعاها من الرجال حتى تبلغ، فجعلها الله تعالى في كفالة نبيه زكريا عليه السلام، فحفظها بما حفظ به الصالحين والصالحات. وكانت امرأة عمران رضى الله عنها أكثر حكمة وعقلا من كثيرات في عصرنا، فقد نذرت لربها ما في بطنها معتقدة أنه ولد **﴿رب إني نذرت لك ما في بطني محررا﴾**[**آل عمران: ٣٥**] أي جعلته محررا لعبادتك خادما لبيتك، عتيقا لك حبيسا لخدمة

بيت العبادة، واعتذرت لربها سبحانه وتعالى عن ذلك، لأنها ولدت أنثى: **﴿رب إني وضعتها أنثى﴾** [آل عمران:٣٦] والأنثى لا تصلح لخدمة المعبد أي لا تصلح لمخالطة الرجال، فكانت تتمنى أن يكون ذكرا ليصلح لأعمال الخدمة وأعبائها في المعبد ولا تخشى عليه[٥١]. وقيل إن أعمال الخدمة في المعبد كانت للرجال وليست للإناث.

واعتراف امرأة عمران عليها السلام بالفروق بين النوعين، فقالت: **﴿وليس الذكر كالأنثى﴾**[آل عمران:٣٦] أي: ليس الذكر كالأنثي، لأن الذكر أقوي علي أعمال الخدمة، من الأنثي فقد رأت أنها تعجز عن خدمة المسجد، ولا تعدل الرجل في العمل في مكان به رجال أجانب، فعدتها عورة، فأحسنت اختيار اسمها فسمتها «مريم» يعنى «خادم الرب في لغتهم»، ودعت لها ربها يعصمها من الشيطان وأتباعه، ودعت لذريتها بالعصمة من الحرام أيضا و**﴿إني أعيذها بك وذريتها من الشيطان الرجيم﴾**[آل عمران:٣٦] فلم تفعل فاحشة، ولم يؤذها رجل، فاستجاب الله تعالى دعاء الأم الصالحة بدعاء صالح طيب لنبت من بيت صالح، وولدت في بيت صالح، فجعل الله تعالى في كفالة زكريا عليه السلام، فنشأت في كنف صالح، وكان زكريا عليه السلام زوج خالتها فتكفل بتربيتها وهي صغيرة، وقام عليها حتى اكتمل خلقها، وقيل الله تعالى الذى كفلها زكريا، فكفل بنصب مفعولين، فكفل بمعنى أكفل أي ألزمه كفالتها استجابة لدعوة أمها الصالحة ودليل؛ لك قوله: **﴿...أيهم يكفل مريم...﴾** [آل عمران: ٤٤]، فقدر الله لها أن تكون في كفالة زكريا النبى عليه السلام فالبنت القاصر تكون في كفالة رجل من أهلها صالح قيل كان زكريا عليه السلام زوج أختها وقيل زوج خالتها، وقد هيأ الله تعالى لها أسباب المعاش في المحراب، فكان رزقها يأتيها من عند تعالى، فلما وجد زكريا من صلاحها ذلك، وأدرك بركتها وفضل الله عليها، تمنى من الله تعالى أن يهبه ولدا وقد أسن، فالذى رزق مريم عليها السلام قادر على أن يهبه الولد. لقد حركت مريم عليها السلام هذه الرغبة عنده بما وجده فيها من صلاح وتقوى، وما يرزقها الله تعالى.

وهنالك نموذج آخر للمرأة العاملة جاء ذكره في القرآن الكريم، وهو نموذج الفتاتين اللتين سقي لهما موسي عليه السلام من ماء مدين، وهما في سن البلوغ لم تتزوجا، وقد خرجت ابنتا الشيخ الكبير (قيل شعيب عليه السلام) ؛ لعدم وجود عائل يقدر على العمل ويغنيهما عن الخروج ، وقد رأى موسى عليه السلام المرأتين، فتعجب من خروجهما

---

(٥١) أرجع إلى القرطبى ٦٣/٤: ٦٥.

، ووقوفهما تذودان (تردان) غنمهما عن الماء، قال تعالى: **﴿ولما ورد ماء مدين وجد عليه أمة من الناس يسقون ووجد من دونهم امرأتين تذودان قال ما خطبكما قالتا لا نسقي حتى يصدر الرعاء وأبونا شيخ كبير﴾[القصص: ٢٣]**. لقد خرجتا للعمل، لأن أباهما شيخ كبير لا يقدر على العمل، ولا عائل لهما سواه، وقد اعتزلتا الرجال فلم تخالطا الرجال ولم تزاحماهم في المشرب بل اعتزلتا الرجال جانبا وزادتا غنمهما عن الماء خوفا من السقاة الأقوياء، فسقى لهما موسى عليه السلام مروءة وفضلا، ثم تركهما وجلس في الظل، وشكر الله تعالى، واستزاده فضلا وخيرا.

لقد أعربت الفتاتان عن عجزهما عن هذا العمل، فقد شكتا ضعفهما بذكر عجز أبيهما عن العمل ليستشفعا بذلك إليه ليتعاون معهما في العمل، فالأب لا يستطيع أن يباشر أمر غنمه، وإنهما لضعفهما وقلة طاقتهما لا تقدران علي مزاحمة الرجال، فعملتا ما يجب عليهما من التأني حتي يترك الناس الماء ويخلي، فتردانه، وهو اعتراف منهما بالعجز عن العمل الشاق الذي يكلف به الرجال، فالأب الكبير صاحب ذلك، وخروجهما لضرورة، فقام موسي عليه السلام بدور الرجل الغائب، فأغناهما فعلم أبوها بخبره، فأرسل إليه، فخرجت إحداهما إليه وحدها، لأنها أمنت الخروج وحدها، وأمنت موسي عليه السلام فهو رجل عفيف صالح أمين، فلم تخشه وأمنت شره، وأذن لها أبوها بالخروج إليه ودعوته عندما اتفقت البنتان علي أنه أمين صاحب خلق وقد تفضل بذلك موسي دون تصنع أو تشبه بخلق ليس فيه.

فجاءت إحدى البنتين إليه تمشى تؤدة وأناة ومحتشمة **﴿فجاءته إحداهما تمشي على استحياء قالت إن أبي يدعوك ليجزيك أجر ما سقيت لنا...﴾ [القصص: ٢٥]**.

وصف القرآن ذهابها إليه أنها جاءت وهي تمشي علي استحياء وحشمة وتؤدة ووقار دون تبرج أو صوت تحدثه، فجاء مبطئة غير مسرعة، فالمرأة تخرج وتعمل وتتواصل في حدود الشرع.

إن العمل خارج المنزل غير واجب علي المرأة، لأن الله تعالي كلف الرجال بإعالة النساء والنفقة عليهن، فإن خرجت المرأة للعمل طلبا للرزق وسدا للحاجة والنفقة علي أهلها صغارا وشيوخا عاجزين عن العمل، فهو من باب الفضل الذي تؤجر عليه أجرا حسنا إن شاء الله علي أن يكون في غير معصية ولا تبرج وألا تخالف الشرع في كل أمرها، فالعمل واجب علي الرجال ومندوب للنساء عند الضرورة خارج المنزل، وواجب عليهن

في بيوتهن وفي المواضع التي اختصت بهن، فطلب الرزق الحلال بوجه حلال بالحلال واجب علي كل مسلم ومسلمة، والإسلام ينكر علي المرأة أن تخرج لغير حاجة في وقت لا تأمن فيه علي نفسها، وقد تؤذي فالإسلام ينشد سلامتها لا التضييق عليها، عن عائشة رضي الله عنها قالت: «خرجت سودة بنت زمعة ليلا فرآها عمر فعرفها، فقال: إنك و الله يا سودة ما تخفين علينا، فرجعت إلي النبي صلى الله عليه وسلم فذكرت ذلك له، وهو في حجرتي يتعشي، وإن في يده لعرقا، فأنزل الله عليه فرفع عنه، وهو يقول: «قد أذن الله لكن أن تخرجن لحوائجكن[٥٢]»، وقد عرفها عمر رضي الله عنهما قبل نزول الحجاب، وقد أنكر عمر رضي الله عنه خروجها ليلا، والمراد بالحجاب اعتزال النساء الرجال واحتجابهن، وقد كان بعض الأعراب وبعض المشركين يؤذي رسول الله صلى الله عليه وسلم في نسائه، فنزل الحجاب، فاعتزلن الرجال واحتجبن، وكان الناس يتواصلون معهن من وراء حجاب، وعمل المرأة الرئيس تربية الأولاد وتأديبهم والقيام عليهم، فالمنزل قرارها الذي ترعي فيه أسرتها، وعبادتها فيه خير لها من العبادة في المسجد، عن أسماء بنت يزيد بن السكن رضي الله عنها آتت النبي صلى الله عليه وسلم فقالت: إني رسول من ورائي من جماعة نساء المسلمين، كلهن يقلن بقولي، وعلي مثل رأيي، إن الله بعث إلي الرجال والنساء، فآمنا بك واتبعناك، ونحن معشر النساء، مقصورات مخدرات، قواعد بيوت، وإن الرجال فضلوا بالجماعات، وشهود الجنائز، والجهاد وإذا خرجوا للجهاد، حفظنا لهم أموالهم، وربينا أولادهم، أنشاركهم في الأجر يا رسول الله؟ فالتفت رسول الله صلى الله عليه وسلم إلي أصحابه، فقال: «هل سمعتم مقالة امرأة، أحسن سؤالا عن دينها من هذه؟ » فقالوا: لا يا رسول الله، فقال رسول الله صلى الله عليه وسلم : «انصرفي يا أسماء أو أعلمي من وراءك من النساء أن حسن تبعل إحداكن لزوجها وطلبها لمرضاته، واتباعها لموافقته، يعدل قل ما ذكرت[٥٣]». وللمرأة أن تخرج، ولها أن تطلب رزقها، وتسعي لحاجاتها وحاجة أولادها غير متعطرة ولا متبرجة ولا تضرب أرضا ولا تحدث صوتا ولا تبدي زينة وتمشي علي استحياء في تؤدة غير مسرعة أو مائلة أو متلكئة ولا تتكلف في الكلام ولا تخضع في قول لإثارة الرجل، فإن خرجت تبعي خيرا وتطلب رزقا ضرورة في غير معصية فهى في سبيل الله حتي تعود، فالمرأة المترملة التى وهبت حياتها وسعت على

---

(٥٢) البخاري، كتاب النكاح، باب خروج النساء لحوائجهن، وكتاب التفسير، وتفسير الأحزاب، والعرق: لحم متلبس بعظم.
(٥٣) رواه مسلم.

أيتام فى مسئوليتها، وجاهدت فى طلب أقواتهم مع رسول الله صلى الله عليه وسلم فى الجنة، وهى منزلة الأنبياء، والمرأة الصالحة التي تقوم على أيتام ولا تتعدي حدود الله في حياتها وشأنها كله تعدل رجالا، وتساهم فى بناء الأمة ،وقد وعد الله تعالي الصالحات أجرا عظيما، و الله أعلم^(٥٤).

*** والحمد لله رب العالمين ***

الدكتور/ محمود أبو المعاطي أحمد عكاشة

---

^(٥٤) انتهيت منه بحمد الله وفضله وتوفيقه في يوم الخميس، الثاني عشر من ربيع الأول ١٤٢٦هـ ٢١ إبريل ٢٠٠٥م. وأستغفر الله تعالى عما خالف الصواب وما قصر عن قامة الحق، وسوف أوفي بموضوعات حقوق المرأة في كتب أخرى متتابعة إن شاء الله تعالى.

المراجع

- الأحوال الشخصية، الشيخ محمد أبو زهرة، دار الفكر العربي١٣٧٧هـ.
- إحياء علوم الدين، أبو حامد الغزالي، وبذيله كتاب المغنى عن حمل الأسفار، للعراقى، الدار المصرية اللبنانيـة. ودار الكتب العلمية، بيروت.
- أصول التشريع الإسلامى، الشيخ على حسب اللـه، دار المثقف العربى، ط٦، ١٤٠٢هـ١٩٨٢م.
- الاعتصام، أبوإسحاق بن موسى الشاطبى، دار التحرير، ١٩٧٠م.
- إعلام الموقعين عن رب العالمين، عبد اللـه بن قيم الجوزية، مطبعة شقرون ١٣٨٨هـ ١٩٦٨م.
- الأم، الجامع لفقه الإمام الشافعى، محمد بن إدريس، كتاب الشعب.
- البحر الزخار الجامع لمذاهب علماء الأمصار، للإمام المهدى لدين اللـه بن يحيى المرتضى، مكتبة الخانجى ١٣٦٧هـ ١٩٤٨م.
- بداية المجتهد ونهاية المقتصد، لابن رشيد الحفيد، محمد بن أحمد، المكتبة التجارية الكبرى، مصر،
- تاريخ الحكم فى الإسلام، للدكتور محمود عكاشة، مؤسسة مختار ٢٠٠٢م.
- تأوسل مختلف الحديث فى الرد على أعداء الحديث، محمد بن مسلم بن قتيبة، دار الكتاب العربى، بيروت.
- تعدد الزوجات فى الشعوب الأفريقية، دكتور محمد سلامة، سلسلة (اقرأ) العدد ٢٤٢، دار المعارف، ١٩٦٣م.
- تفسير البيضاوى، ناصر الدين البيضاوى، تحقيق ثلاثة من العلماء، دار الأشراف، مكتبة النشرق ١٤١٨هـ.
- تنوير الحوالك شرح على موطأ مالك، للإمام جلال الدين السيوطى، دار إحياء الكتب العربية.
- جامع الآداب، لابن القيم، جمع وتحقيق يسرى السيد، دار الوفاء المنصورة.
- جامع البيان فى تأويل القرآن، محمد بن جرير الطبرى، تحقيق جماعة من الباحثين، المكتبة التوفيقية، ط ٢٠٠٤م.
- جامع الفقه، لابن القيم، جمع وتحقيق يسرى السيد، دار الوفاء، المنصورة.
- الجامع لأحكام القرآن، تفسير القرطبى (محمد بن أحمد الأنصارى)، تحقيق البارودى وسعيد، المكتبة التوفيقية.
- حجاب المرأة المسلمة فى الكتاب والسنة، محمد ناصر الدين الألبانى، دار الاعتصام، ط٥/ ١٩٨٨م.

- حديث القرآن عن الرجل والمرأة، الدكتور محمد سيد طنطاوى، سلسلة البحوث الإسلامية، الأزهر الشريف، ١٤٢٥هـ ٢٠٠٤م.
- دراسات فى أحكام الأسرة، للدكتور البلتاجى، مكتبة الشباب، ١٤٠٢هـ.
- دراسات فى الأحوال الشخصية، للدكتور البلتاجى، مكتبة الشباب، ١٤٠٠هـ ١٩٨٠م.
- زاد المعاد فى هدى خير العباد، لأبى عبد الله بن قيم الجوزية، دار الكتاب العربى، بيروت.
- سلسلة الأحاديث الضعيفة والموضوعة، وأثرها السيئ فى الأمة، تخريج محمد ناصر الدين الألبانى، المكتب الإسلامى، ط٣.
- سنن الترمذى، محمد بن عيسى الترمذى، المطبعة المصرية بالأزهر الشريف، ١٣٥٠هـ
- سنن الدارمى، أبو محمد عبد الله بن عبد الرحمن الدارمى، دار إحياء السنة النبوية.
- سنن أبى داود، سليمان بن الأشعث السجستانى، مطابع المجد بالقاهرة.
- سنن ابن ماجة، القزوينى، تحقيق محمد فؤاد عبد الباقى، مطبعة عيسى البابى الحلبى.
- سنن النسائى، أبو عبد الرحمن أحمد بن شعيب، المكتبة التجارية الكبرى، القاهرة.
- شرح رياض الصالحين، محمد صالح العثيمين، دار المنار، مصر.
- الشرح الصغير على سالك إلى مذهب الإمام مالك، العلامة أبو البركات أحمد بن محمد الدردير.
- صحيح البخارى بشرح السندى، للإمام محمد بن إسماعيل، دار إحياء الكتب العربية.
- صحيح مسلم بشرح النووى، طبعة الهيئة العامة لشئون المطابع الأميرية، القاهرة، ١٤١٧هـ ١٩٩٦م، وطبعة دار الغد العربى، القاهرة، ط١٤٠٧/١هـ ١٩٨٧م.
- العقد الفريد، لابن عبد ربه الأندلسى، الهيئة العامة لقصور الثقافة، سلسلة الذخائر.
- عودة الحجاب، معركة الحجاب والسفور، محمد أحمد إسماعيل، دار الصفوة للنشر والتوزيع، ط١٤٠٧هـ
- عيون الأخبار، محمد عبد الله بن مسلم بن قتيبة، الهيئة العامة لقصور الثقافة، سلسلة الذخائر.
- فتح البارى بشرح صحيح البخارى، أحمد بن حجر العسقلانى، دار التقوى للتراث، ط٢٠٠٠م.
- الفوائد المجموعة فى الأحاديث الموضوعة، للإمام محمد بن على الشوكانى، مطبعة السنة المحمدية، ١٣٨٠هـ ١٩٦٠م.
- الكامل فى اللغة والأدب، محمد بن يزيد المبرد، تحقيق محمد أبو الفضل إبراهيم، المكتبة العصرية، بيروت، ١٤٢٠هـ ١٩٩٩م.
- الكتاب المقدس (العهد القديم ، العهد الجديد)، دار الكتاب المقدس بمصر.
- الكشاف عن حقائق التنزيل وعيون الأقاويل فى وجوه التأويل، محمد بن عمر الزمخشرى، تحقيق يوسف الحمادى، مكتبة مصر (جودة السحار).

- الكناية والتعريض، لأبي منصور الثعالبى، تحقيق محمد إبراهيم، مكتبة ابن سينا.
- المبسوط فى الفقه الحنفى، شمس الدين السرخسى، مطبعة السعادة، مصر١٣٢٤هـ.
- المحرر الوجيز فى تفسير الكتاب العزيز، محمد بن عبد الحق بن عطية، تحقيق أحمد صادق، المجلس الأعلى للشئون الإسلامية، مصر.
- المرأة بين الفقه والقانون، الدكتور مصطفى السباعى،المكتب الإسلامى،ط٦/١٤٠٤هـ ١٩٨٤م.
- المرأة فى الإسلام، لثلاثة من كبار العلماء (الغزالى، طنطاوى، هاشم)، مطبوعات أخبار اليوم.
- المرأة فى القرآن، الإمام الشعراوى، أخبار اليوم، قطاع الثقافة.
- المرأة منذ النشأة بين التحريم والتكريم، الدكتور أحمد غنيم، مطبعة الكيلانى، ١٤٠١هـ١٩٩٦م.
- المسند، للإمام أحمد بن حنبل، تحقيق الشيخ شاكر وحمزة الزين، دار الحديث، القاهرة.
- المعجم المفهرس لألفاظ القرآن الكريم، محمد فؤاد عبد الباقى، دار الحديث، القاهرة، ١٤٠٧هـ.
- مكانة المرأة فى القرآن الكريم والسنة الصحيحة، الدكتور محمد البلتاجى، دار السلام، ١٤٢٠هـ٢٠٠٠م.
- من فقه الأسرة فى الإسلام، البناء والهدم، دكتور محمد نبيل غنايم، دار الهداية.
- الموطأ، الإمام مالك بن أنس، تحقيق محمد فؤاد عبد الباقى، دار إحياء الكتب العربية (عيسى الحلبى).
- نيل الأوطار من أحاديث سيد الأخبار (شرح منتقى الأخبار) والمتن لشيخ الحنابلة مجد الدين بن تيمية، وشرح الإمام الشوكانى، دار الجيل، بيروت، ١٩٧٣.

*****

الفهرس

T0142433

Printed in the United States
By Bookmasters